# 4주 완성 스케줄표

| 공부한 날 | 주 | 일 | 학습 내용 |
|---|---|---|---|
| 월 일 | 1주 | 도입 | 이번에 배울 내용을 알아볼까요? |
| | | 1일 | 1부터 5까지의 수 |
| 월 일 | | 2일 | 6부터 9까지의 수 |
| 월 일 | | 3일 | 몇째 알아보기, 수의 순서 알아보기 |
| 월 일 | | 4일 | 1만큼 더 큰 수, 1만큼 더 작은 수 |
| 월 일 | | 5일 | 수의 크기 비교하기 |
| | | 평가/특강 | 누구나 100점 맞는 테스트/창의·융합·코딩 |
| 월 일 | 2주 | 도입 | 이번에 배울 내용을 알아볼까요? |
| | | 1일 | 모으기와 가르기(1) |
| 월 일 | | 2일 | 모으기와 가르기(2) |
| 월 일 | | 3일 | 더하기로 나타내기 |
| 월 일 | | 4일 | 덧셈하기(1) |
| 월 일 | | 5일 | 덧셈하기(2) |
| | | 평가/특강 | 누구나 100점 맞는 테스트/창의·융합·코딩 |
| 월 일 | 3주 | 도입 | 이번에 배울 내용을 알아볼까요? |
| | | 1일 | 덧셈식에서 □ 구하기 |
| 월 일 | | 2일 | 빼기로 나타내기 |
| 월 일 | | 3일 | 뺄셈하기(1) |
| 월 일 | | 4일 | 뺄셈하기(2) |
| 월 일 | | 5일 | 뺄셈식에서 □ 구하기 |
| | | 평가/특강 | 누구나 100점 맞는 테스트/창의·융합·코딩 |
| 월 일 | 4주 | 도입 | 이번에 배울 내용을 알아볼까요? |
| | | 1일 | 9 다음의 수 알아보기, 10을 모으기와 가르기, 십몇 알아보기 |
| 월 일 | | 2일 | 모으기와 가르기 |
| 월 일 | | 3일 | 10개씩 묶어 세기, 50까지의 수 세기 |
| 월 일 | | 4일 | 수의 순서 알아보기 |
| 월 일 | | 5일 | 수의 크기 비교하기 |
| | | 평가/특강 | 누구나 100점 맞는 테스트/창의·융합·코딩 |

공부한 날을 표시하고 하루하루 학습 내용을 살펴보세요.

Chunjae Maketh Chunjae

기획총괄 박금옥
편집개발 지유경, 정소현, 조선영, 원희정,
이정선, 최윤석, 김선주, 박선민
디자인총괄 김희정
표지디자인 윤순미, 안채리
내지디자인 박희춘, 이혜진
제작 황성진, 조규영

발행일 2021년 2월 1일 초판 2021년 2월 1일 1쇄
발행인 (주)천재교육
주소 서울시 금천구 가산로9길 54
신고번호 제2001-000018호
고객센터 1577-0902

※ 이 책은 저작권법에 보호받는 저작물이므로 무단복제, 전송은 법으로 금지되어 있습니다.

※ 정답 분실 시에는 천재교육 홈페이지에서 내려받으세요.

※ KC 마크는 이 제품이 공통안전기준에 적합하였음을 의미합니다.

※ 주의

책 모서리에 다칠 수 있으니 주의하시기 바랍니다.

부주의로 인한 사고의 경우 책임지지 않습니다.

8세 미만의 어린이는 부모님의 관리가 필요합니다.

뚝 뚝 한

# 하루 계산

## 1A

기운과 끈기는
모든 것을 이겨낸다.
- 벤자민 플랭크린 -

## 주별 Contents

똑똑한 하루 계산

# 이 책의 특징

## 도입 이번에 배울 내용을 알아볼까요?

**이번 주에 공부할 내용**을 만화로 재미있게!

반드시 알아야 할 개념을 쉽고 재미있는 만화로 확인!

## 개념 완성 개념 • 원리 확인

**쉬운 계산 원리**를 만화로 쏙쏙!

계산 반복 훈련

계산 원리와 방법이 한눈에 쏙쏙!

1일 모으기와 가르기 ①

똑똑한 계산 연습

똑똑한 하루 계산법

• 2, 3, 4, 5를 모으기

예 4를 모으기

1 3 → 4

2 2 → 4

1과 3, 2와 2를 모으기 하면 4가 됩니다.

○× 퀴즈

모으기 한 것이 옳으면 ○에, 틀리면 ×에 ○표 하세요.

1 1 → 3

○ ×

정답 ×에 ○표

## 기초 집중 연습

**다양한 형태의 계산 문제**를 **반복**하여 완벽하게 익히기!

생활 속에서 필요한 계산 연습!

문장 읽고 계산식을 세우면서 문장제 문제도 연습!

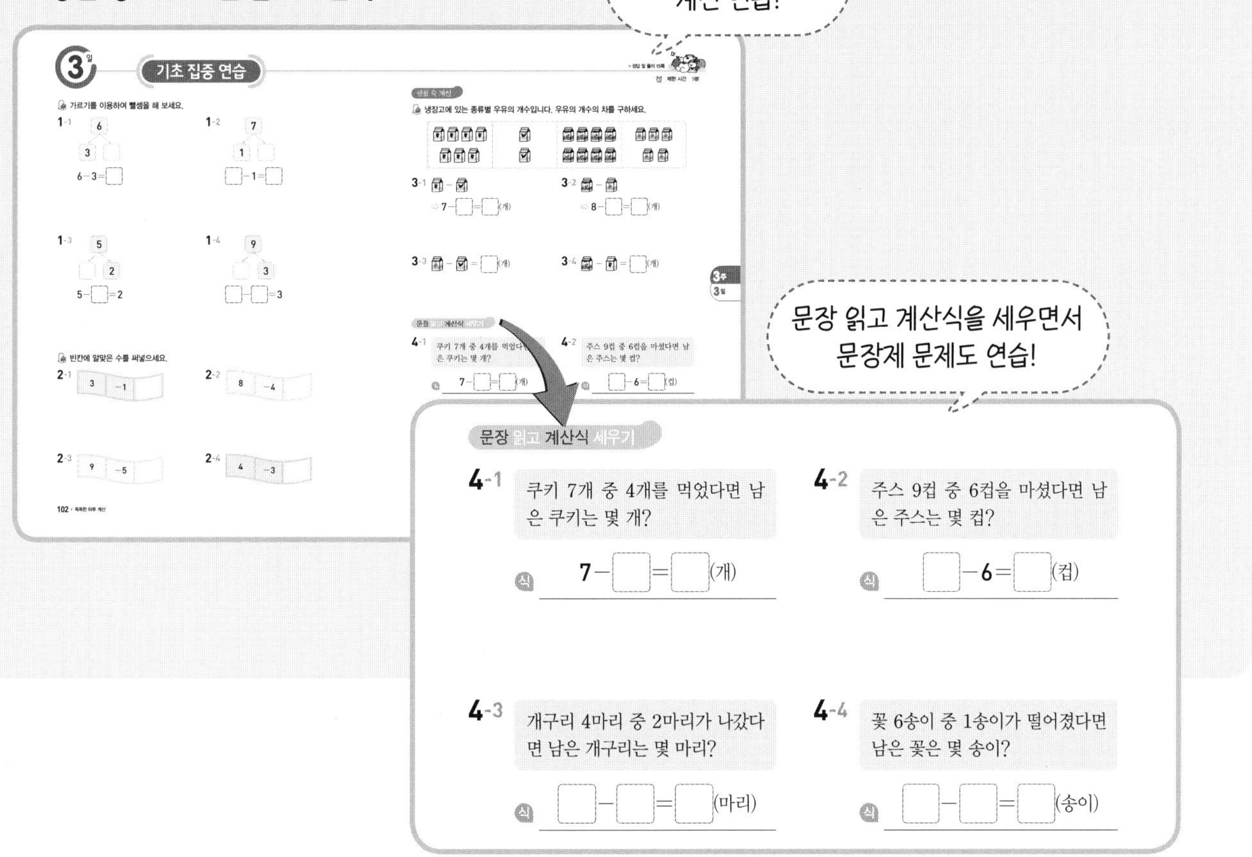

## 평가 + 창의·융합·코딩

한 주에 **배운 내용**을 **테스트**로 마무리!

빠르고 정확하게 풀어 보자!

4차 산업 혁명 시대에 알맞은 최신 트렌드 유형

요즘 수학 문제인 **창의·융합·코딩** 문제 수록

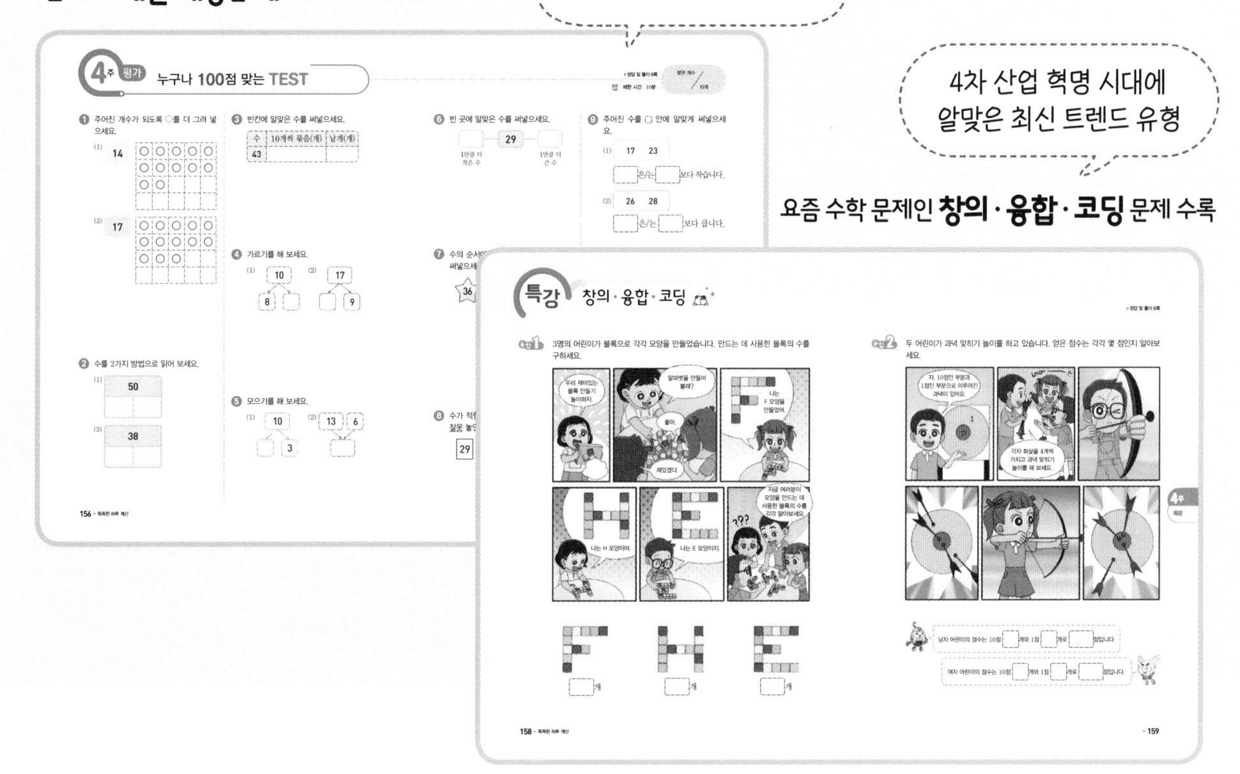

# 1주 9까지의 수

안녕!
오늘부터 우리도
초등학생이다!
새 친구들을
사귈 수 있을까?

너는
땀을 왜 이렇게
많이 흘려?
끄응…
후들
가, 가방이……
후들

너무
무거워!!

가방에 뭐가
들었길래
쿵! 소리가 나지?
이게 무슨
소리야?
헉
헉
다 같이
세어 보자!


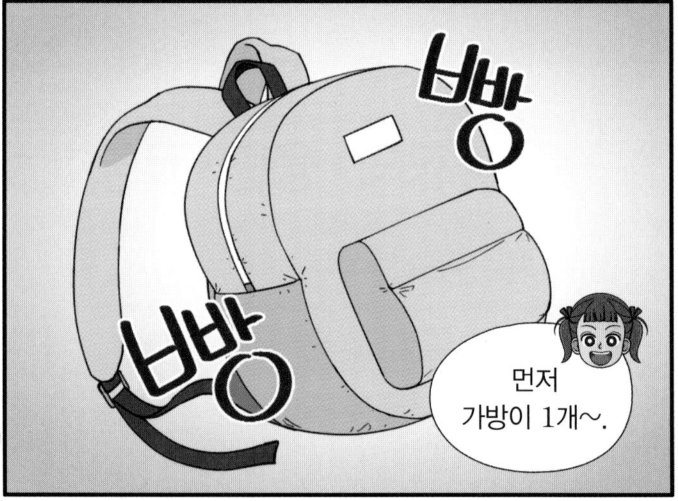

빠방
빠방
먼저
가방이 1개~.

그 안에
큐브가 2개,
슬라임이 3개
들어 있네.

그리고…
탱탱볼이
4개,
동화책이
5권…?

교과서랑
학용품은
어디에……?

## 이번에 배울 내용을 알아볼까요?

- 1일 1부터 5까지의 수
- 2일 6부터 9까지의 수
- 3일 몇째, 수의 순서 알아보기
- 4일 1만큼 더 큰 수, 1만큼 더 작은 수 알아보기
- 5일 수의 크기 비교하기

# 1부터 5까지의 수 ①

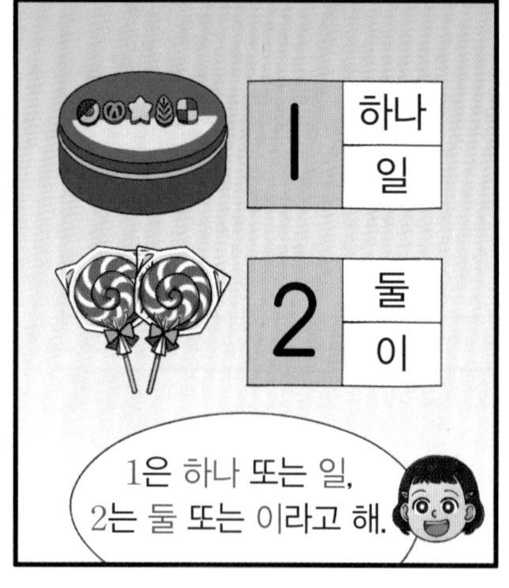

## 똑똑한 하루 계산법

• 1, 2, 3, 4, 5 알아보기

| 수 | 읽기 | |
|---|---|---|
| 1 | 하나 | 일 |
| 2 | 둘 | 이 |
| 3 | 셋 | 삼 |
| 4 | 넷 | 사 |
| 5 | 다섯 | 오 |

## ○✕ 퀴즈

수를 바르게 세었으면 ○에,
틀리게 세었으면 ✕에
○표 하세요.

셋

○ ✕

정답 ○에 ○표

# 똑똑한 계산 연습

▶정답 및 풀이 1쪽

제한 시간 3분

채소의 수를 세어 알맞은 수에 ○표 하세요.

1

( 1 2 3 4 5 )

2

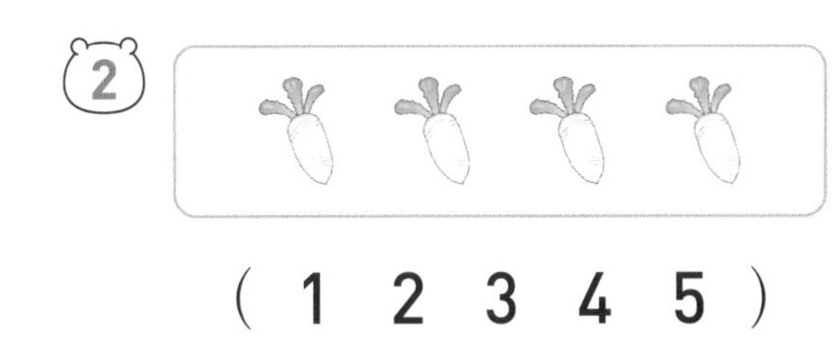

( 1 2 3 4 5 )

3

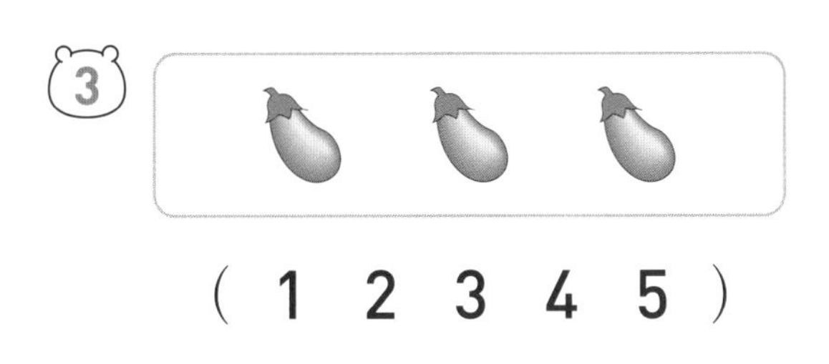

( 1 2 3 4 5 )

4

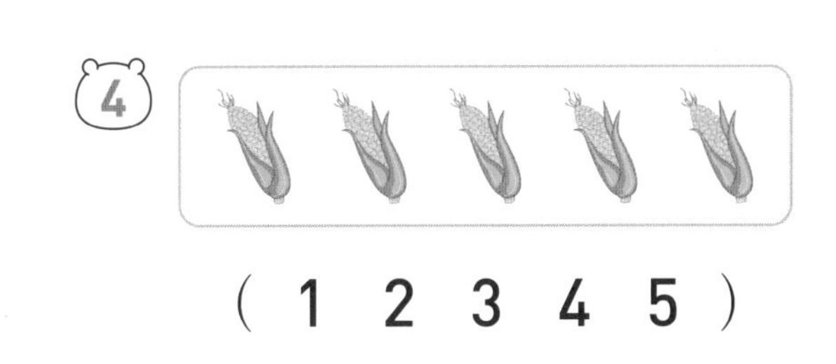

( 1 2 3 4 5 )

동물의 수를 세어 알맞은 말에 ○표 하세요.

5

( 하나 둘 셋 넷 다섯 )

6

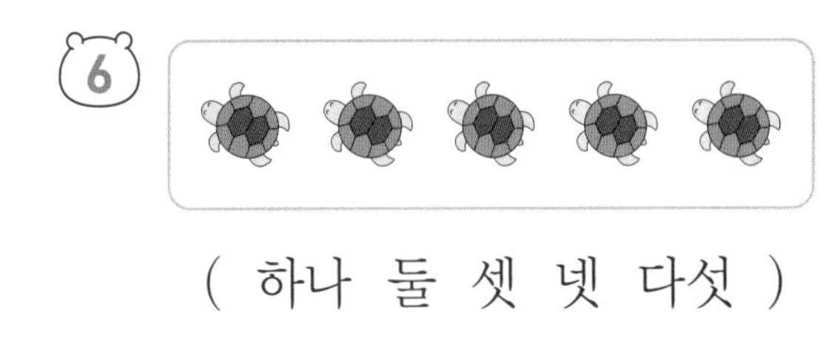

( 하나 둘 셋 넷 다섯 )

7

( 하나 둘 셋 넷 다섯 )

8

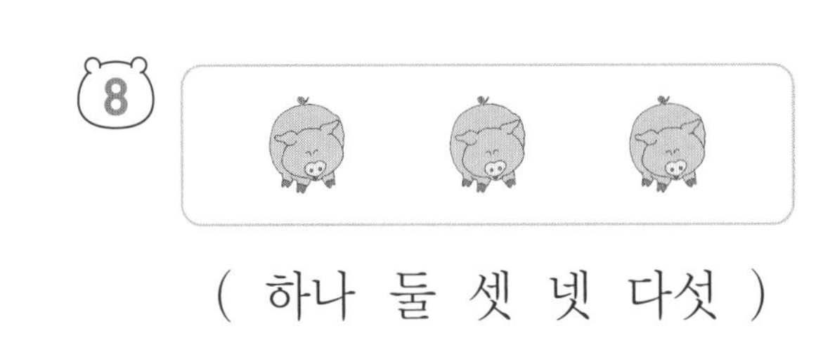

( 하나 둘 셋 넷 다섯 )

9

( 하나 둘 셋 넷 다섯 )

10

( 하나 둘 셋 넷 다섯 )

# 1일 1부터 5까지의 수 ②

## 똑똑한 하루 계산법

• 1, 2, 3, 4, 5 쓰기

1 → 1

2 → 2

3 → 3

4 → 4

5 → 5

## OX 퀴즈

그림을 보고 수를 바르게 썼으면 ○에, 틀리게 썼으면 ✕에 ○표 하세요.

3

○ ✕

정답 ✕에 ○표

▶정답 및 풀이 1쪽

제한 시간 3분

수를 읽으면서 따라 써 보세요.

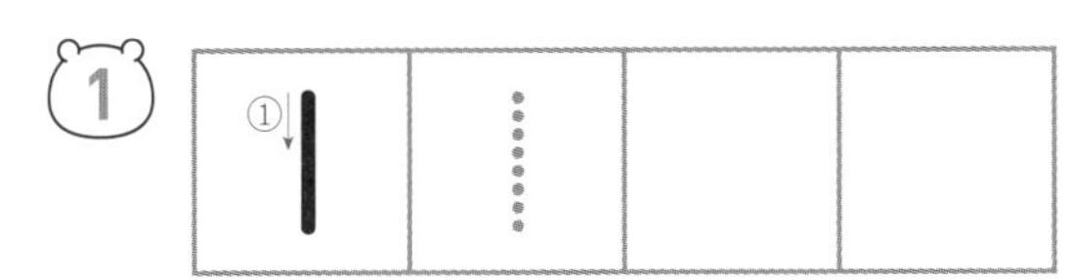

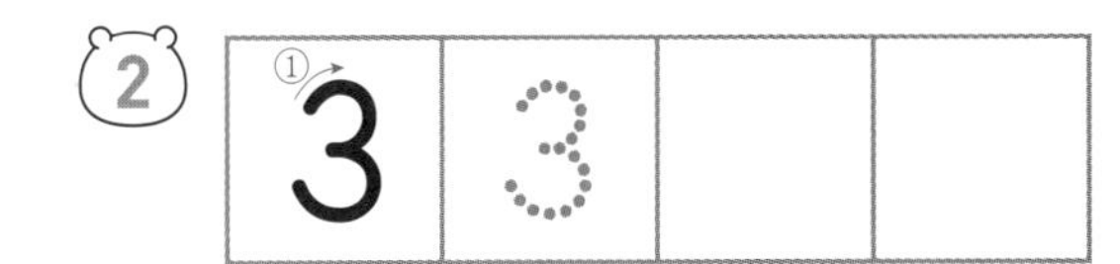

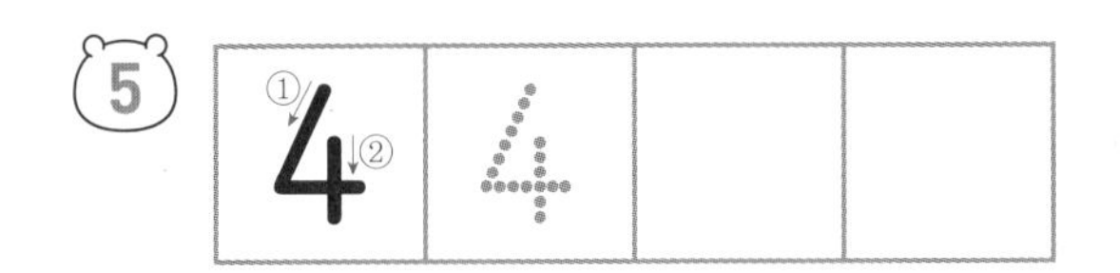

과일의 수를 세어 보세요.

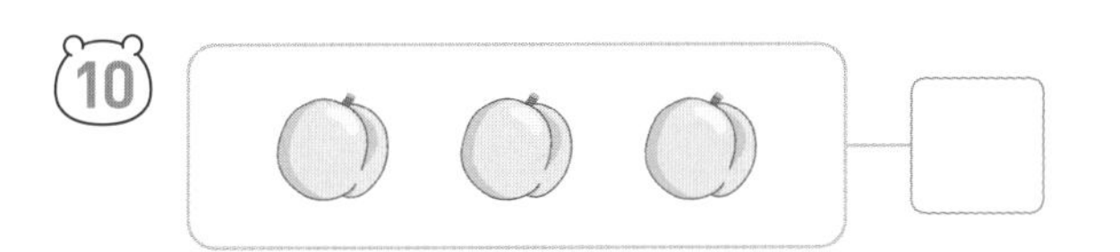

# 기초 집중 연습

왼쪽의 수를 두 가지로 읽으려고 합니다. 빈칸에 알맞은 말을 써넣으세요.

**1-1**

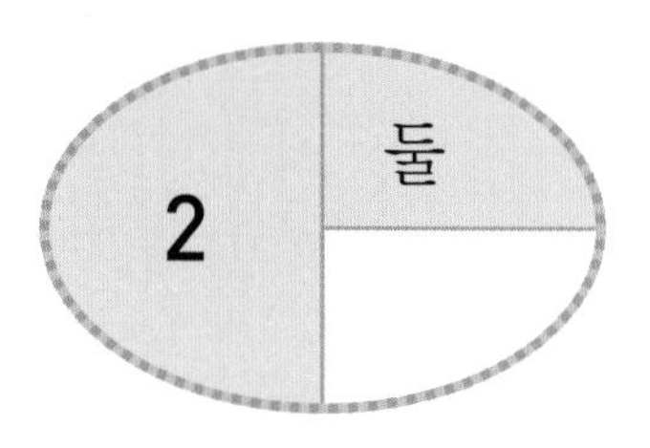


**1-2**

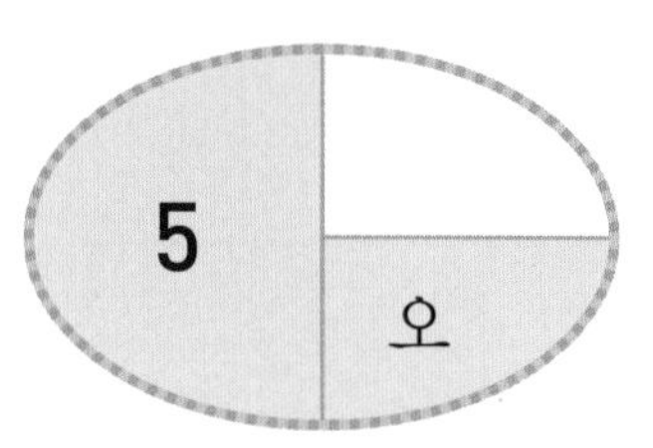


**1-3**

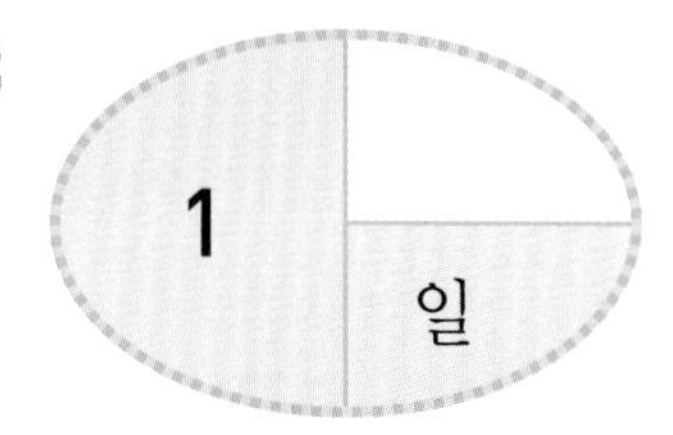


**1-4**

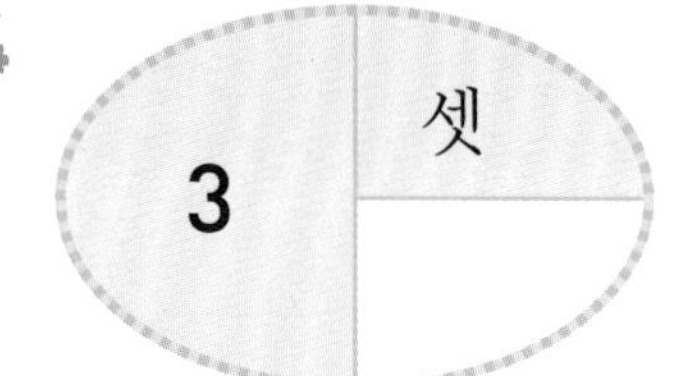


그림을 보고 ☆의 개수만큼 ○를 그리고, □ 안에 알맞은 수를 써넣으세요.

**2-1**

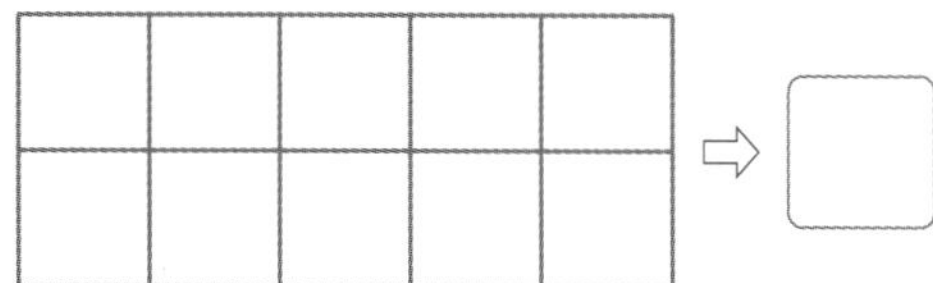

**2-2**

**2-3**

**2-4**

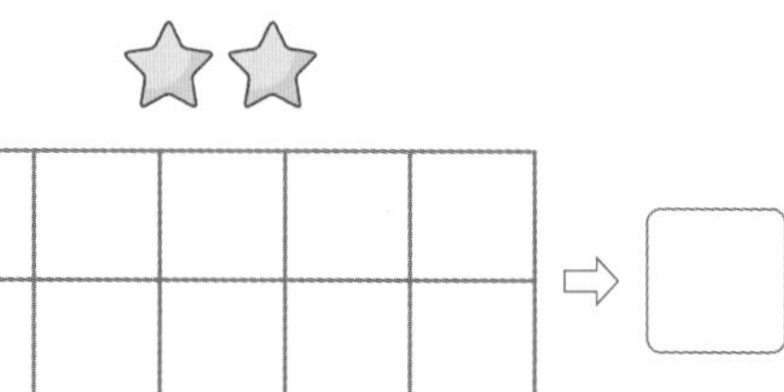

제한 시간 9분

## 생활 속 문제

 채소의 수를 세어 보세요.

3-1 

3-2 

3-3 

3-4 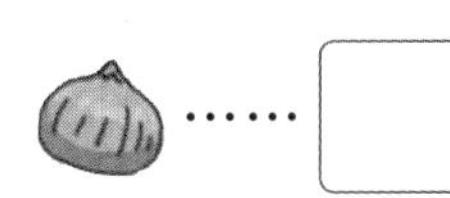

3-5 

3-6 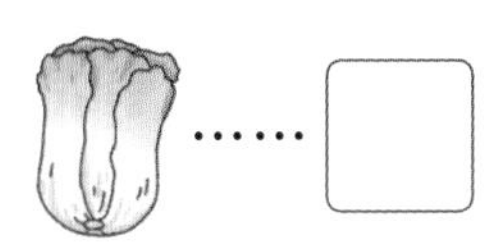

## 문장 읽고 문제 해결하기

4-1 4를 두 가지로 읽으면?

읽기 ☐, ☐

4-2 2를 두 가지로 읽으면?

읽기 ☐, ☐

4-3 3을 두 가지로 읽으면?

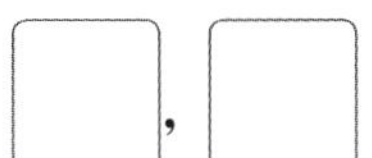

읽기 ☐, ☐

4-4 5를 두 가지로 읽으면?

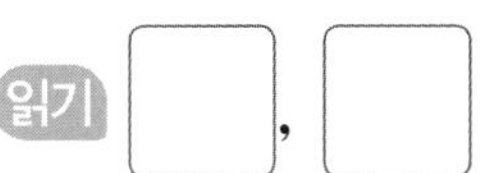

읽기 ☐, ☐

1주 1일

# 6부터 9까지의 수 ①

## 똑똑한 하루 계산법

• 6, 7, 8, 9 알아보기

| 수 | 읽기 | 읽기 |
|---|---|---|
| 6 | 여섯 | 육 |
| 7 | 일곱 | 칠 |
| 8 | 여덟 | 팔 |
| 9 | 아홉 | 구 |

## ○✕ 퀴즈

수를 바르게 세었으면 ○에, 틀리게 세었으면 ✕에 ○표 하세요.

아홉

○ ✕

정답 ✕에 ○표

▶정답 및 풀이 1쪽

# 똑똑한 계산 연습

제한 시간 3분

물건의 수를 세어 알맞은 수에 ○표 하세요.

1
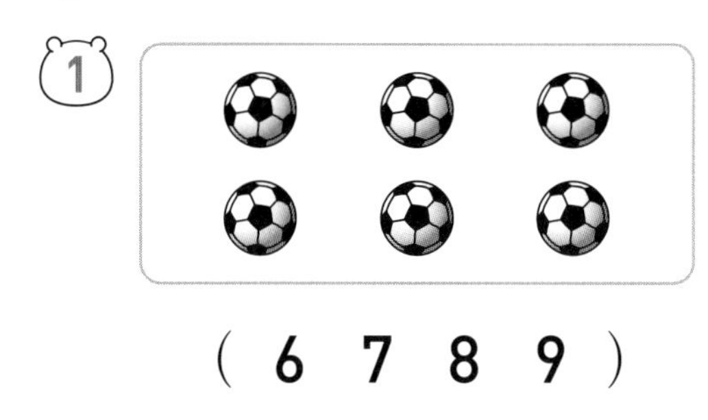

( 6 7 8 9 )

2
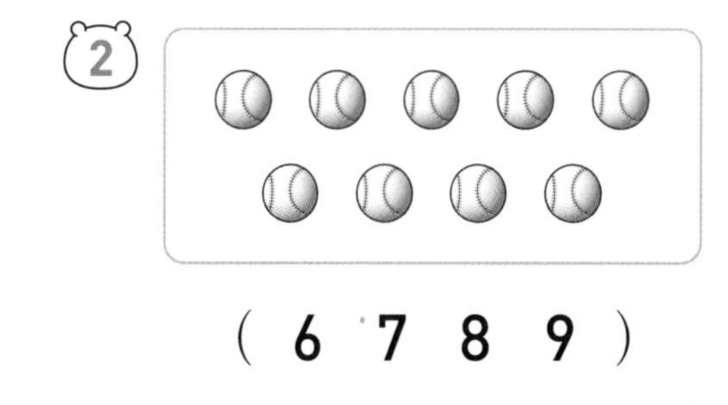

( 6 7 8 9 )

3
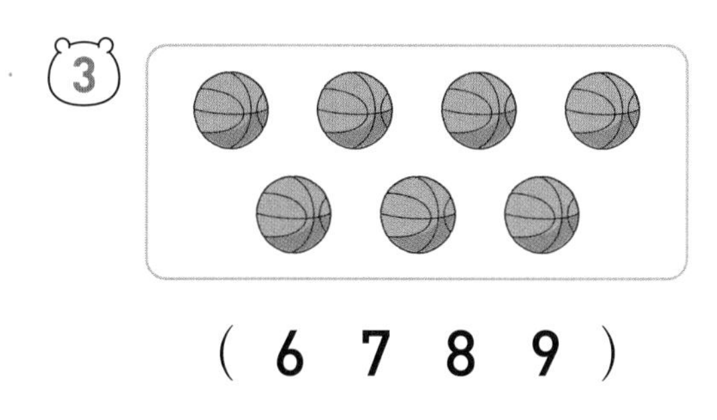

( 6 7 8 9 )

4
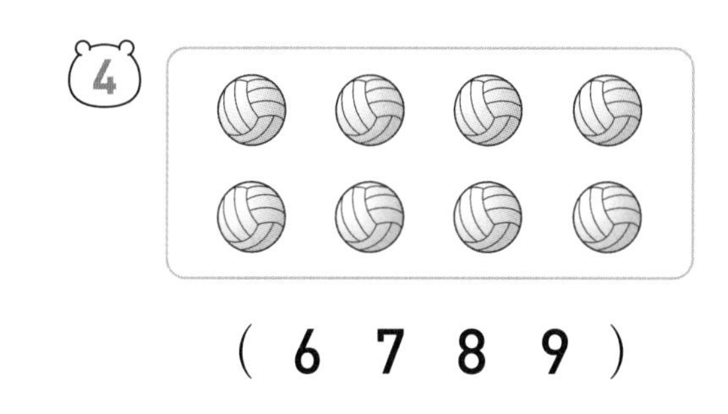

( 6 7 8 9 )

동물의 수를 세어 알맞은 말에 ○표 하세요.

5

( 여섯 일곱 여덟 아홉 )

6

( 여섯 일곱 여덟 아홉 )

7
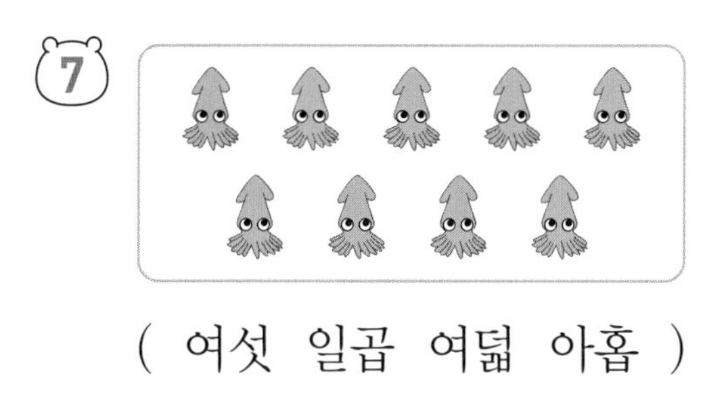

( 여섯 일곱 여덟 아홉 )

8

( 여섯 일곱 여덟 아홉 )

# 6부터 9까지의 수 ②

## 똑똑한 하루 계산법

• 6, 7, 8, 9 쓰기

⇨ 6

⇨ 7

⇨ 8

⇨ 9

## ○✕ 퀴즈

그림을 보고 수를 바르게 썼으면 ○에, 틀리게 썼으면 ✕에 ○표 하세요.

7

○ ✕

정답 ✕에 ○표

# 똑똑한 계산 연습

▶정답 및 풀이 2쪽

제한 시간 3분

수를 읽으면서 따라 써 보세요.

1
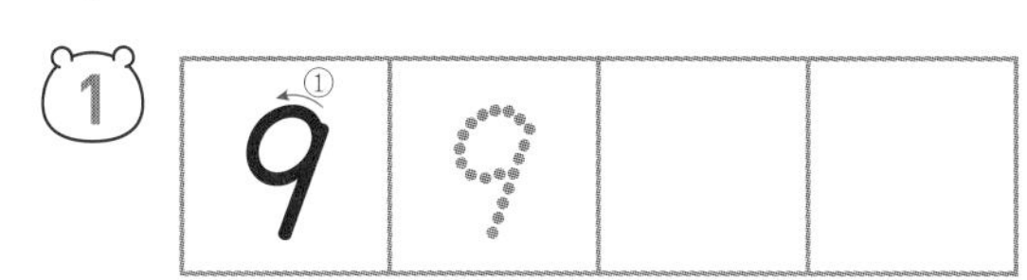

2
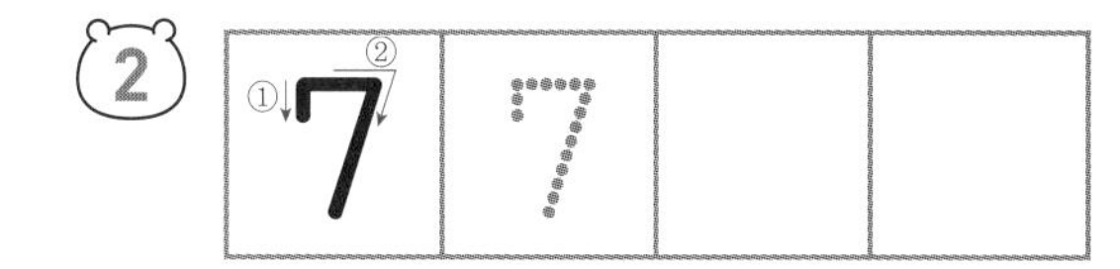

3
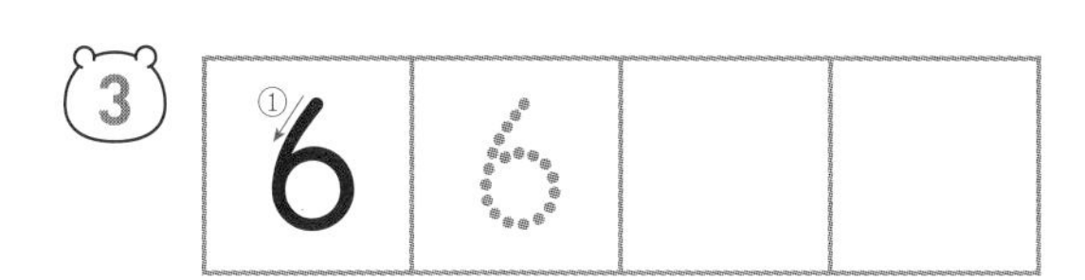

4
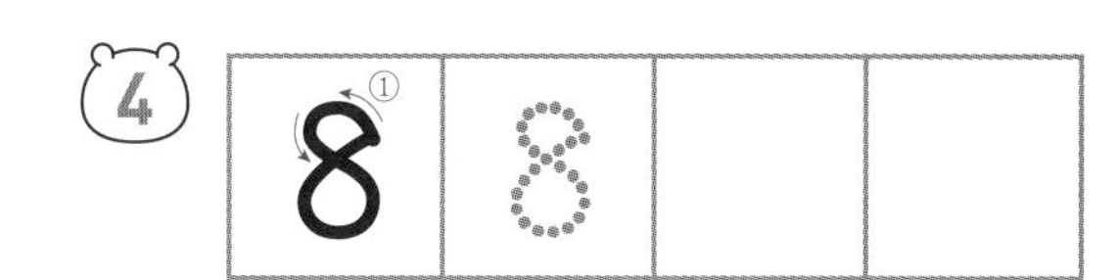

악기의 수를 세어 보세요.

5
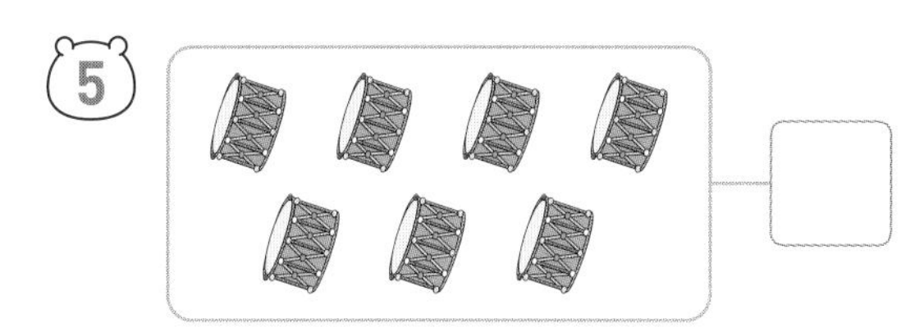

6

7

8

9
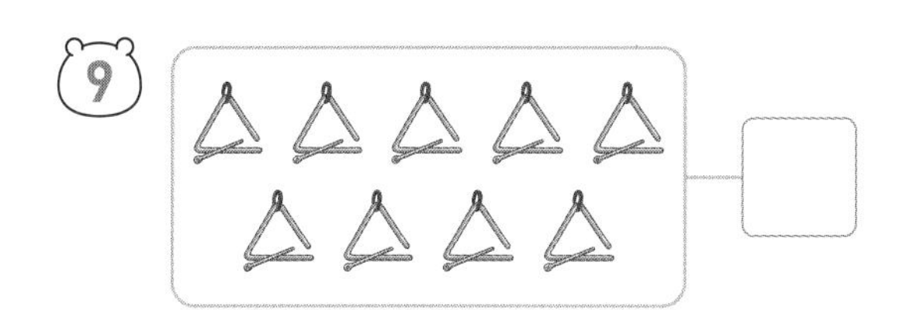

10

## 2일 기초 집중 연습

왼쪽의 수를 두 가지로 읽으려고 합니다. 빈칸에 알맞은 말을 써넣으세요.

1-1

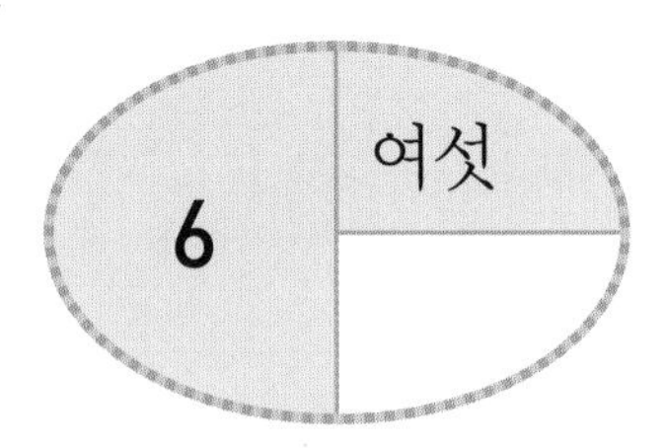


1-2

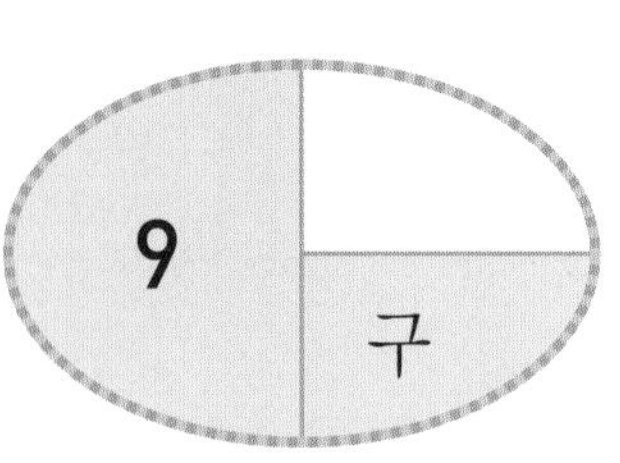


1-3

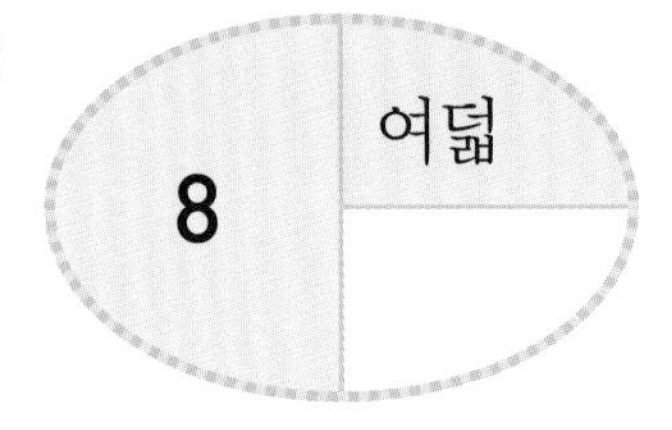


1-4

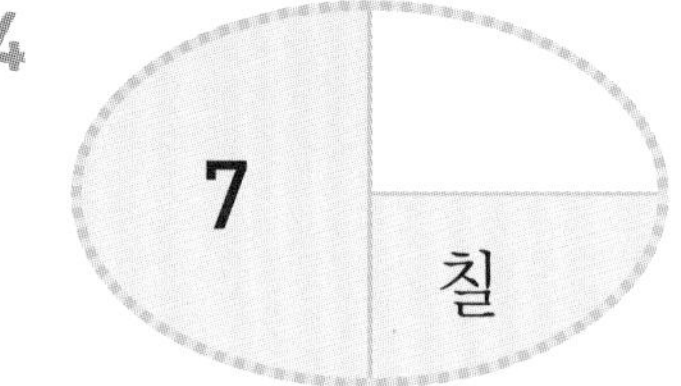


그림을 보고 ♡의 개수만큼 ○를 그리고, □ 안에 알맞은 수를 써넣으세요.

2-1

2-2

2-3

2-4

제한 시간 9분

## 생활 속 문제

 **학용품의 수를 세어 보세요.**

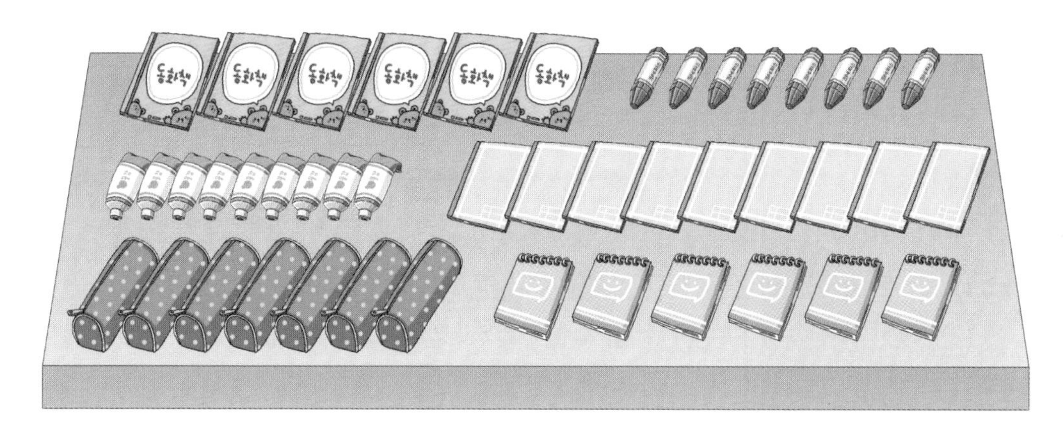

**3-1**  ······ ☐

**3-2**  ······ ☐

**3-3** 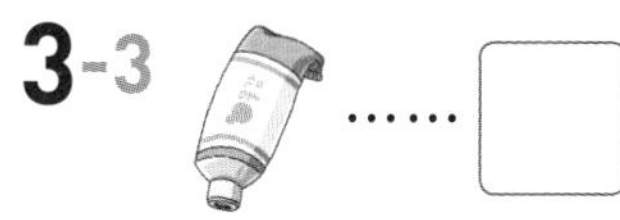 ······ ☐

**3-4** 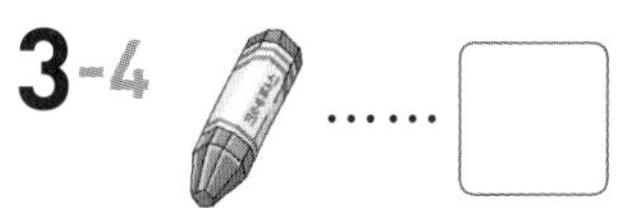 ······ ☐

**3-5**  ······ ☐

**3-6**  ······ ☐



## 문장 읽고 문제 해결하기

**4-1** 8을 두 가지로 읽으면?

읽기 ☐, ☐

**4-2** 6을 두 가지로 읽으면?

읽기 ☐, ☐

**4-3** 9를 두 가지로 읽으면?

읽기 ☐, ☐

**4-4** 7을 두 가지로 읽으면?

읽기 ☐, ☐

# 몇째 알아보기

## 똑똑한 하루 계산법

• 몇째 알아보기

| 1 | 2 | 3 | 4 | 5 | 6 | 7 | 8 | 9 |
|---|---|---|---|---|---|---|---|---|
| 첫째 | 둘째 | 셋째 | 넷째 | 다섯째 | 여섯째 | 일곱째 | 여덟째 | 아홉째 |

| 순서를 나타낼 때 | 첫째 | 둘째 | 셋째 | 넷째 | 다섯째 | 여섯째 | 일곱째 | 여덟째 | 아홉째 |
|---|---|---|---|---|---|---|---|---|---|
| 수를 셀 때 | 하나 | 둘 | 셋 | 넷 | 다섯 | 여섯 | 일곱 | 여덟 | 아홉 |

## 똑똑한 계산 연습

▶정답 및 풀이 2쪽

제한 시간 3분

순서에 맞게 ▢ 안에 알맞은 말을 써넣으세요.

1

2

3

4

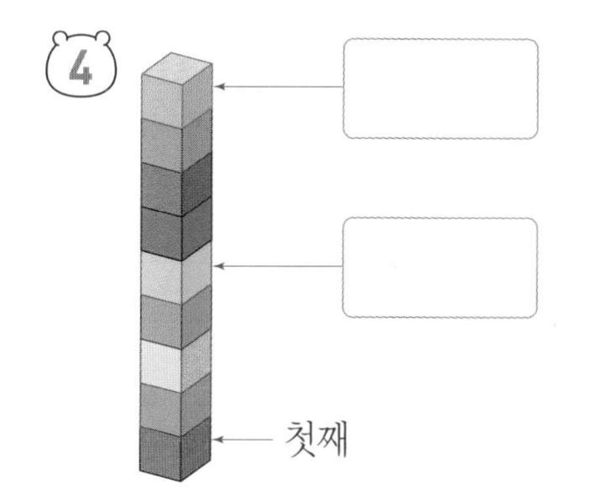


5

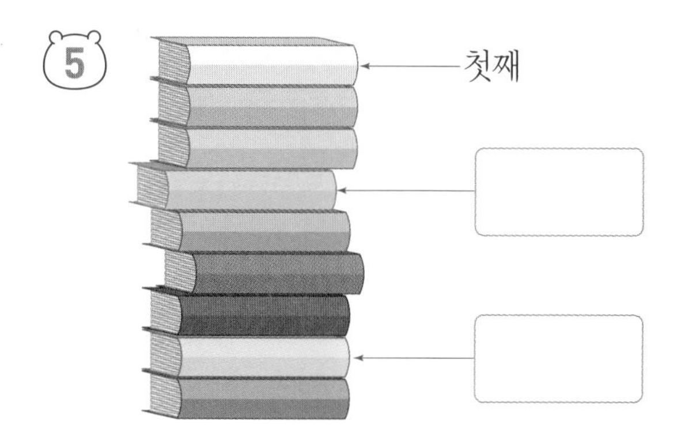

# 수의 순서 알아보기

## 똑똑한 하루 계산법

• 1부터 9까지의 수의 순서 알아보기

(1) **2 다음에 오는 수는 3**입니다.

(2) **5 다음에 오는 수는 6**입니다.

# 똑똑한 계산 연습

제한 시간 3분

수의 순서에 맞게 빈칸에 알맞은 수를 써넣으세요.

1
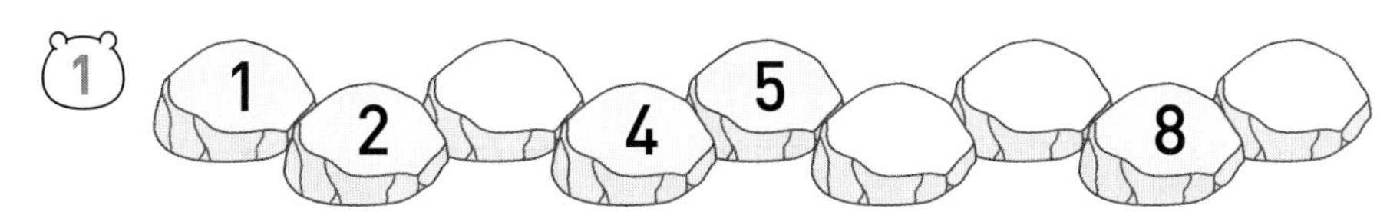


2
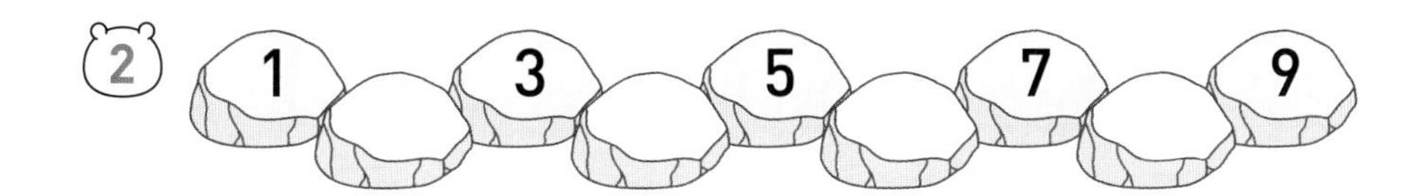


3
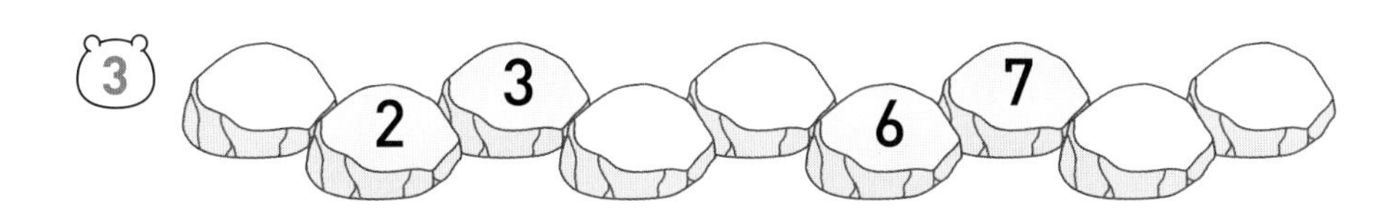

# 3일 기초 집중 연습

왼쪽에서부터 알맞게 색칠해 보세요.

**1-1**

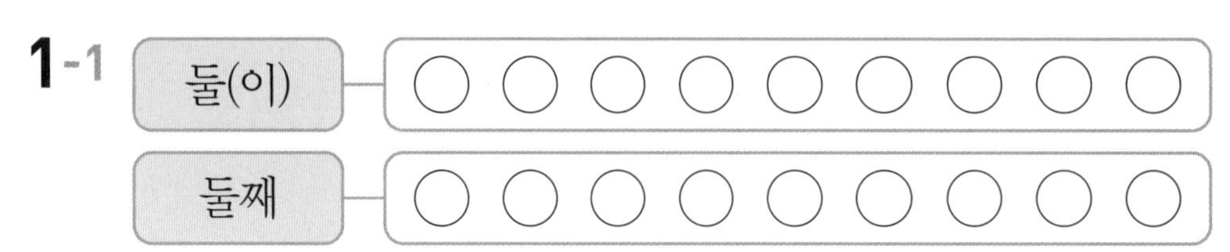


**1-2**

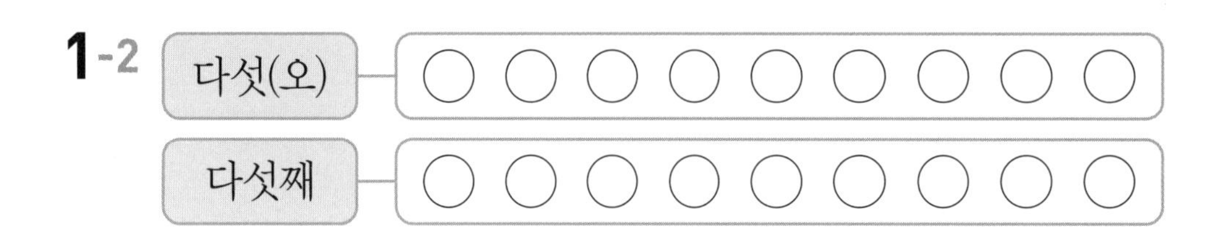


**1-3**

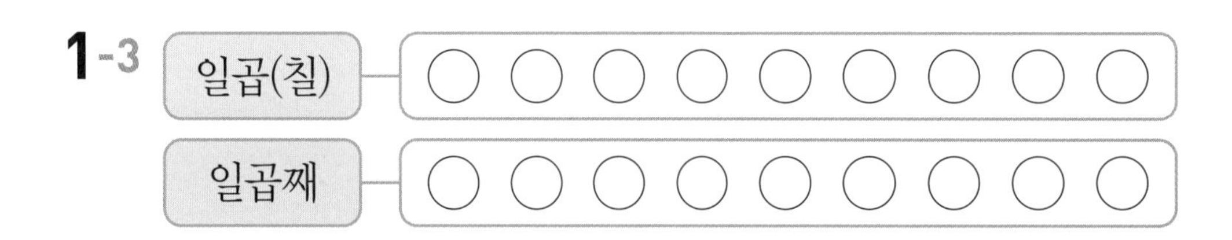


순서를 거꾸로 하여 빈칸에 알맞은 수를 써넣으세요.

**2-1**

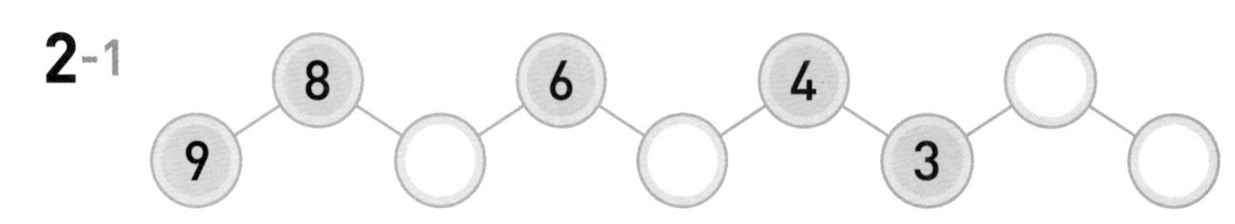


**2-2**

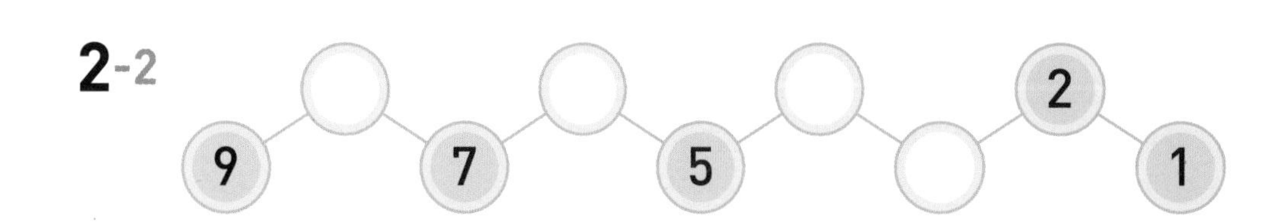


**2-3**

8 6 4 2

제한 시간 9분

## 생활 속 문제

수의 순서대로 이어 보세요.

**3-1**

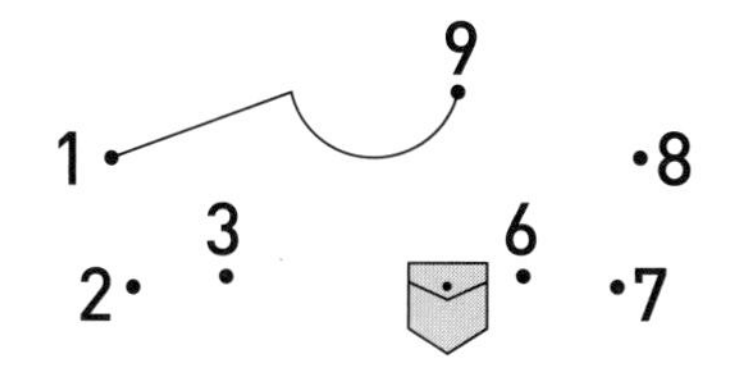


**3-2**

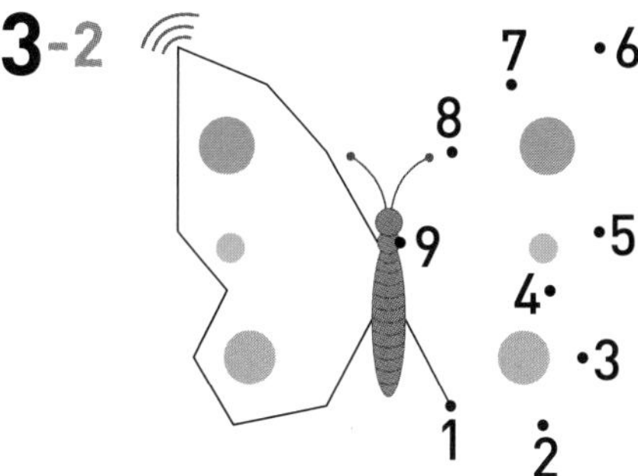


**3-3**

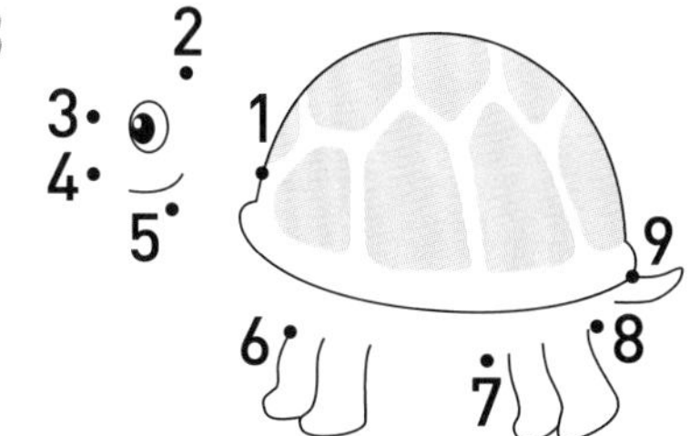


**3-4**

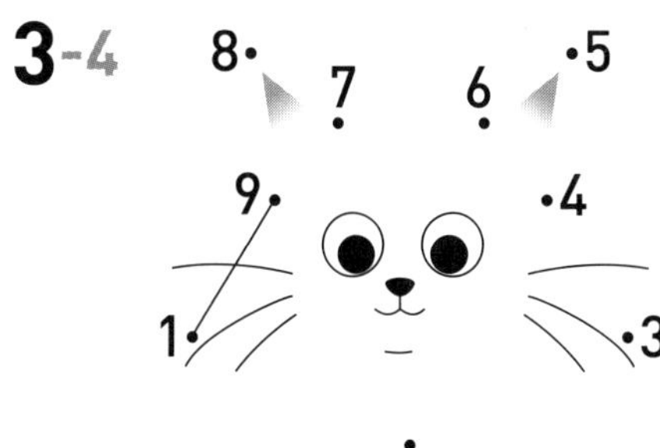


## 문장 읽고 문제 해결하기

**4-1** 1 다음의 수는?

 답 ____________

**4-2** 8 다음의 수는?

 답 ____________

**4-3** 5 다음의 수는?

 답 

**4-4** 4 다음의 수는?

답 ____________

1주 3일

# 4일 1만큼 더 큰 수 알아보기

## 똑똑한 하루 계산법

• 1만큼 더 큰 수 알아보기

병아리 1마리가 들어왔습니다.

2

**2**보다 **1만큼 더 큰 수**는 **3**

⇨ 2 다음의 수는 2보다 1만큼 더 큰 수입니다.

어떤 수보다 1만큼 더 큰 수는 어떤 수 **다음의 수**입니다.

# 똑똑한 계산 연습

제한 시간 3분

주어진 수보다 1만큼 더 큰 수만큼 ○를 그리고, ○ 안에 그 수를 써넣으세요.

① 3

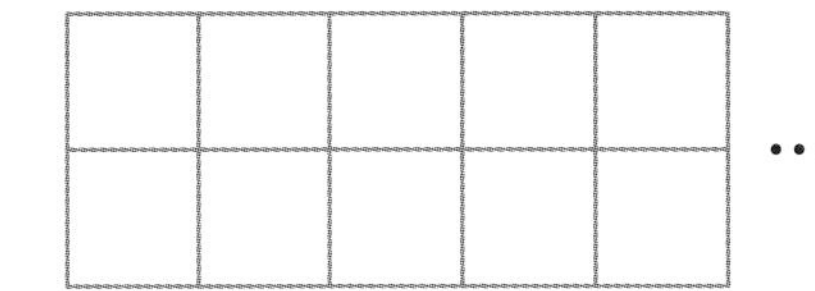

② 7

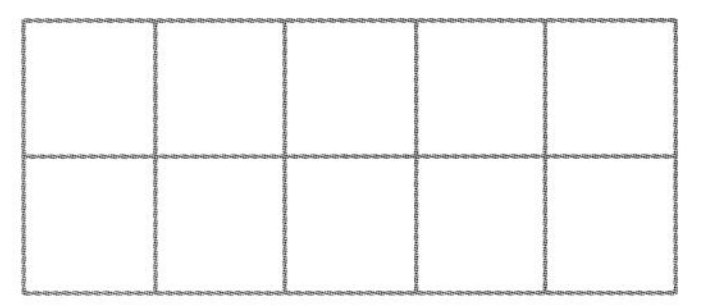

③ 5

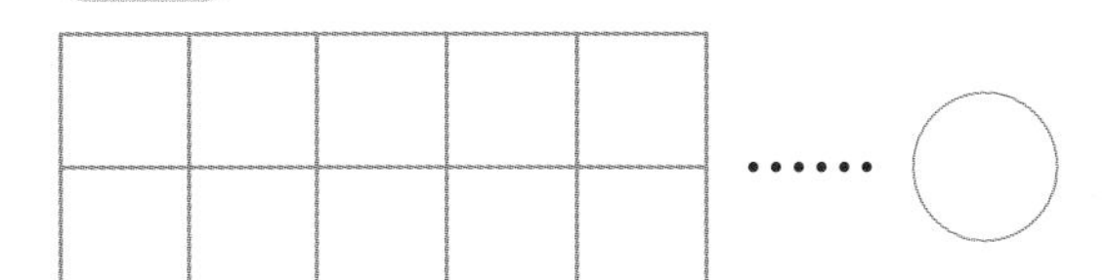

④ 1

⑤ 8

⑥ 6

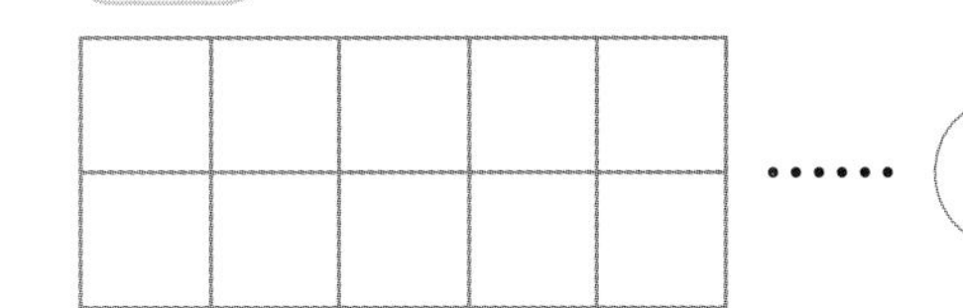

⑦ 2

⑧ 4

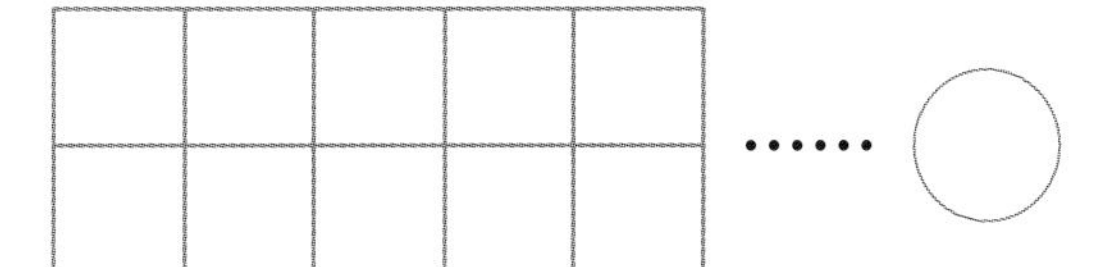

# 4일 1만큼 더 작은 수 알아보기

## 똑똑한 하루 계산법

• 1만큼 더 작은 수 알아보기

병아리 1마리가 나갔습니다.

5

**5보다 1만큼 더 작은 수는 4**

⇨ 5 앞의 수는 5보다 1만큼 더 작은 수입니다.

• 0 알아보기

아무것도 없는 것을 **0**이라 쓰고 **영**이라고 읽습니다.

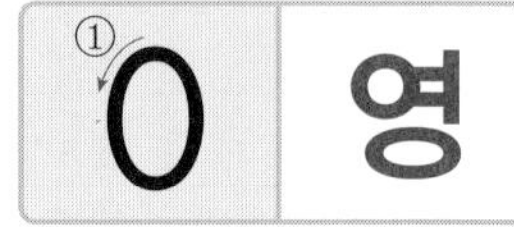

# 똑똑한 계산 연습

▶정답 및 풀이 3쪽

제한 시간 3분

주어진 수보다 1만큼 더 작은 수만큼 ○를 그리고, ○ 안에 그 수를 써넣으세요.

① 3

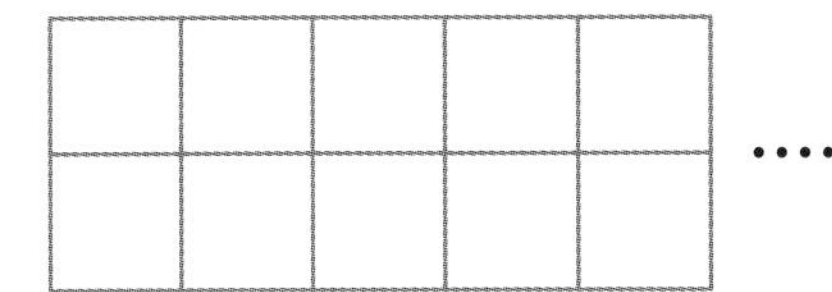

② 7

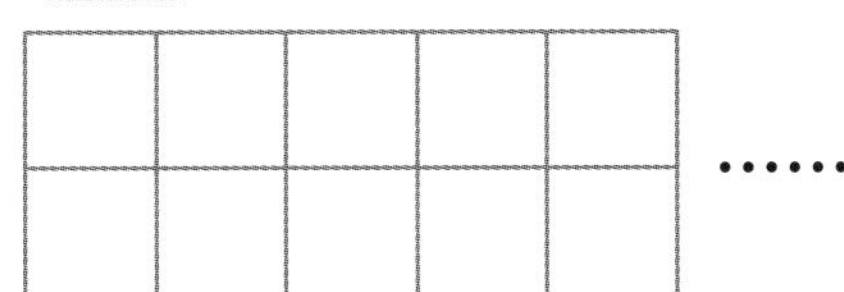

③ 5

④ 9

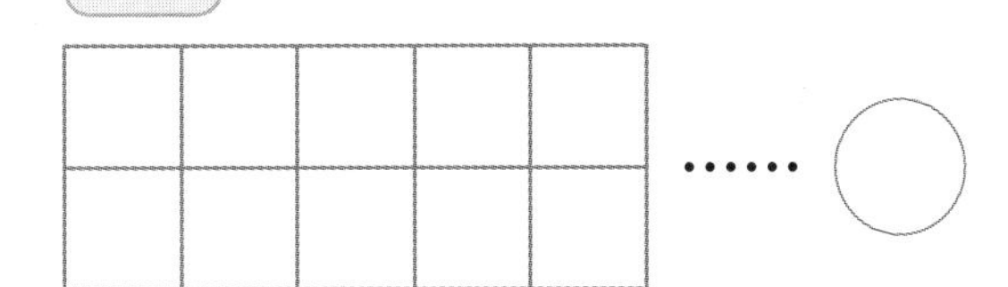



⑤ 8

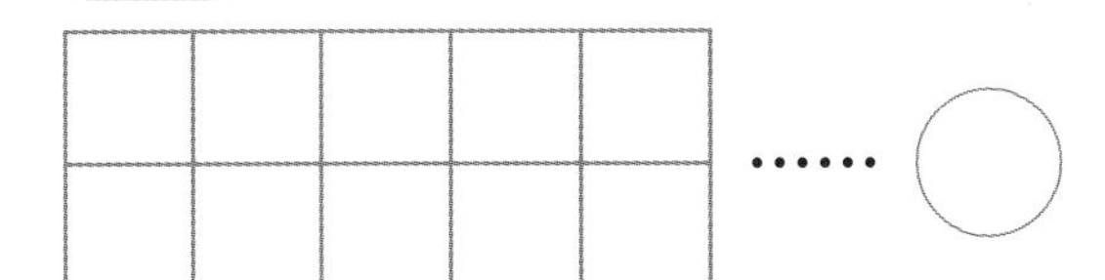

⑥ 6

⑦ 2

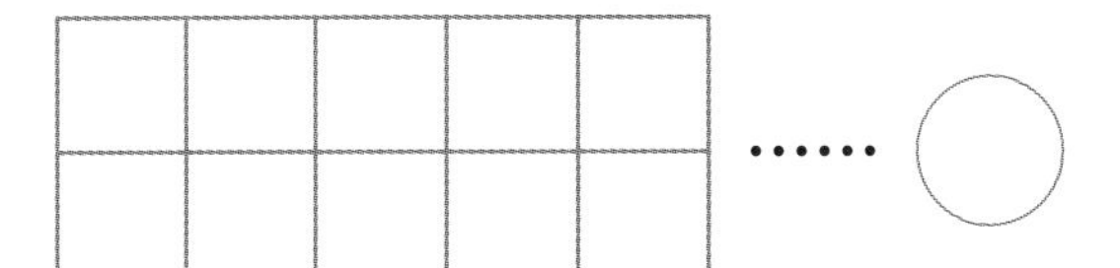

⑧ 4

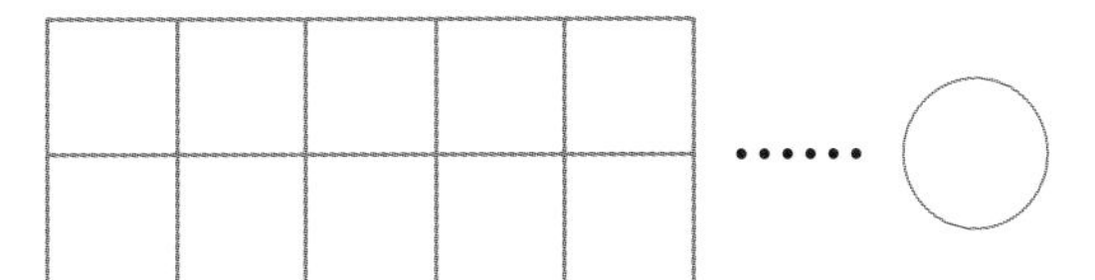

# 기초 집중 연습

그림의 수보다 1만큼 더 큰 수를 찾아 ○표 하세요.

**1-1**

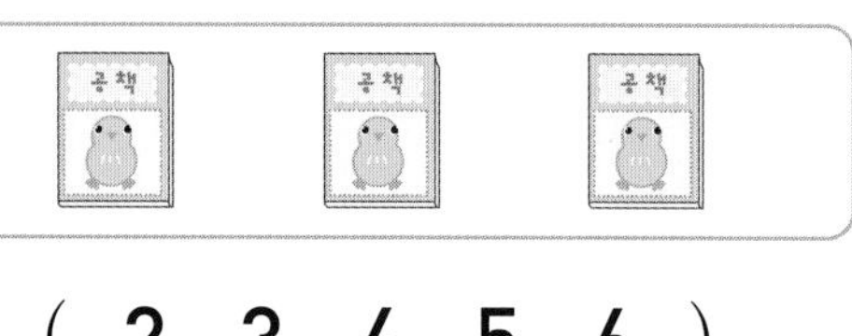

( 2 3 4 5 6 )

**1-2**

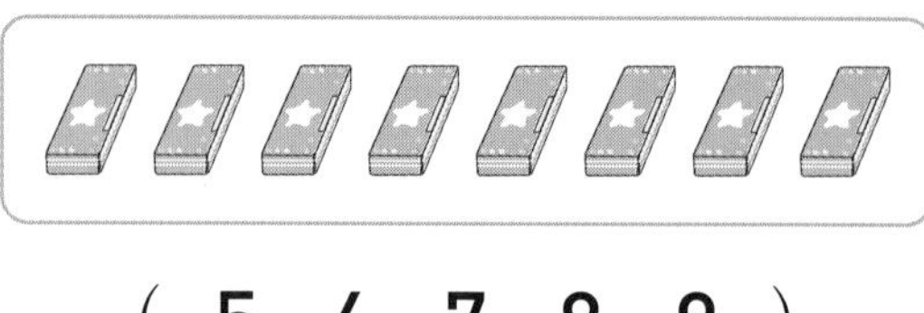

( 5 6 7 8 9 )

**1-3**

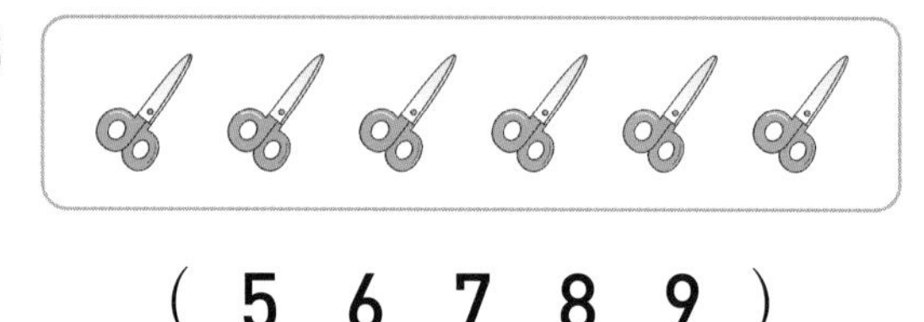

( 5 6 7 8 9 )

**1-4**

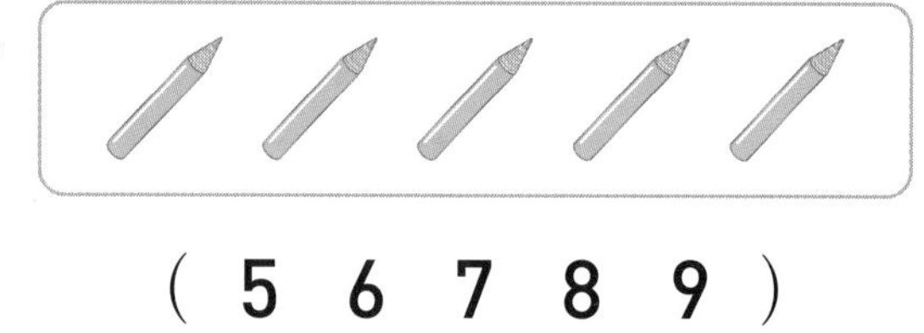

( 5 6 7 8 9 )

□ 안에 알맞은 수를 써넣으세요.

**2-1** 1만큼 더 작은 수 1만큼 더 큰 수

**2-2** 1만큼 더 작은 수 1만큼 더 큰 수

**2-3** 1만큼 더 작은 수 1만큼 더 큰 수

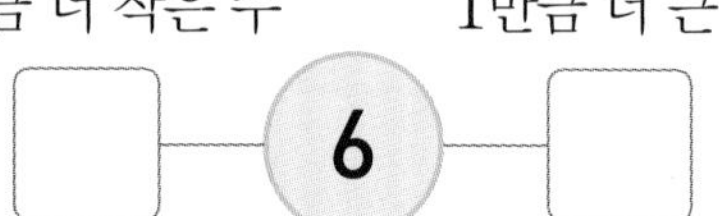


**2-4** 1만큼 더 작은 수 1만큼 더 큰 수

제한 시간 9분

생활 속 문제

빵의 수보다 1만큼 더 작은 수를 써 보세요.

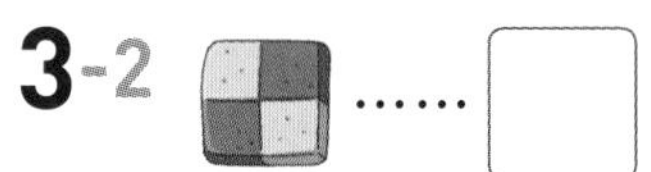

문장 읽고 문제 해결하기

4-1 5보다 1만큼 더 큰 수는?

답 ____________

4-2 8보다 1만큼 더 큰 수는?

답 ____________

4-3 1보다 1만큼 더 작은 수는?

답 ____________

4-4 9보다 1만큼 더 작은 수는?

답 ____________

# 두 수의 크기 비교하기

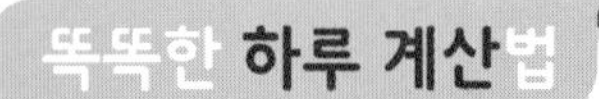

## 똑똑한 하루 계산법

• 9까지의 수의 크기 비교하기

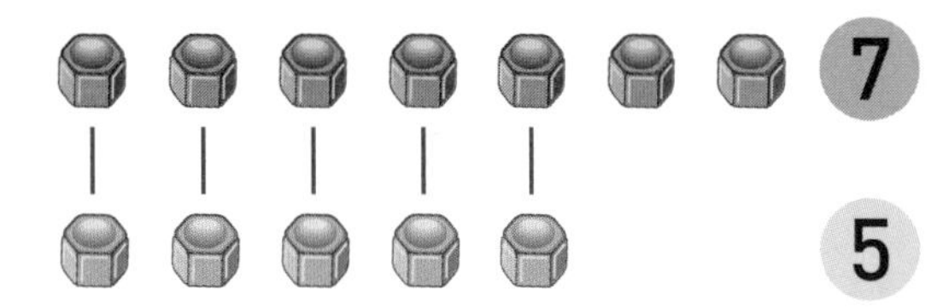


| 은 보다 **많습니다.**<br>⇨ **7**은 **5**보다 **큽니다.** | 은 보다 **적습니다.**<br>⇨ **5**는 **7**보다 **작습니다.** |
|---|---|

물건의 수를 비교하면 '많다', '적다'로 말하고,
수의 크기를 비교하면 '크다', '작다'로 말합니다.

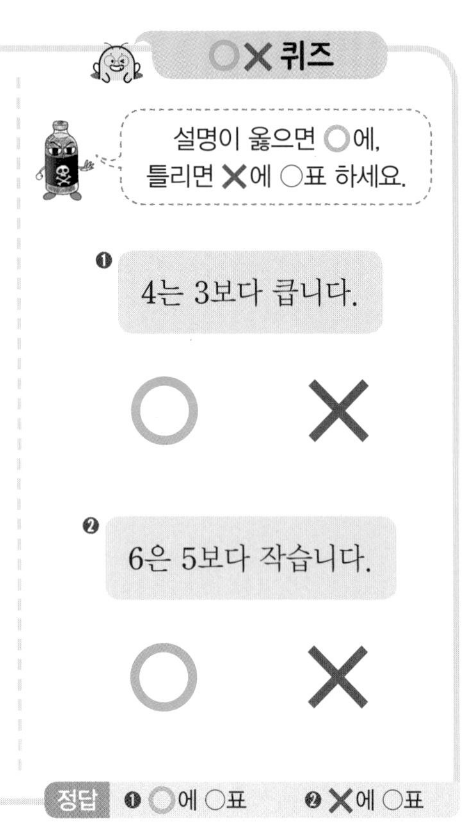

## OX 퀴즈

설명이 옳으면 ○에, 틀리면 ✕에 ○표 하세요.

❶ 4는 3보다 큽니다.

○ ✕

❷ 6은 5보다 작습니다.

○ ✕

정답 ❶ ○에 ○표 ❷ ✕에 ○표

## 똑똑한 계산 연습

제한 시간 3분

더 큰 수에 ○표 하세요.

① 4 | 2

② 3 | 7

③ 6 | 5

④ 5 | 4

⑤ 9 | 6

⑥ 4 | 8



더 작은 수에 △표 하세요.

⑦ 8 | 6

⑧ 6 | 2

⑨ 5 | 9

⑩ 3 | 5

⑪ 7 | 4

⑫ 9 | 8

# 세 수의 크기 비교하기

## 똑똑한 하루 계산법

• 세 수의 크기 비교하기

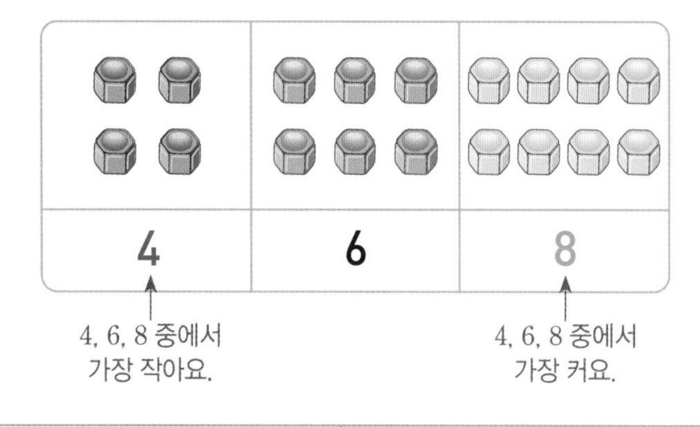


| 이 **가장 많습니다.** | 이 **가장 적습니다.** |
| --- | --- |
| ⇨ 8이 **가장 큰 수**입니다. | ⇨ 4가 **가장 작은 수**입니다. |

## ○✕ 퀴즈

설명이 옳으면 ○에, 틀리면 ✕에 ○표 하세요.

1, 2, 3 중에서 가장 큰 수는 1입니다.

정답 ✕에 ○표

## 똑똑한 계산 연습

제한 시간 3분

가장 큰 수에 ○표 하세요.

① 3 1 5

② 7 9 3

③ 6 4 1

④ 5 2 8

⑤ 4 8 9

⑥ 2 7 4

가장 작은 수에 △표 하세요.

⑦ 4 2 3

⑧ 8 5 9

⑨ 6 1 8

⑩ 6 3 7

⑪ 9 7 2

⑫ 1 4 5

# 5일 기초 집중 연습

왼쪽의 수보다 더 작은 수에 △표 하세요.

1-1 5 — 2 6

1-2 6 — 5 7

1-3 5 — 7 4

1-4 4 — 2 8

공깃돌의 수를 세어 쓰고 가장 큰 수에 ○표, 가장 작은 수에 △표 하세요.

2-1

2-2

2-3

2-4

제한 시간 9분

생활 속 문제

음식의 수를 세어 □ 안에 알맞은 수를 써넣고, 두 수의 크기를 비교해 보세요.

**3-1** (귤) ······ 6, (사과) ······ □

⇨ □ 은/는 □ 보다 큽니다.

**3-2** (컵) ······ □, (사과) ······ □

⇨ □ 은/는 □ 보다 큽니다.

**3-3** (바나나) ······ □, (도넛) ······ □

⇨ □ 은/는 □ 보다 작습니다.

**3-4** (김밥) ······ □, (귤) ······ □

⇨ □ 은/는 □ 보다 작습니다.

문장 읽고 문제 해결하기

**4-1** 2와 5 중에서 더 큰 수는?

답 ____________

**4-2** 7과 9 중에서 더 작은 수는?

답 ____________

**4-3** 8, 5, 6 중에서 가장 큰 수는?

답 ____________

**4-4** 5, 7, 4 중에서 가장 작은 수는?

답 ____________

# 누구나 100점 맞는 TEST

❶ 수를 세어 알맞은 수에 ○표 하세요.

(1)

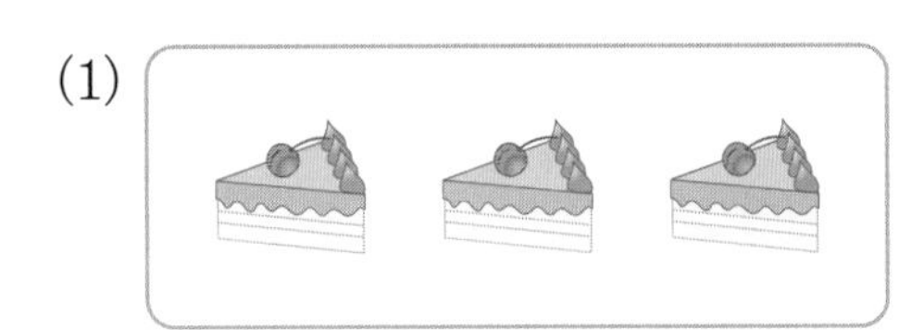

( 1 2 3 4 5 )

(2)

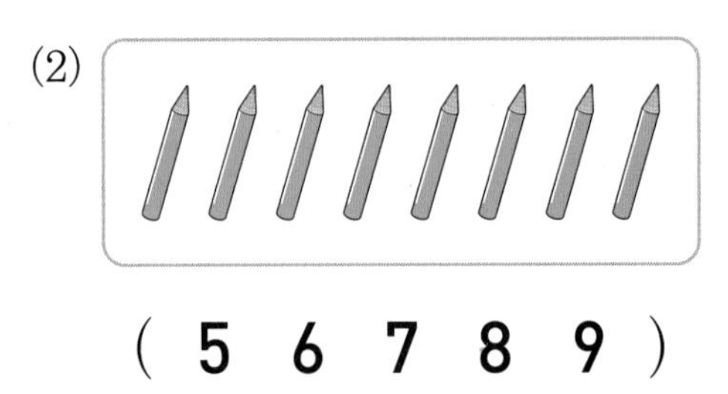

( 5 6 7 8 9 )

❷ 수를 두 가지로 읽어 보세요.

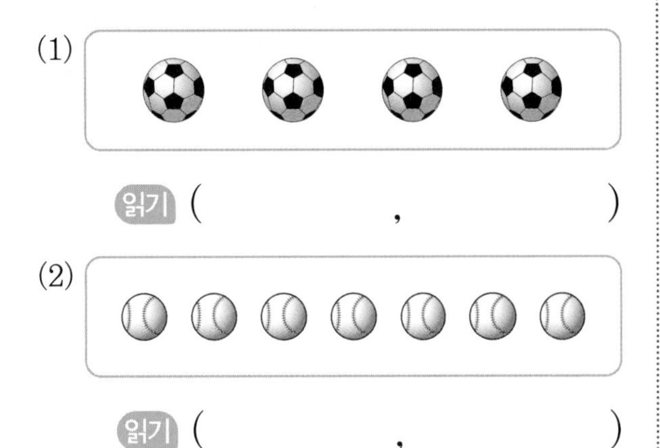


❸ 수를 세어 보세요.

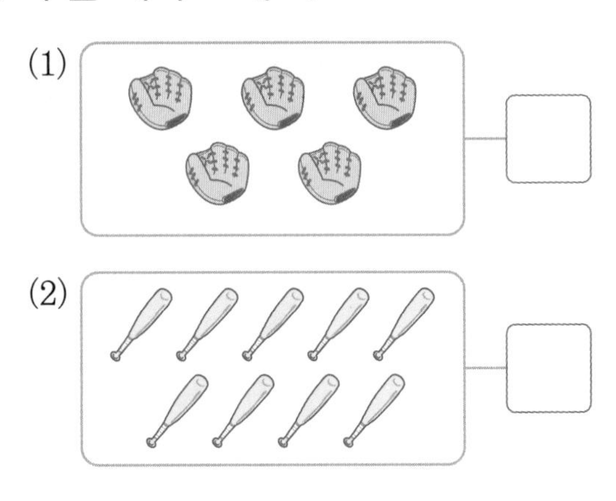


❹ 더 큰 수에 ○표 하세요.

| 8 | 3 |
|---|---|

❺ 그림의 수보다 1만큼 더 작은 수를 써 보세요.

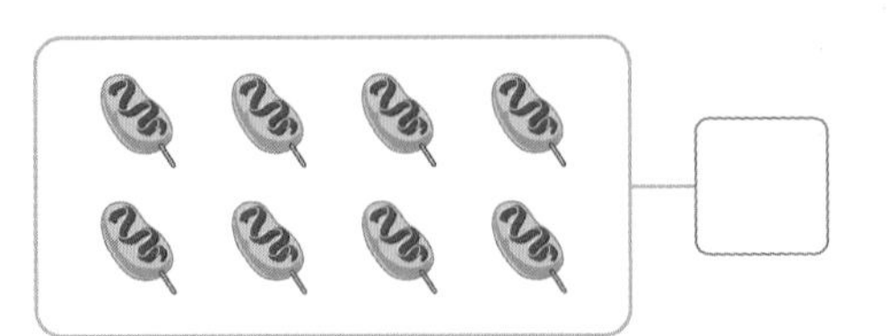

**6** 왼쪽에서부터 알맞게 색칠해 보세요.

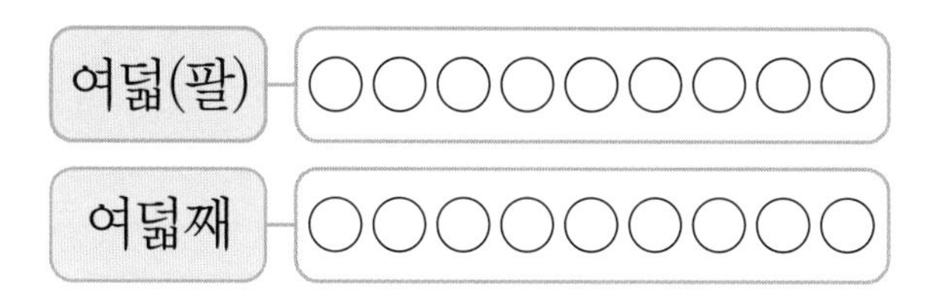


**7** □ 안에 알맞은 수를 써넣으세요.

1만큼 더 작은 수 1만큼 더 큰 수

□ — 5 — □

**8** 순서를 거꾸로 하여 빈칸에 알맞은 수를 써넣으세요.

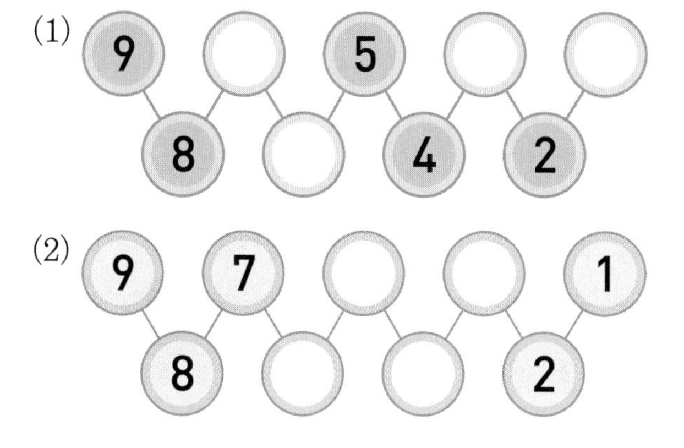


**9** 순서에 맞게 빈칸에 알맞은 수를 써넣으세요.

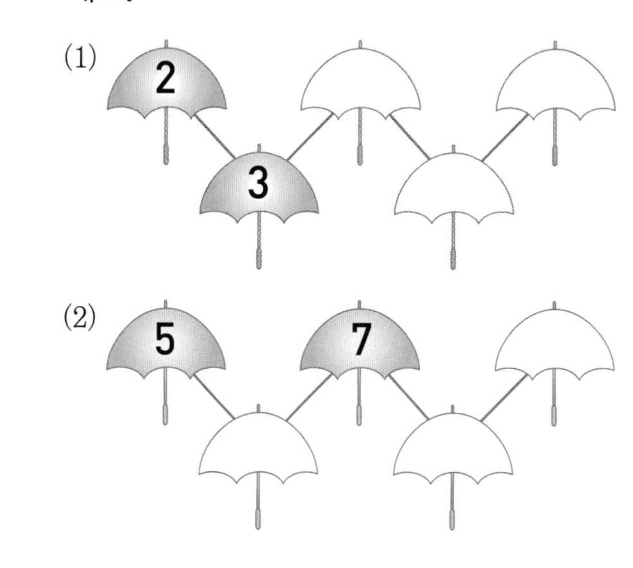


(2) 5 7

**10** 구슬의 수를 세어 쓰고, 가장 큰 수에 ○표, 가장 작은 수에 △표 하세요.

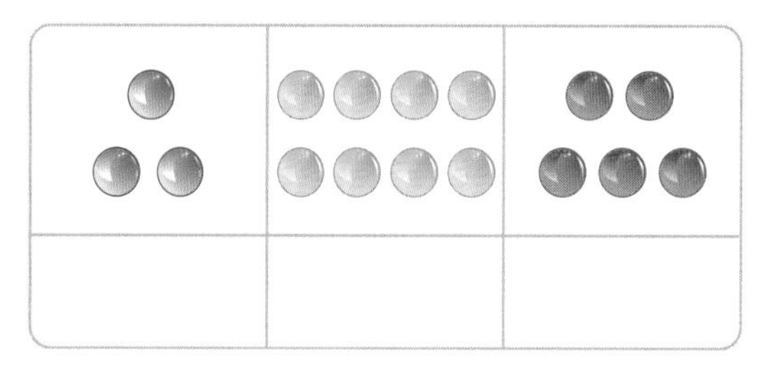

제한 시간 안에 정확하게
모두 풀었다면 여러분은 진정한 **계산왕!**

# 특강 창의·융합·코딩

## 현수가 먹고 남긴 간식의 개수는?

 현수가 윤호가 간식으로 준비한 쿠키, 사탕, 도넛을 먹었습니다.

현수가 먹고 남긴 간식은 각각 몇 개인지 ☐ 안에 알맞은 수를 써 보세요.

| 사탕 | 도넛 | 쿠키 |
|---|---|---|
| ☐개 | ☐개 | ☐개 |

▶정답 및 풀이 6쪽

# 달콤한 달걀 샌드위치 만들기

다음은 샌드위치를 만드는 방법입니다. 순서에 따라 요리해 보세요.

〈재료(2인분 기준)〉
식빵 4장, 달걀 4개, 양상추 2장, 토마토 1개, 슬라이스 햄 8장, 마요네즈 3숟가락, 머스터드 소스 1숟가락, 올리고당 1숟가락, 다진 피클 1숟가락

① 달걀을 삶아 주세요. (약 10분 정도)

② 슬라이스 햄을 노릇노릇 하게 구워 주세요.

③ 마요네즈, 머스터드 소스, 올리고당, 다진 피클을 섞어 소스를 만들어 주세요.

④ 토마토는 자르고 빵에 소스를 골고루 발라 주세요.

⑤ 식빵 위에 준비한 재료를 모두 올려 주세요.

⑥ 한 번 자르면 샌드위치~ 완성!

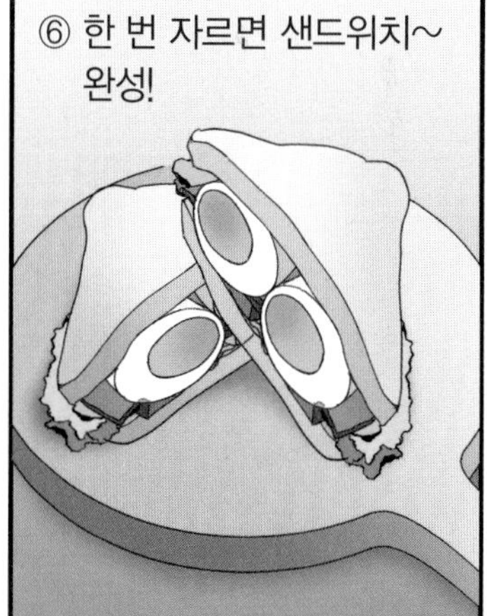

필요한 슬라이스 햄의 수보다 1만큼 더 큰 수만큼 슬라이스 햄을 준비했다면 몇 장을 준비했을까요?

 답 ______________ 장

1주 특강

코딩 3 모래 사장의 여러 곳에 거북의 알들이 놓여 있습니다. 보기 와 같이 블록 명령에 맞게 길을 따라가면 거북의 알을 찾아갈 수 있습니다.

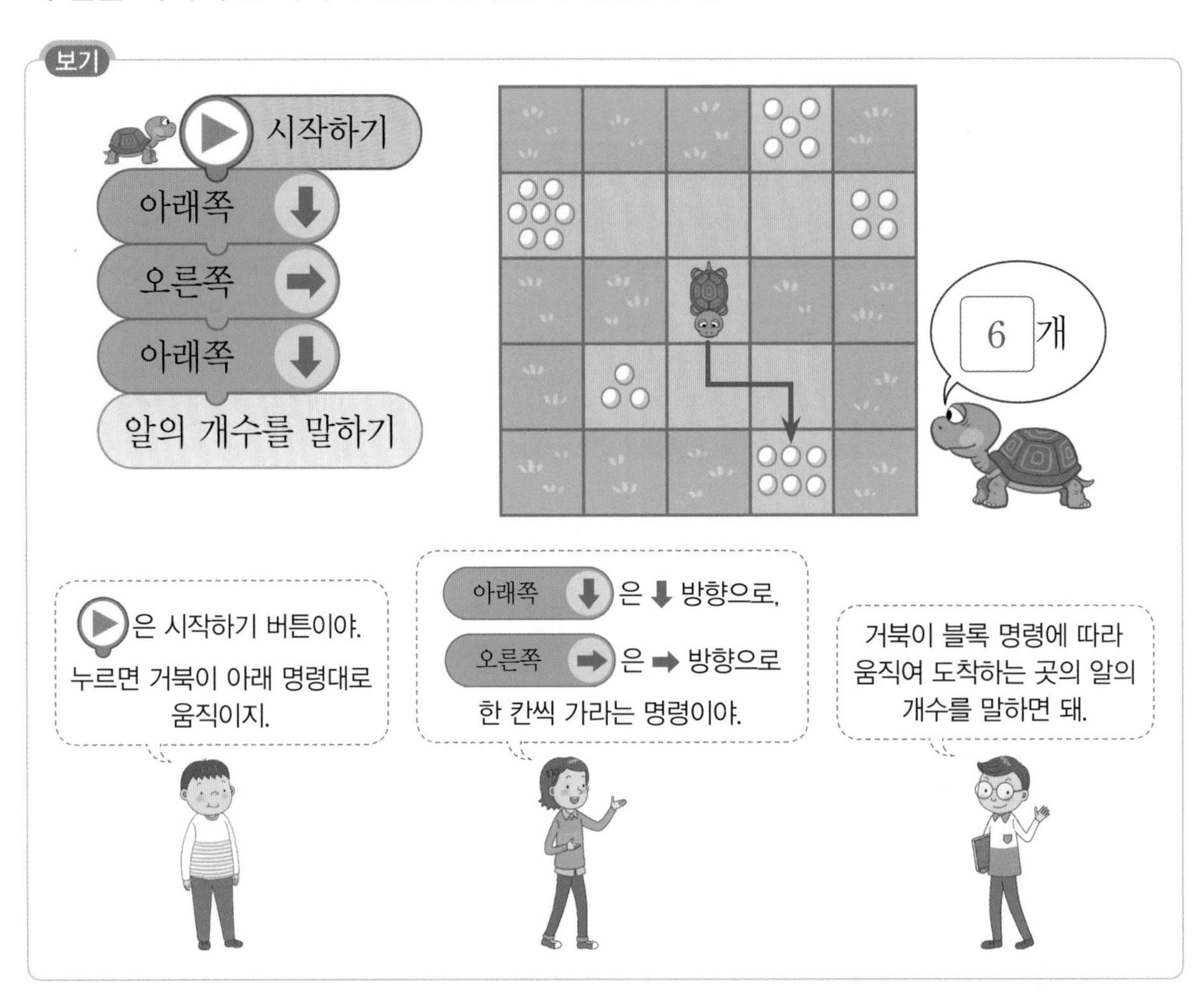

거북이 찾은 알의 개수는 몇 개일까요?

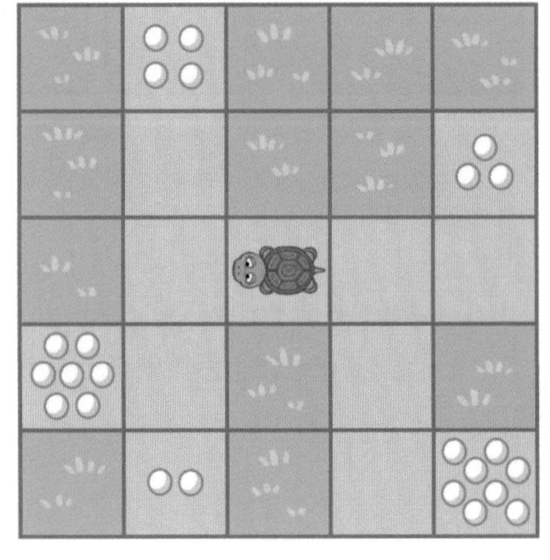

▶정답 및 풀이 6쪽

1부터 9까지 수의 순서대로 선을 이어 보세요.

(1)

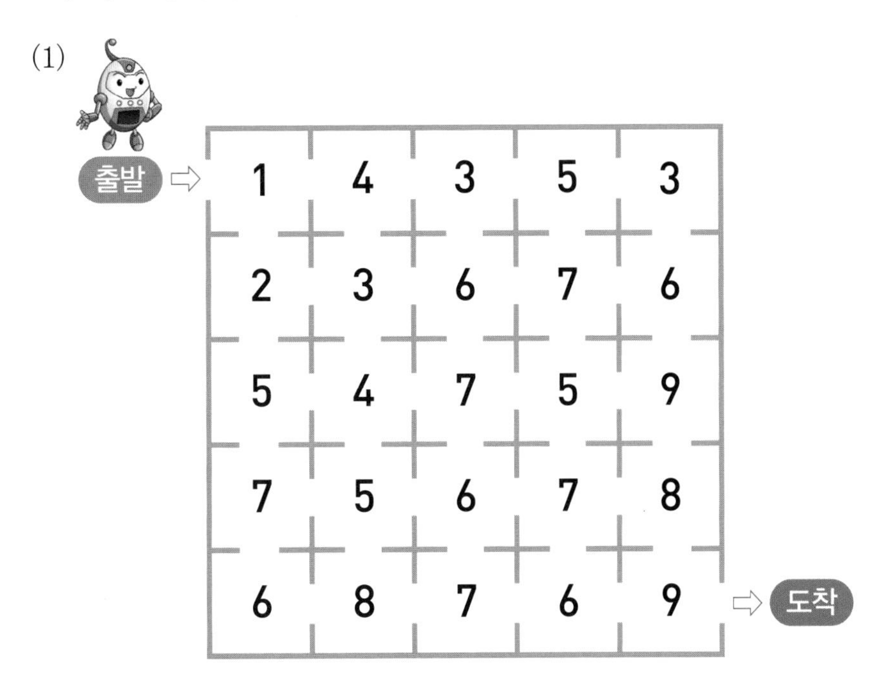


(2)

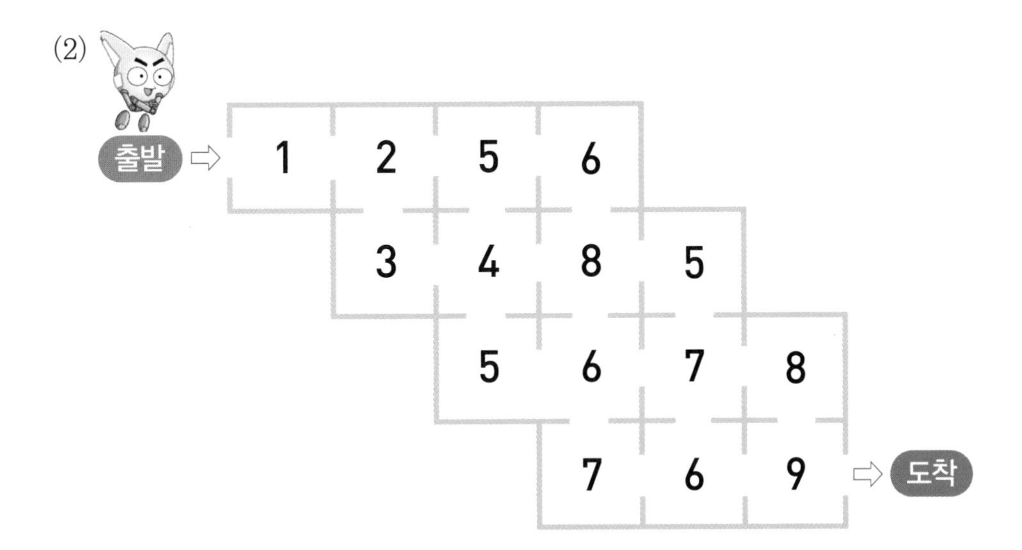

# 창의·융합·코딩

창의 5 위치에 맞게 책상에 ○, △, □표 하세요.

(1)

| ○ | △ | □ |
|---|---|---|
| 왼쪽에서 첫째<br>앞쪽에서 둘째 | 왼쪽에서 다섯째<br>뒤쪽에서 셋째 | 오른쪽에서 둘째<br>앞쪽에서 셋째 |

앞

왼 오른

뒤

(2)

| ○ | △ | □ |
|---|---|---|
| 왼쪽에서 다섯째<br>뒤쪽에서 둘째 | 오른쪽에서 둘째<br>뒤쪽에서 셋째 | 오른쪽에서 일곱째<br>앞쪽에서 셋째 |

앞

왼 오른

뒤

▶정답 및 풀이 6쪽

 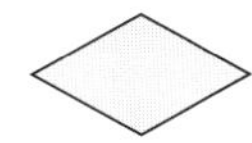 안의 물음에 주어진 수를 판단하여 ○ 안에 알맞게 써넣으세요.

(1)

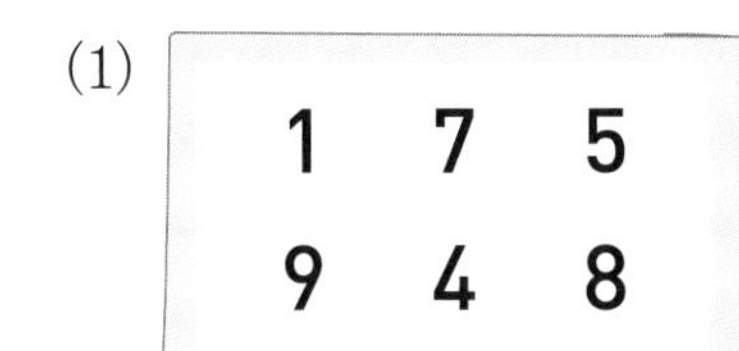


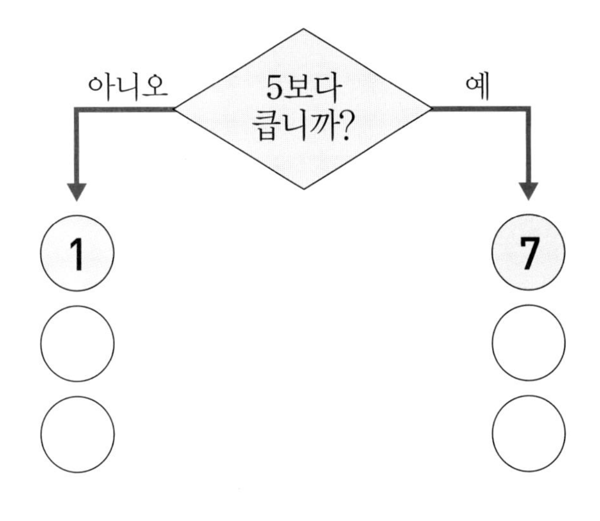


5는 5보다 크지도 작지도 않아요.

(2)

8 4 1
2 3 6

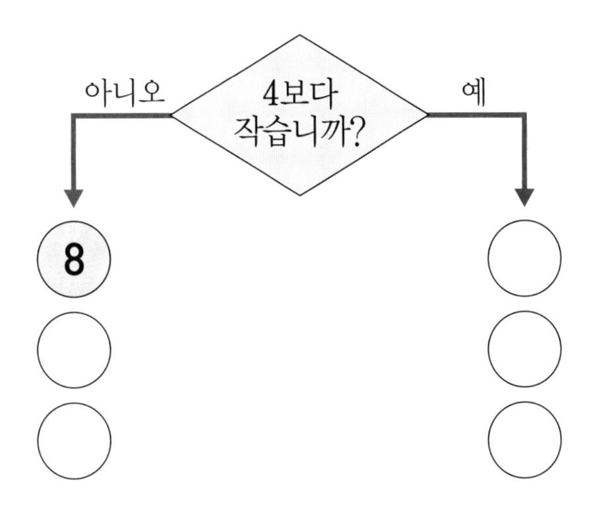


4는 4보다 크지도 작지도 않아요.

1주 특강

# 덧셈과 뺄셈 (1)

앗싸!
대왕 고구마~!
우와~
심봤다!!

주머니가
꽉 차서 들어갈
데가 없네. 훗훗~.

얘들아, 내 주머니에
고구마가 몇 개
들어 있게?
맞히면
2개 줄게.
정말?
흥!

난 고구마와 감자를 입에 달고 살았다고!
진실의 눈!!!!
보인다! 모양이 보여!

고구마 5개!

헉! 저… 정답!
짝
짝
짝

감자가 몇 개
들어 있는지 내 것도
맞히면 3개 주지!
감자
3개!

마… 맞혔어!
나는 고구마 5개,
너는 감자 3개로
모으기 하면 8개였네.
띠용~

## 이번에 배울 내용을 알아볼까요?

1일 모으기와 가르기(1)
2일 모으기와 가르기(2)
3일 더하기로 나타내기
4일 덧셈하기(1)
5일 덧셈하기(2)

# 1일 모으기와 가르기 ①

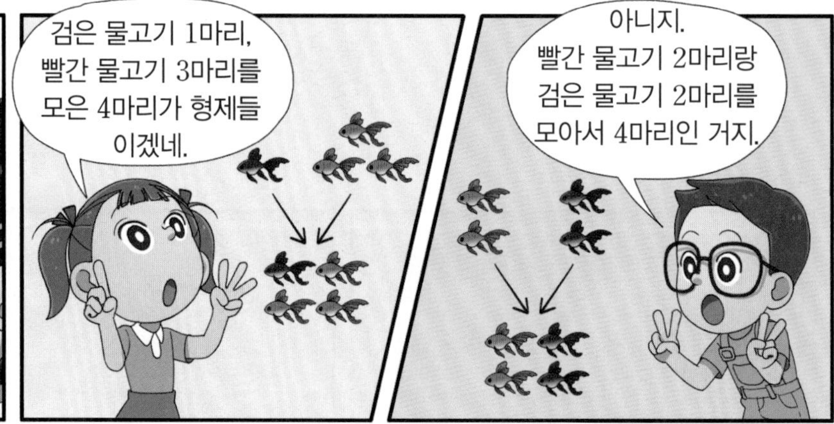

## 똑똑한 하루 계산법

• 2, 3, 4, 5를 **모으기**

㉠ 4를 모으기

1, 3 → 4

2, 2 → 4

1과 3, 2와 2를 모으기 하면
4가 됩니다.

## ○✕ 퀴즈

모으기 한 것이
옳으면 ○에, 틀리면 ✕에
○표 하세요.

1, 1 → 3

○ ✕

정답 ✕에 ○표

# 똑똑한 계산 연습

▶정답 및 풀이 7쪽

제한 시간 3분

모으기를 해 보세요.

1

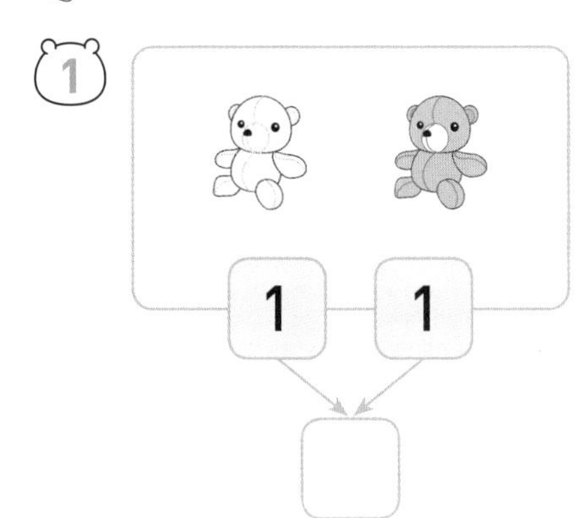


2

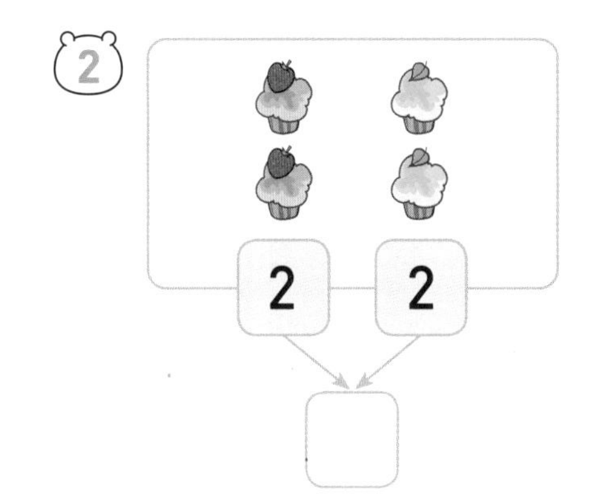


3

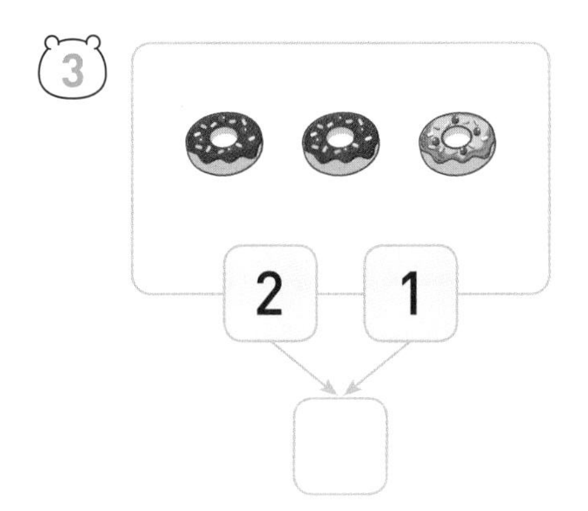


4

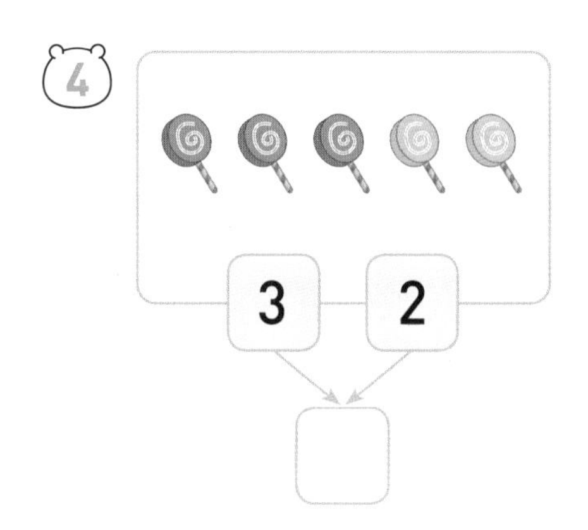


5

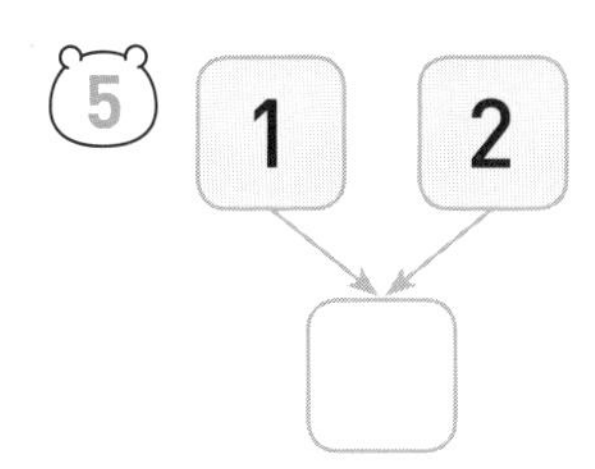


6

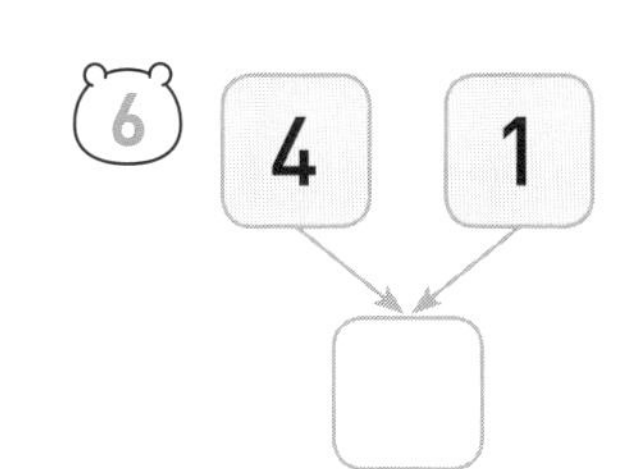


7

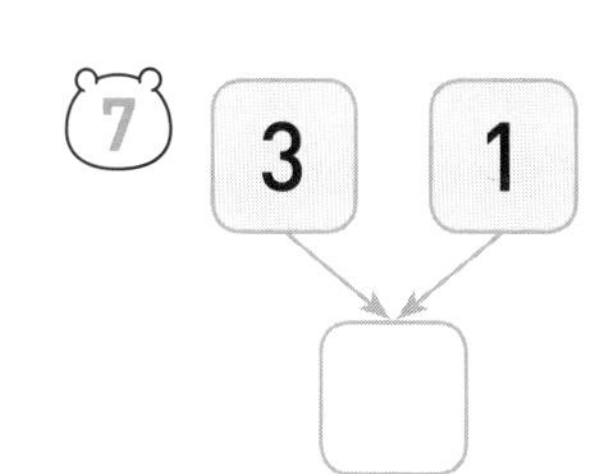


8

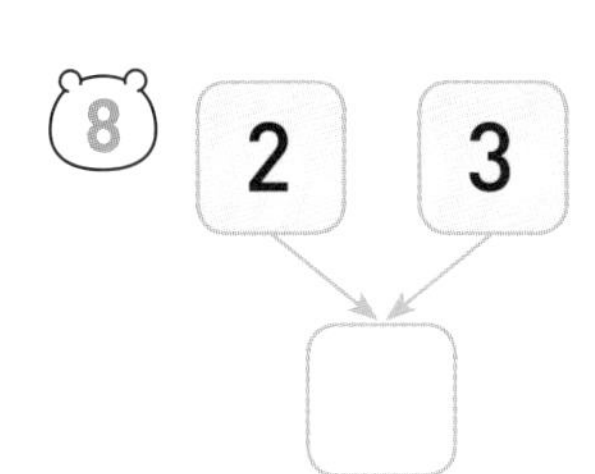


9

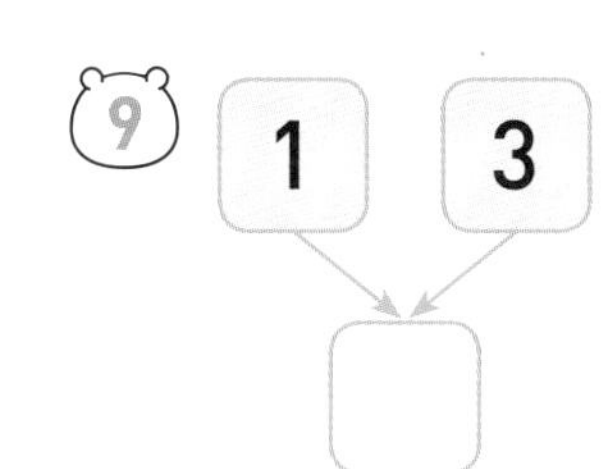


10

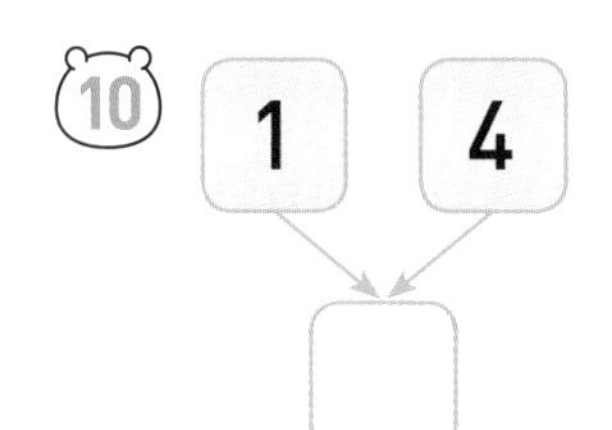

# 1일 모으기와 가르기 ②

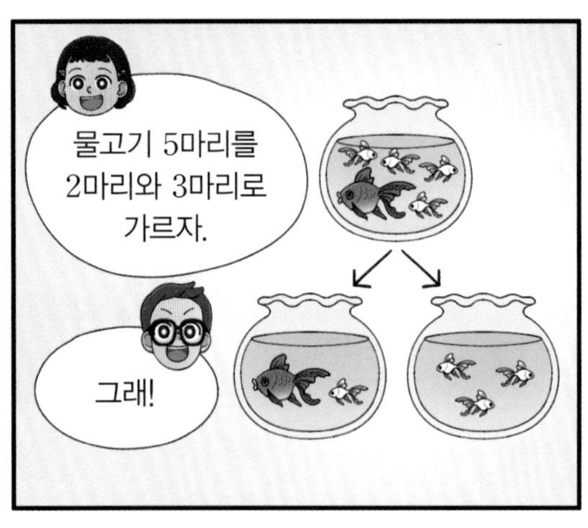

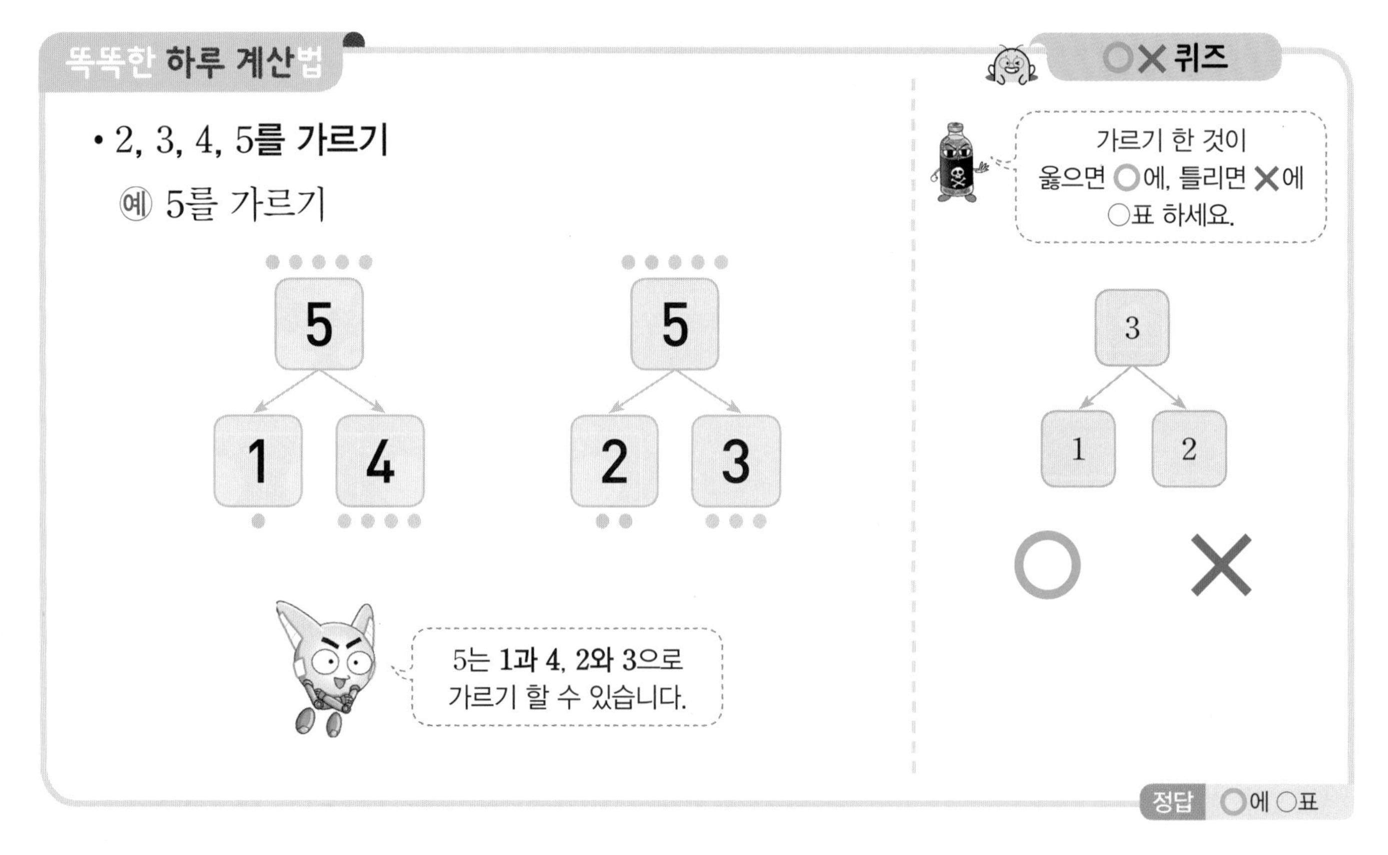

## 똑똑한 하루 계산법

• 2, 3, 4, 5를 **가르기**

예 5를 가르기

5 → 1, 4

5 → 2, 3

5는 **1**과 **4**, **2**와 **3**으로 가르기 할 수 있습니다.

## ○✕ 퀴즈

가르기 한 것이 옳으면 ○에, 틀리면 ✕에 ○표 하세요.

3 → 1, 2

○ ✕

정답 ○에 ○표

▶정답 및 풀이 7쪽

제한 시간 3분

가르기를 해 보세요.

1

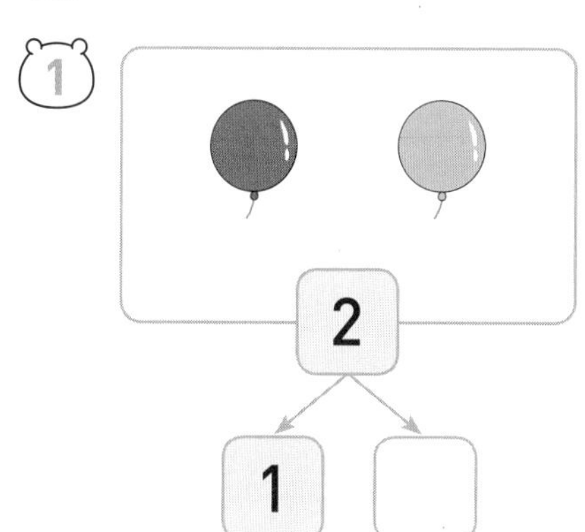

2

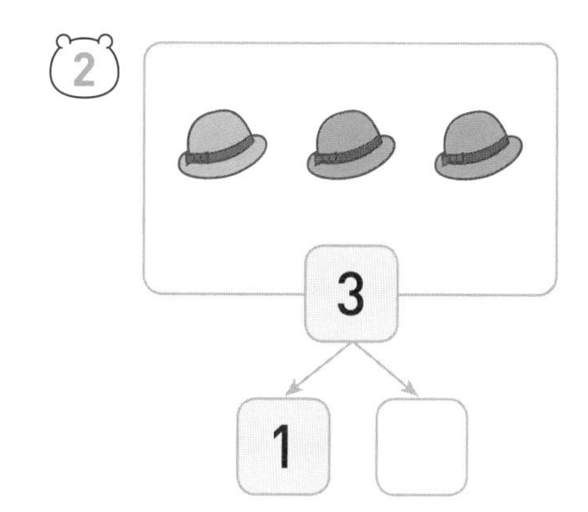

3

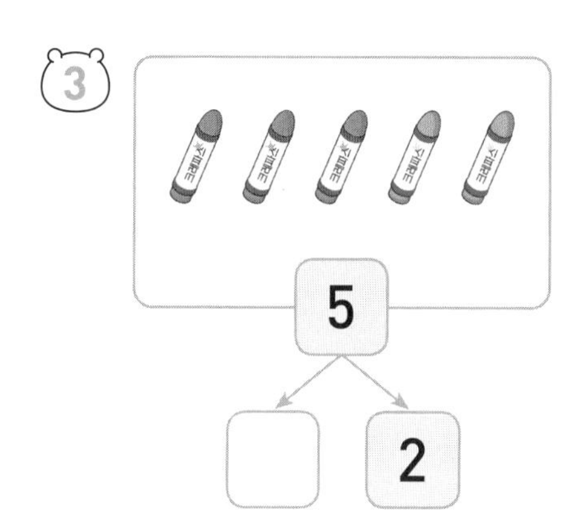

4

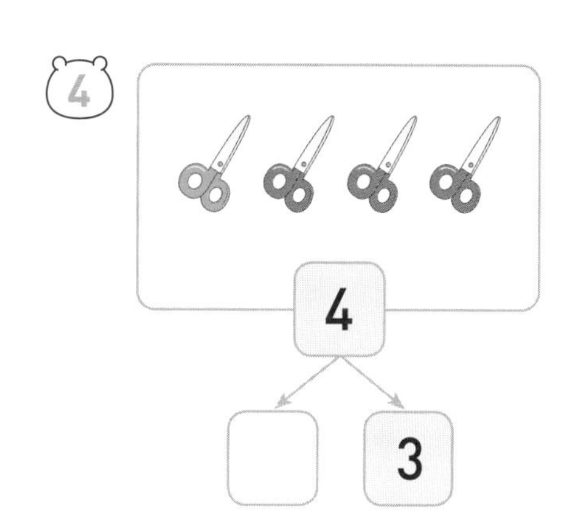

5

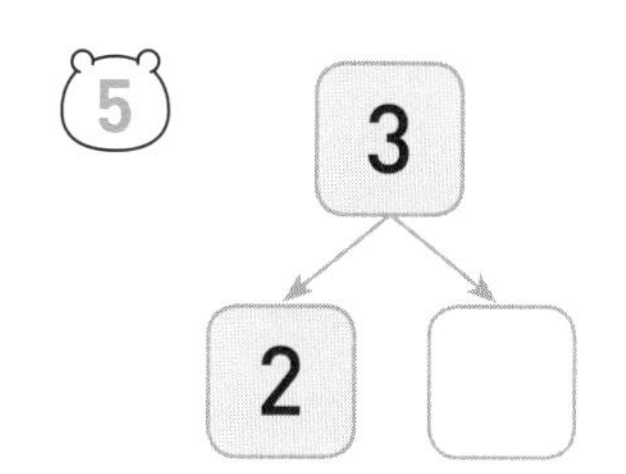

6

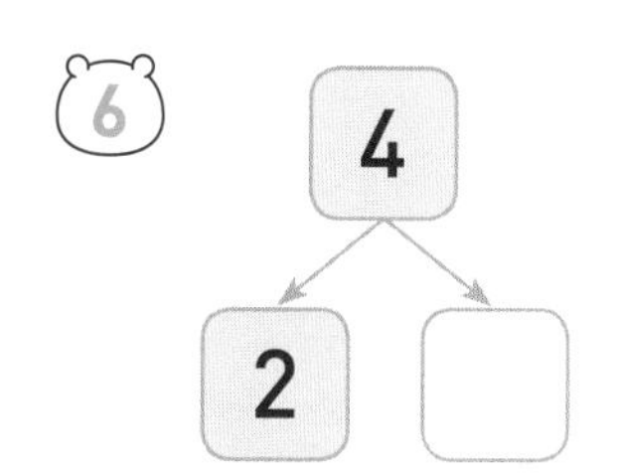

7

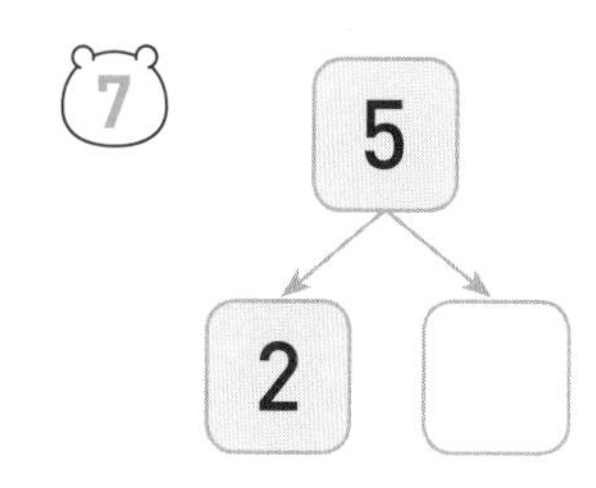

8

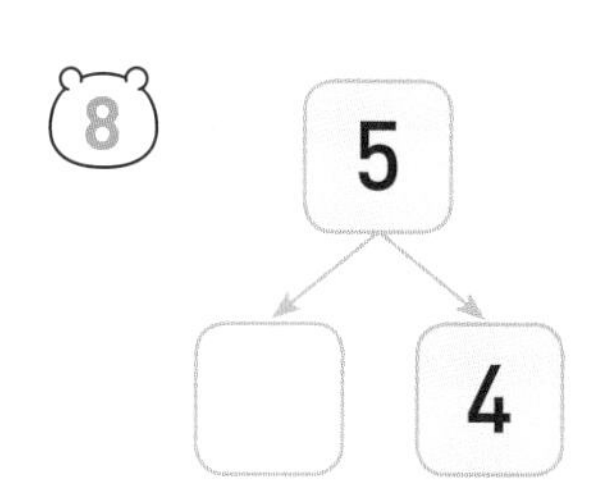

9

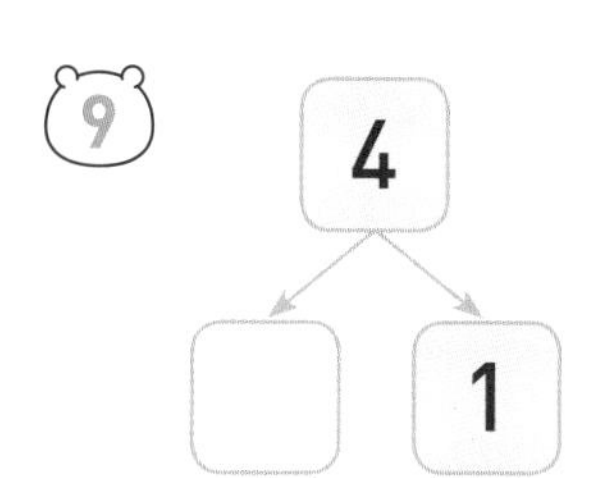

10

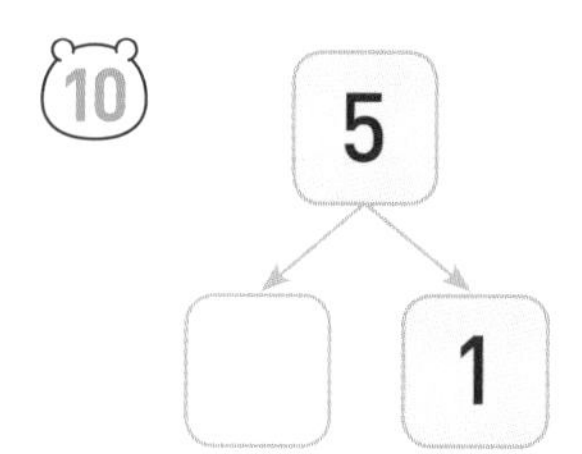

# 기초 집중 연습

두 수를 모으기 하여 빈 곳에 알맞은 수를 써넣으세요.

**1**-1

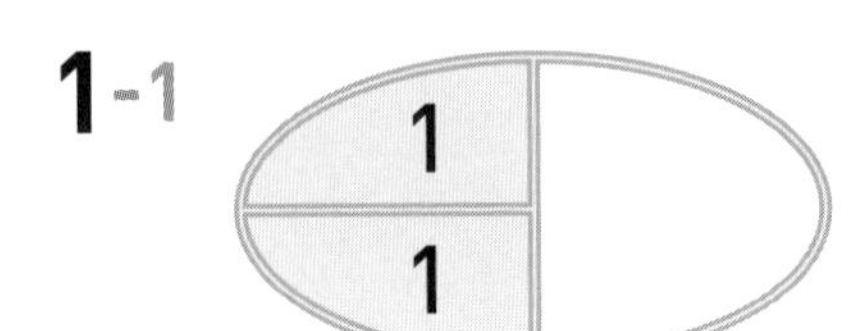


**1**-2

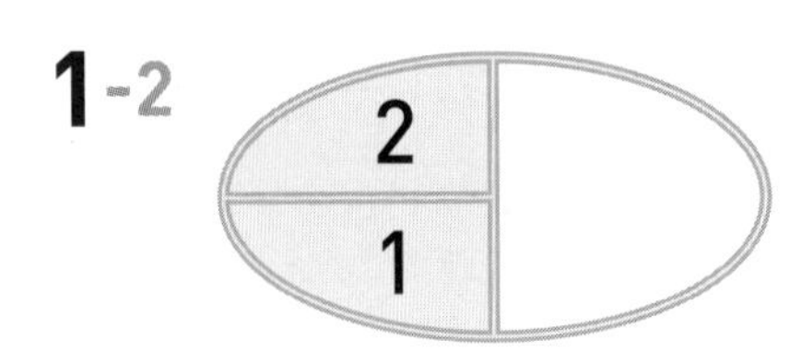


**1**-3

| 3 | |
|---|---|
| 2 | |

**1**-4

| 2 | |
|---|---|
| 2 | |

**1**-5

| 3 | |
|---|---|
| 1 | |

**1**-6

| 4 | |
|---|---|
| 1 | |

색칠한 부분의 주어진 수를 두 수로 가르기 하여 빈 곳에 알맞은 수를 써넣으세요.

**2**-1

| 3 | |
|---|---|
| 1 | |
| 2 | |

**2**-2

| 4 | |
|---|---|
| 1 | |
| 2 | |
| 3 | |

제한 시간 9분

## 생활 속 계산

수아와 동생은 사탕 5개를 나누어 가지려고 합니다. 수아가 주어진 사탕만큼 가질 때, 동생이 가지게 되는 사탕만큼 ○표 하세요.

**3-1**

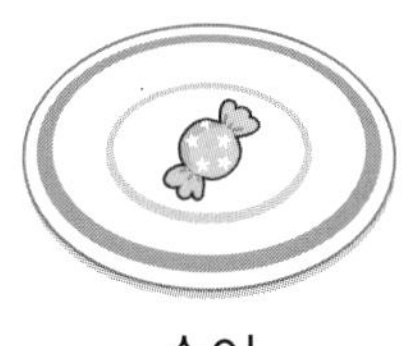
수아

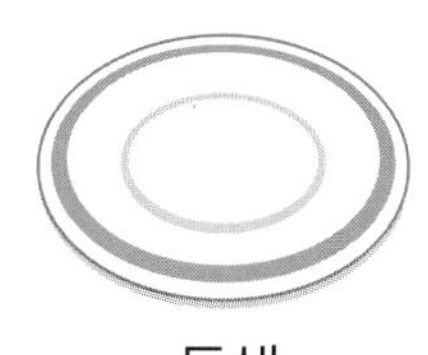
동생

**3-2**

수아

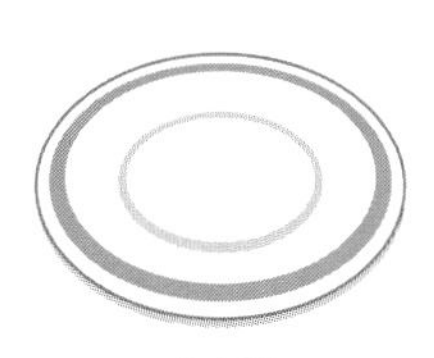
동생

**3-3**

수아

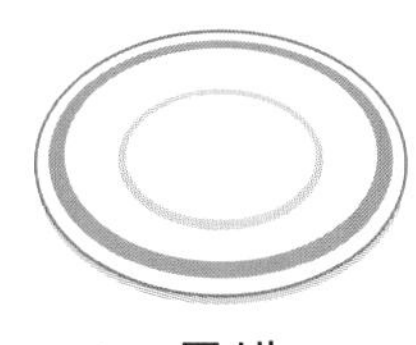
동생

**3-4**

수아

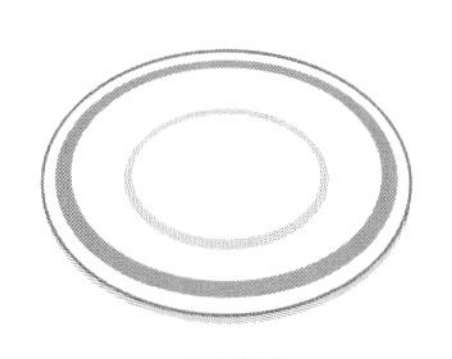
동생

## 문장 읽고 문제 해결하기

**4-1** 귤 1개와 2개를 모으기 하면?

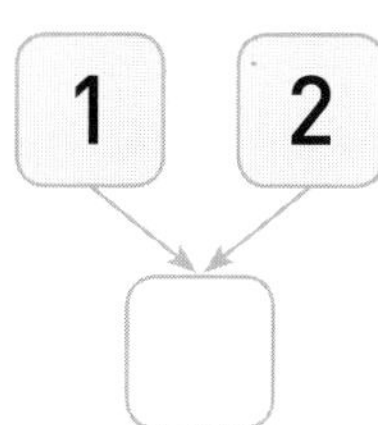


**4-2** 빵 2개와 3개를 모으기 하면?

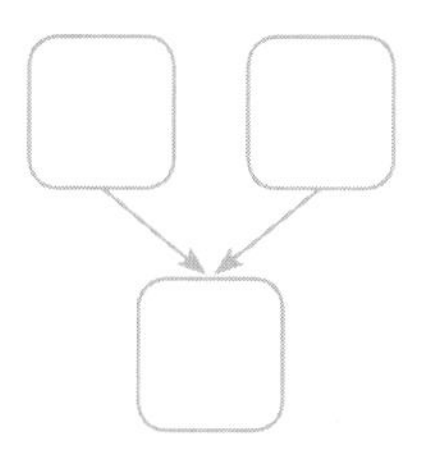

**4-3** 공책 4권을 1권과 몇 권으로 가르기 하면?

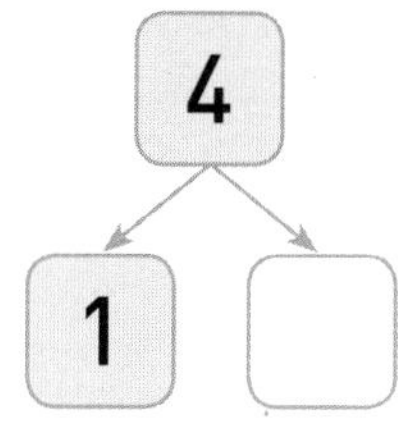


**4-4** 연필 5자루를 2자루와 몇 자루로 가르기 하면?

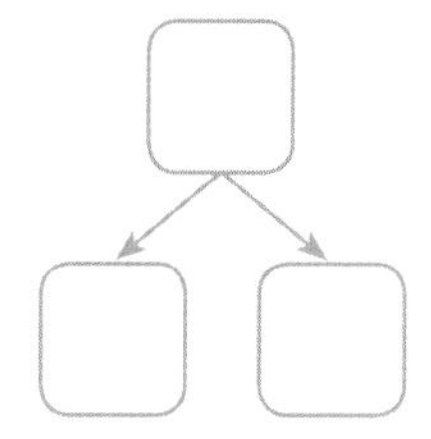

2
일

# 모으기와 가르기 ③

후~
후~

다 불었다!
나는 풍선을 5개
불었어!

나는 2개……!
헥
헥

풍선 5개와
2개를 모으기 하니
7개가 됐어!

어떻게 저렇게
빨리 불었지?

공기 주입기를
사용한 건 비밀!
헤헤~.
쉿!


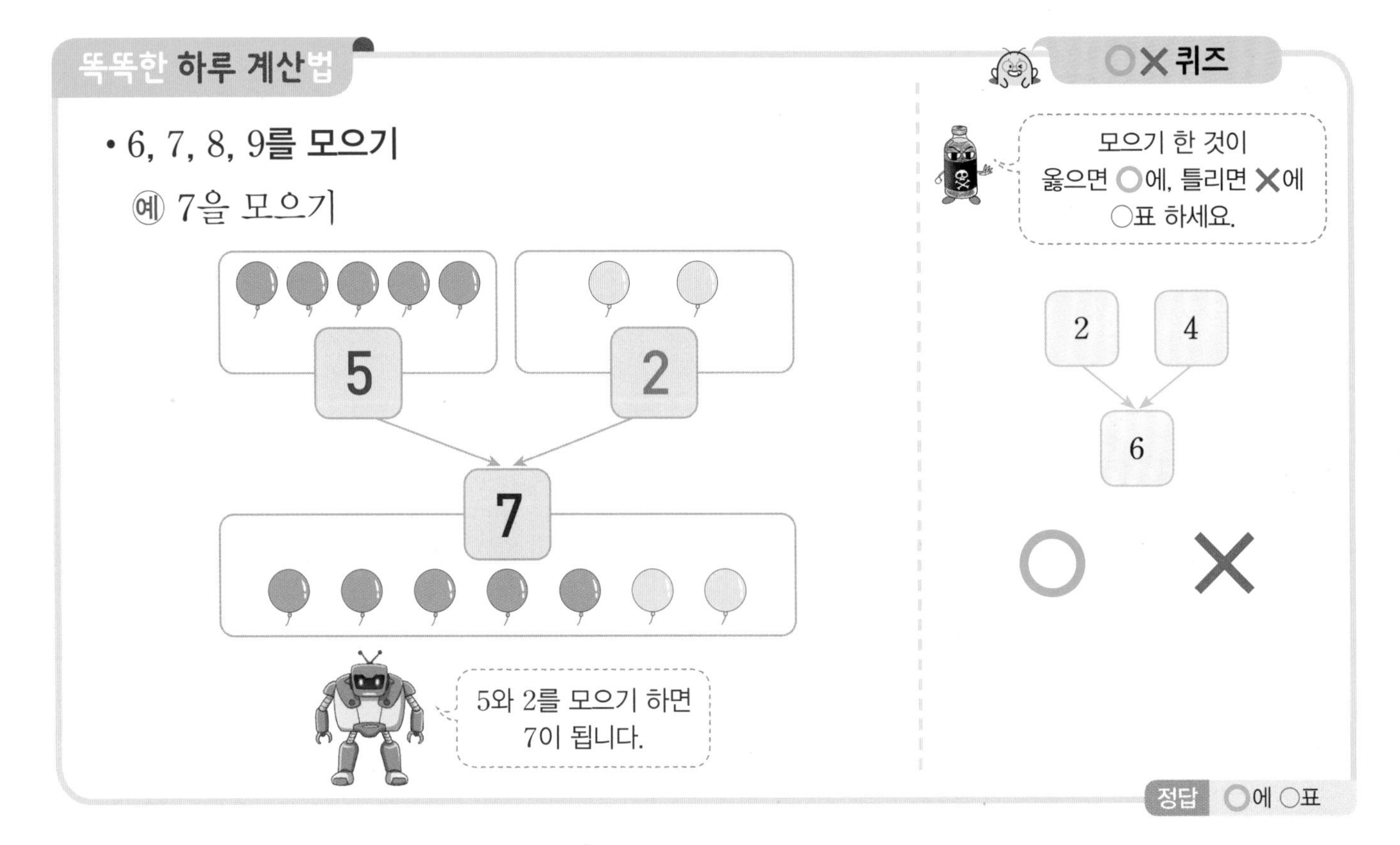

똑똑한 하루 계산법
• 6, 7, 8, 9를 모으기
예 7을 모으기
5
2
7
5와 2를 모으기 하면
7이 됩니다.
○✕ 퀴즈
모으기 한 것이
옳으면 ○에, 틀리면 ✕에
○표 하세요.
2
4
6
○
✕
정답 ○에 ○표

# 똑똑한 계산 연습

▶정답 및 풀이 8쪽

제한 시간 3분

모으기를 해 보세요.

1
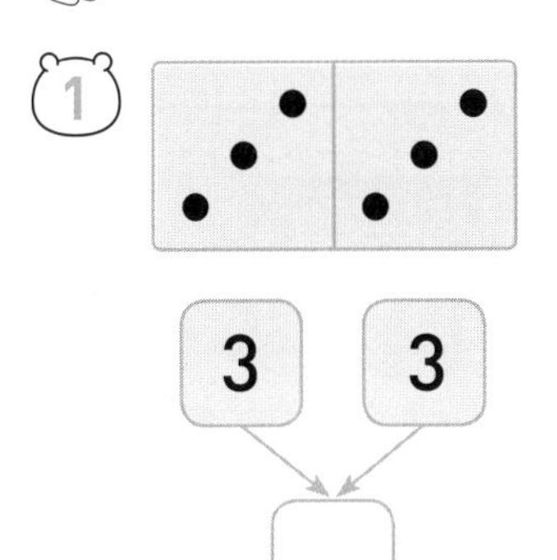


2
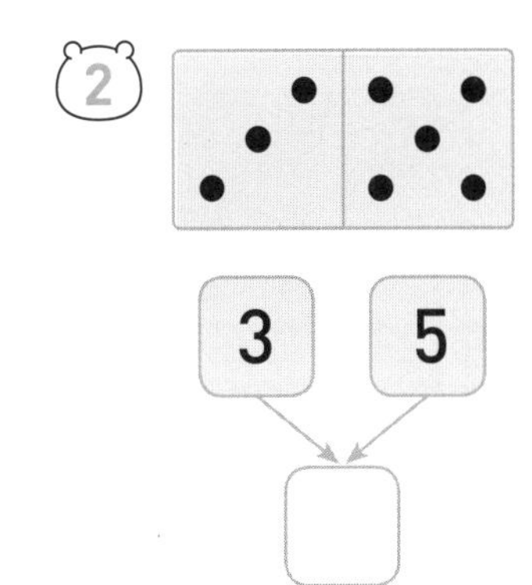


3
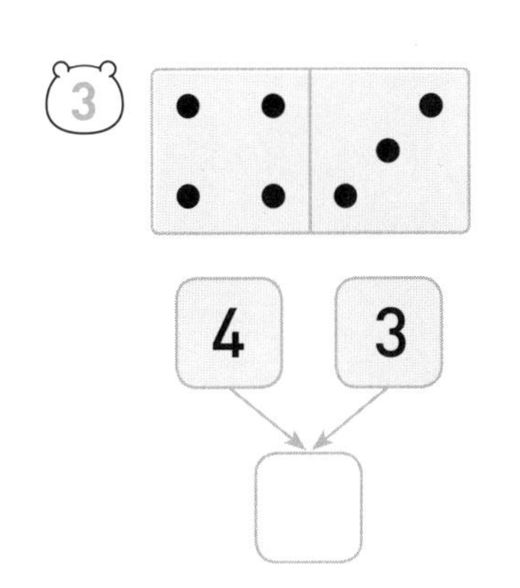


4
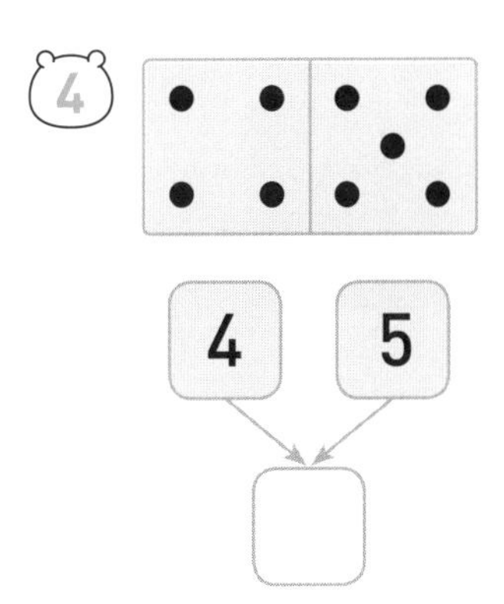


5
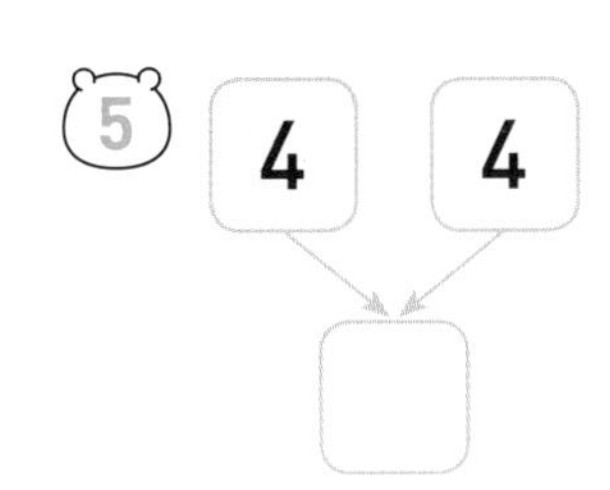


6
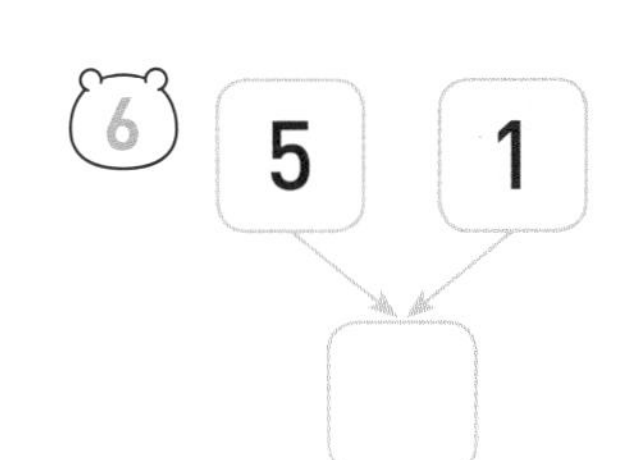


7
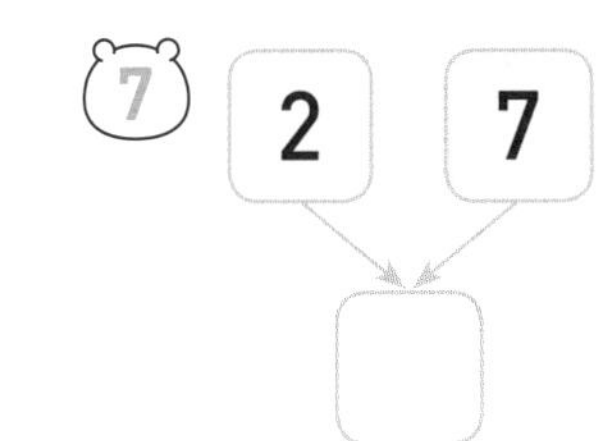


8
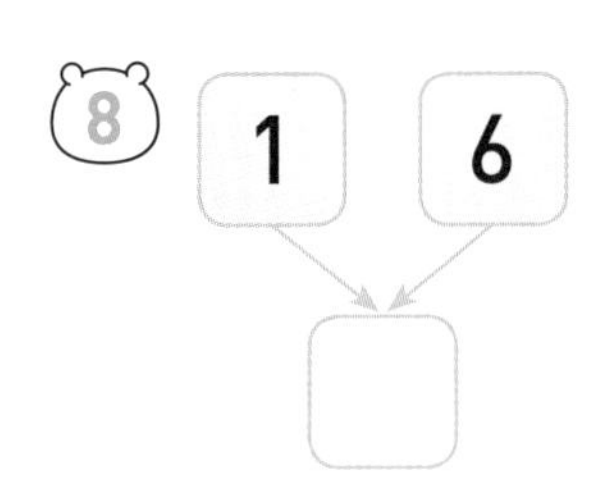


9
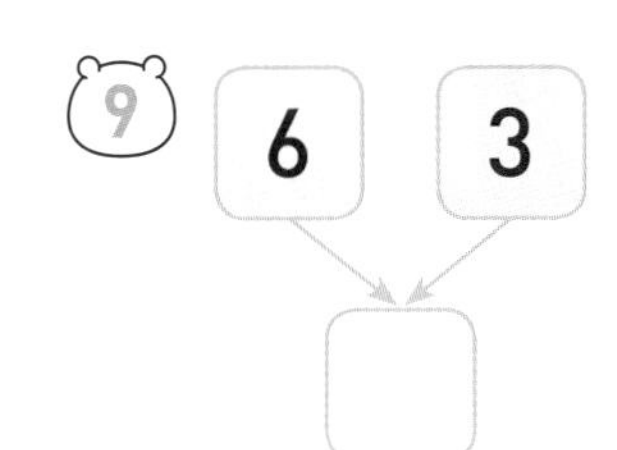


10
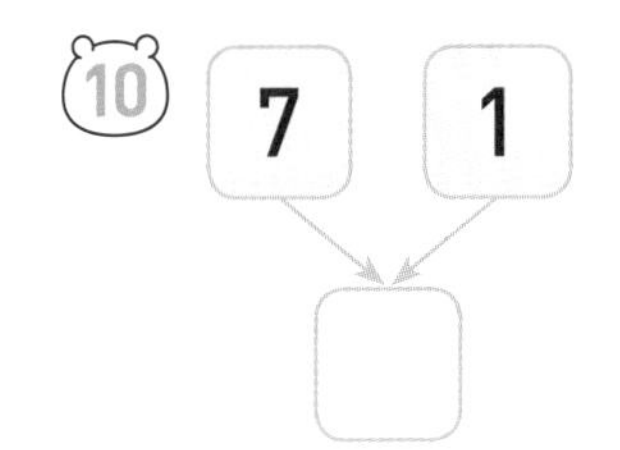

# 2일 모으기와 가르기 ④

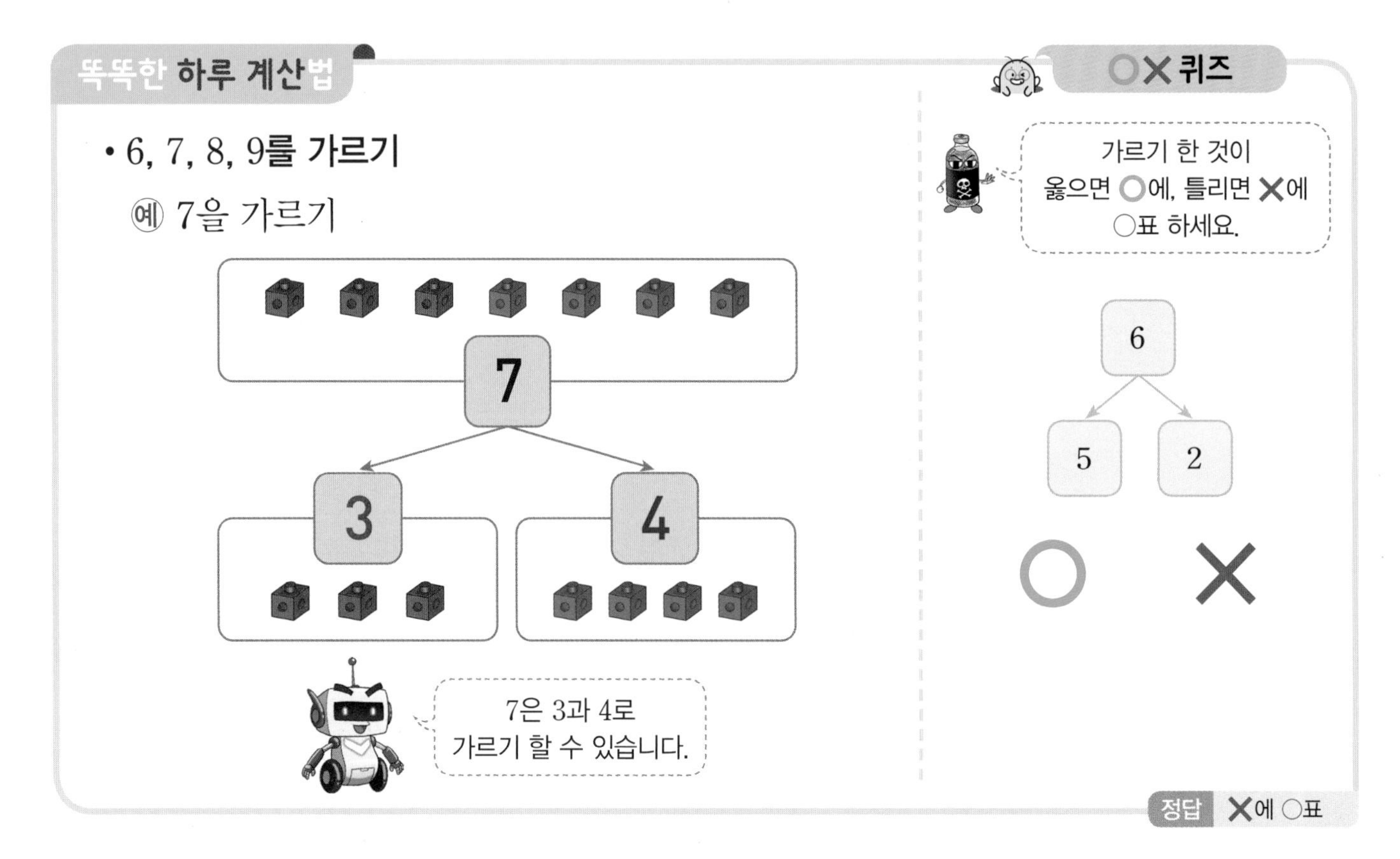

## 똑똑한 하루 계산법

- 6, 7, 8, 9를 가르기

예 7을 가르기



## OX 퀴즈



정답 ✕에 ○표

# 똑똑한 계산 연습

▶정답 및 풀이 8쪽

제한 시간 3분

가르기를 해 보세요.

1
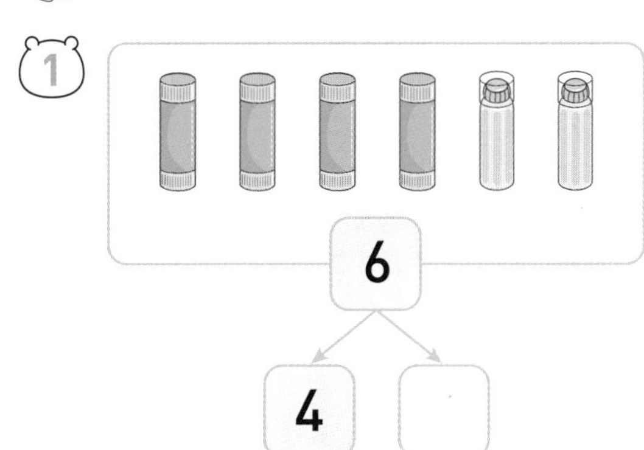
6 → 4, □

2
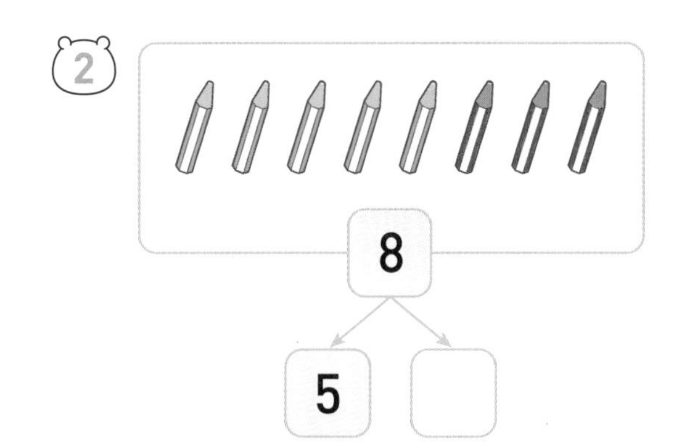
8 → 5, □

3
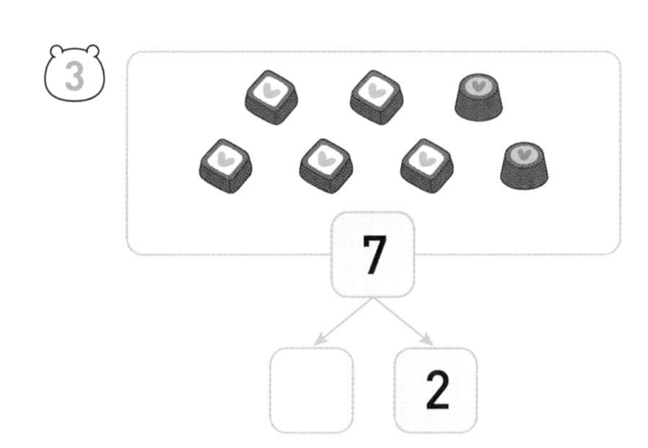
7 → □, 2

4
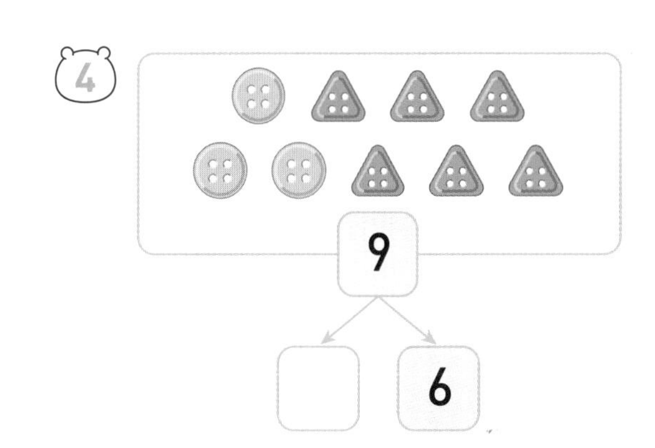
9 → □, 6

5
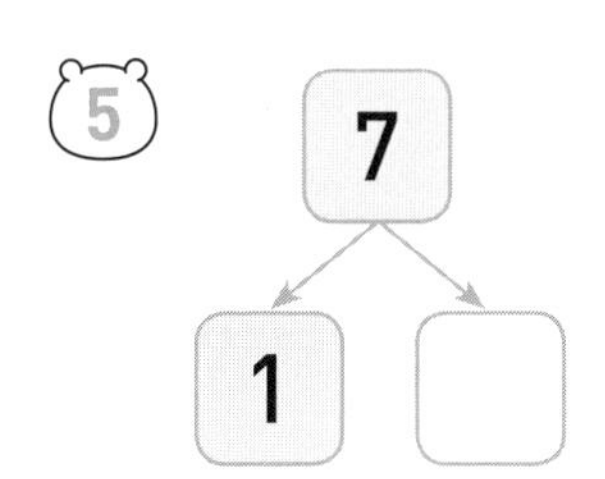
7 → 1, □

6
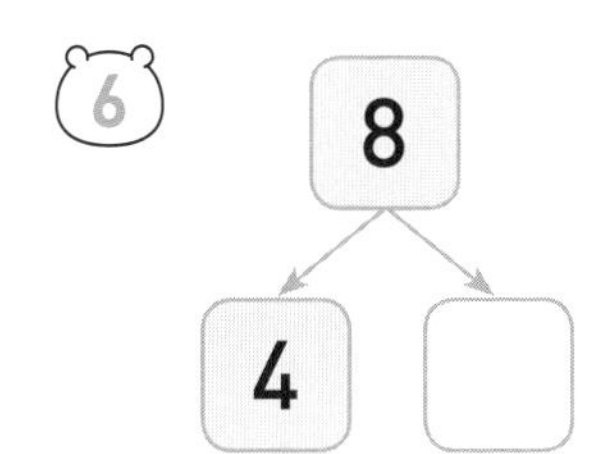
8 → 4, □

7
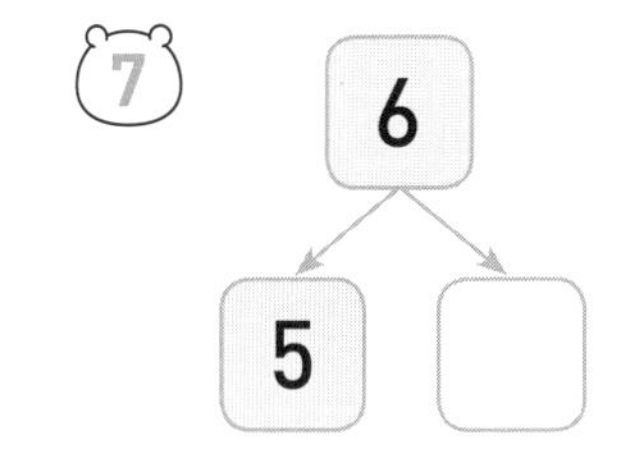
6 → 5, □

8
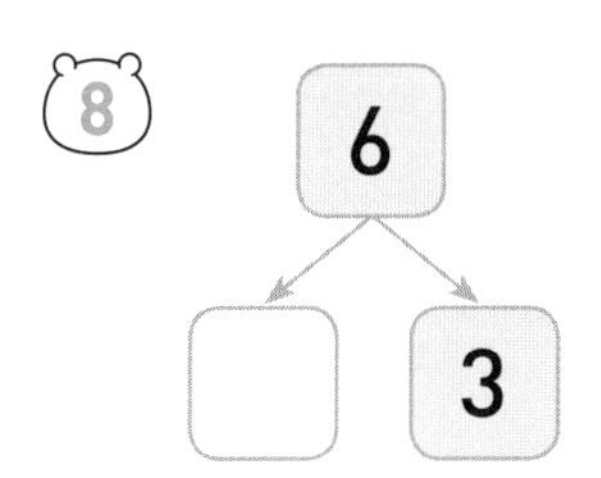
6 → □, 3

9
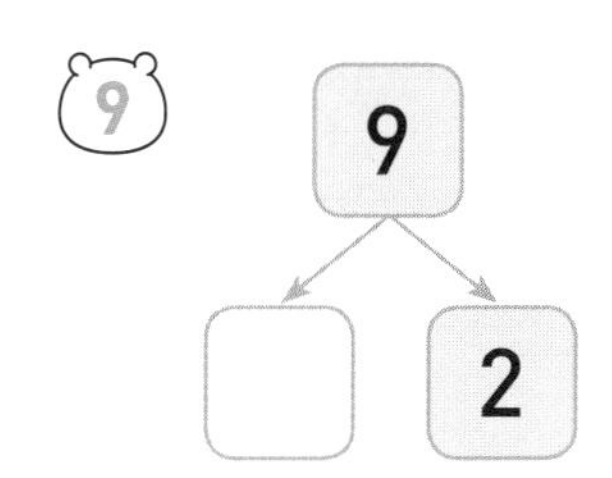
9 → □, 2

10
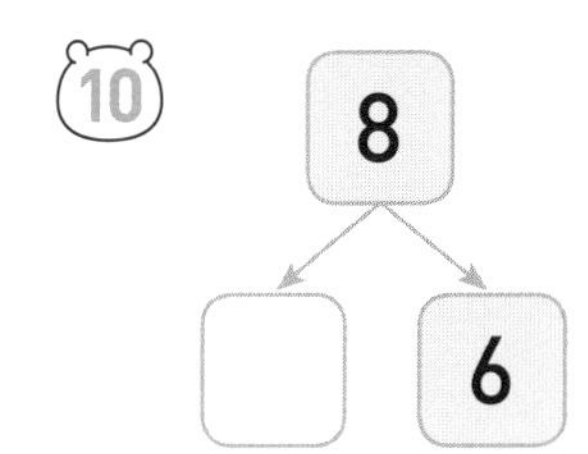
8 → □, 6

2일

# 기초 집중 연습

두 수를 모으기 하여 빈 곳에 알맞은 수를 써넣으세요.

**1**-1

| 1 | 5 |
|---|---|
| | |

**1**-2

| 2 | 6 |
|---|---|
| | |

**1**-3

| 5 | 4 |
|---|---|
| | |

**1**-4

| 3 | 4 |
|---|---|
| | |

왼쪽 수를 위와 아래로 가르기 하여 빈 곳에 알맞은 수를 써넣으세요.

**2**-1

6

| 1 | 3 | 5 |
|---|---|---|
| | | |

**2**-2

7

| 2 | 3 | 6 |
|---|---|---|
| | | |

**2**-3

8

| 1 | | 4 |
|---|---|---|
| | 3 | |

**2**-4

9

| 2 | | 8 |
|---|---|---|
| | 5 | |

제한 시간 9분

생활 속 계산

 주어진 구슬을 양손에 나누어 가졌습니다. 오른손에 있는 구슬은 몇 개인지 구하세요.

**3-1** 구슬 7개

☐개

**3-2** 구슬 8개

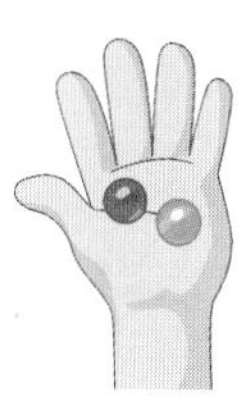

☐개

**3-3** 구슬 6개

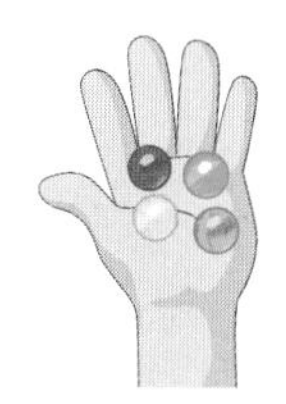

☐개

**3-4** 구슬 9개

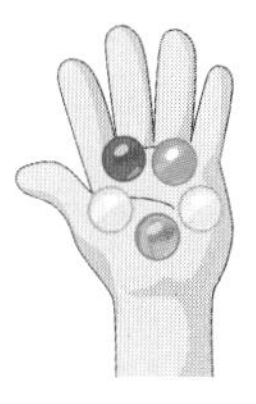

☐개

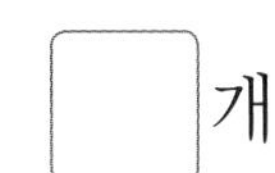

문장 읽고 문제 해결하기

**4-1** 공깃돌 5개와 2개를 모으기 하면?

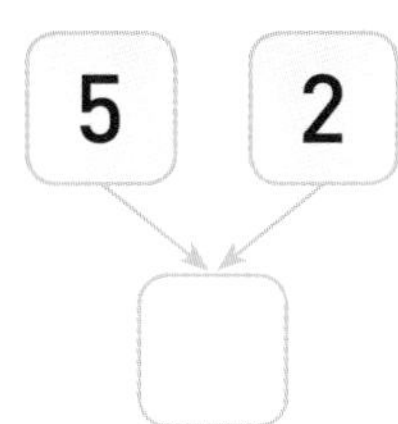


**4-2** 사탕 3개와 3개를 모으기 하면?

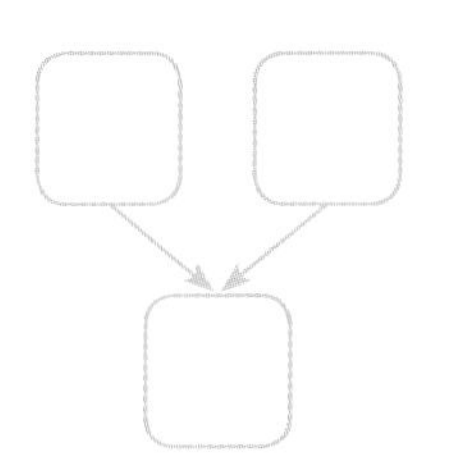

**4-3** 지우개 8개를 3개와 몇 개로 가르기 하면?

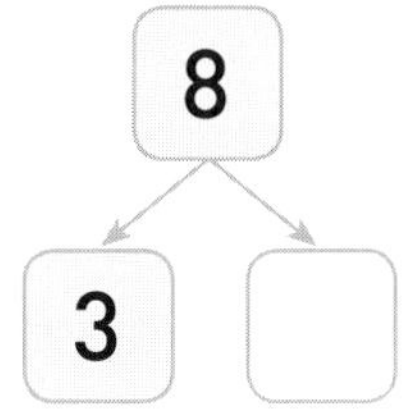


**4-4** 꽃 9송이를 6송이와 몇 송이로 가르기 하면?

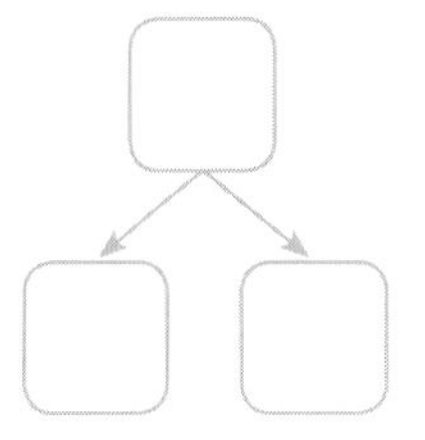

# 3일 더하기로 나타내기 ①

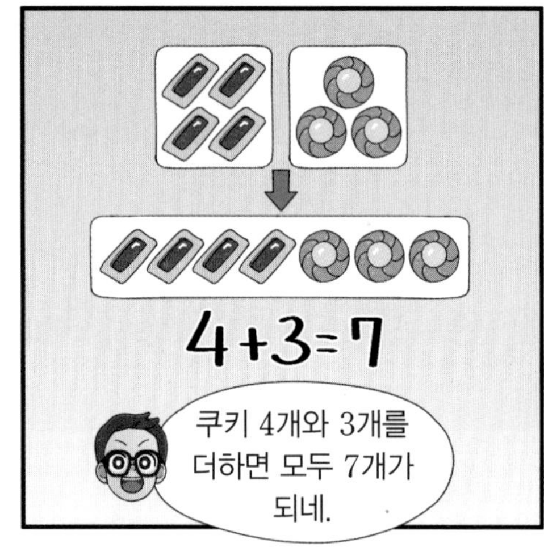

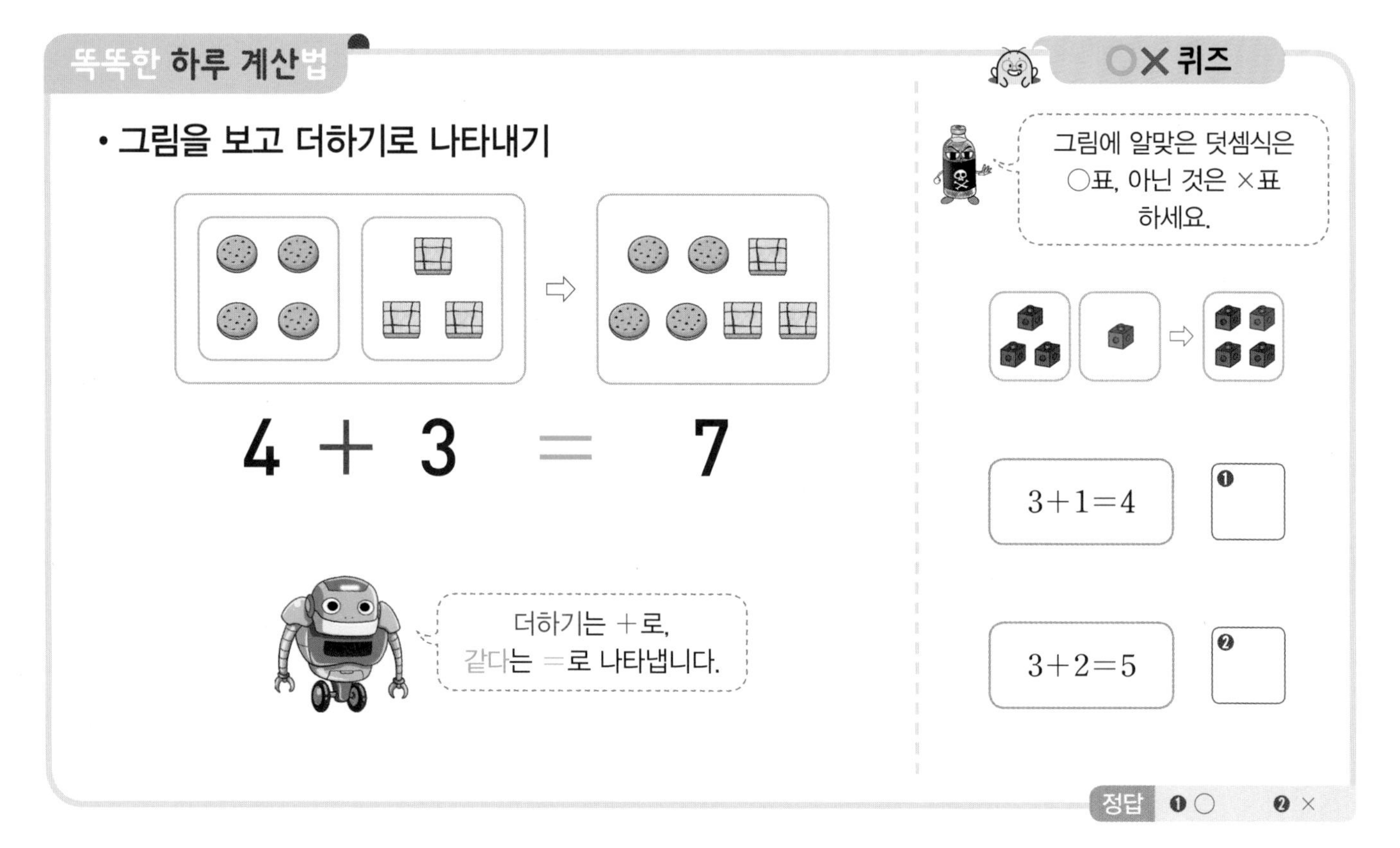

## 똑똑한 하루 계산법

• 그림을 보고 더하기로 나타내기

$$4 + 3 = 7$$

더하기는 +로, 같다는 =로 나타냅니다.

## OX 퀴즈

그림에 알맞은 덧셈식은 ○표, 아닌 것은 ×표 하세요.

3+1=4 ❶

3+2=5 ❷

정답 ❶ ○ ❷ ×

# 똑똑한 계산 연습

▶정답 및 풀이 9쪽

제한 시간 3분

그림에 알맞은 덧셈식을 써 보세요.

1
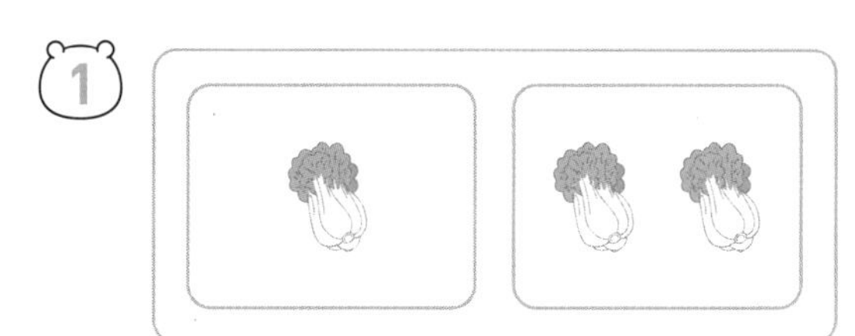

$1+2=\square$

2
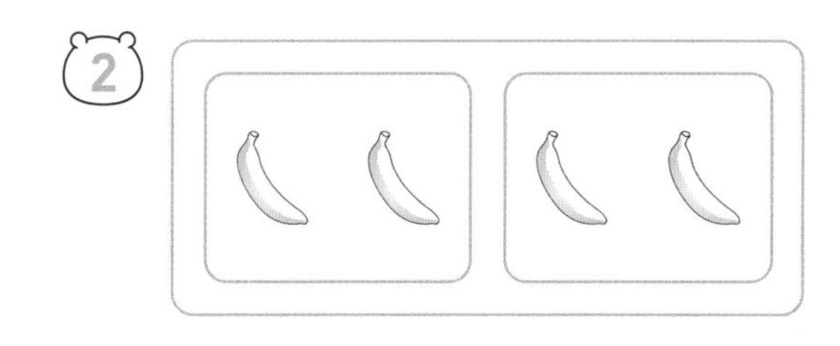

$2+2=\square$

3
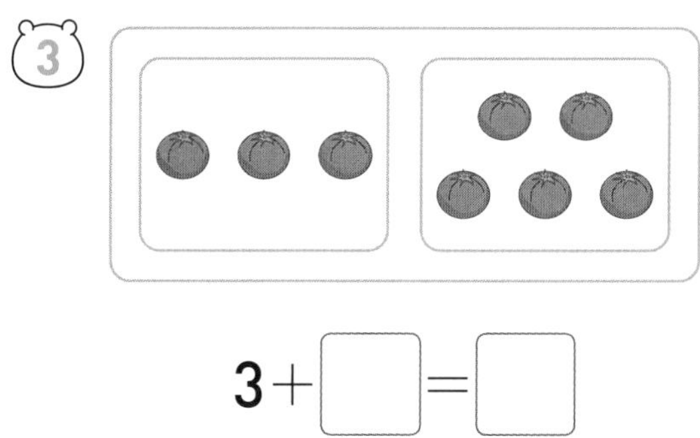

$3+\square=\square$

4
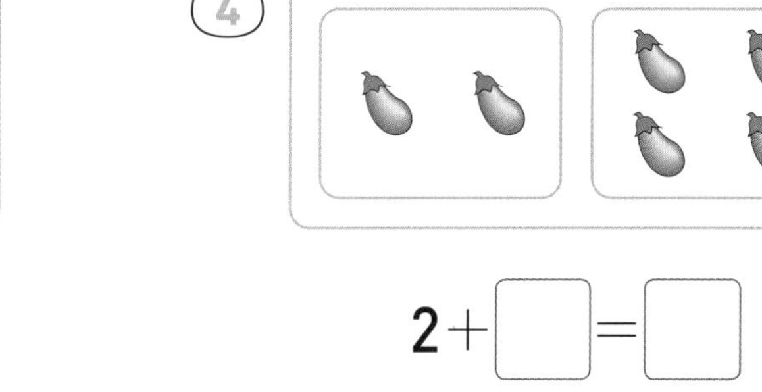

$2+\square=\square$

5
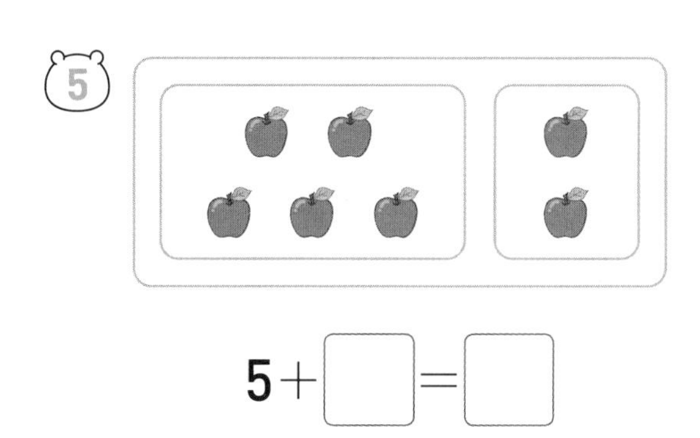

$5+\square=\square$

6
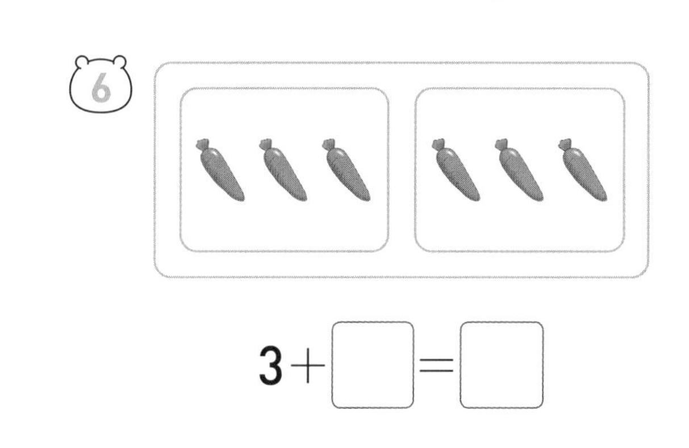

$3+\square=\square$

7
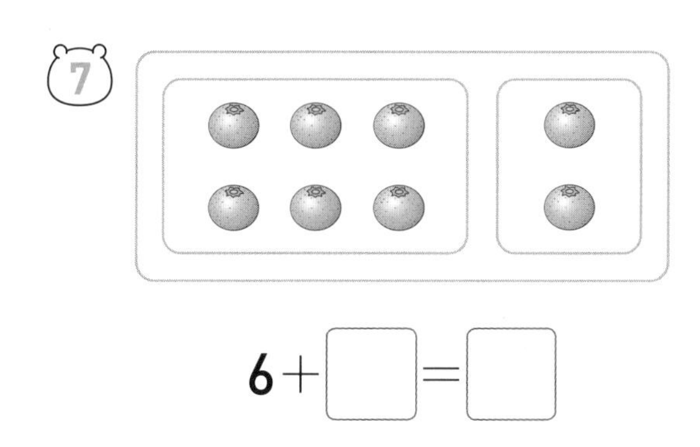

$6+\square=\square$

8
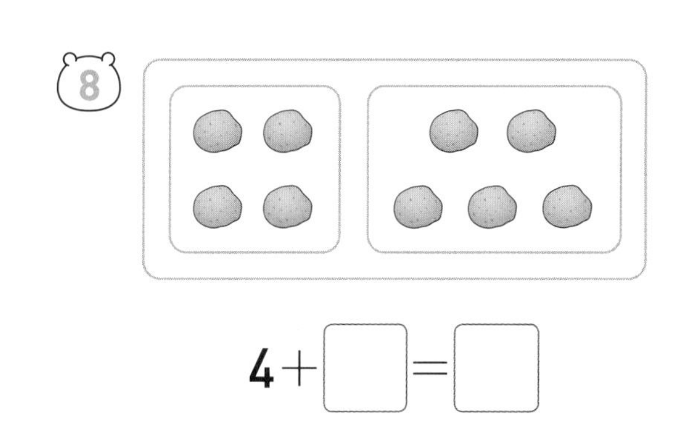

$4+\square=\square$

# 더하기로 나타내기 ②

## 똑똑한 하루 계산법

• 덧셈식을 읽어 보기

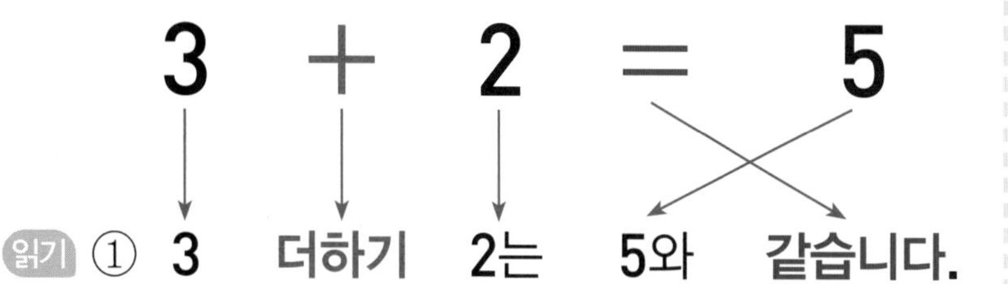


② 3 과 2의 합은 5입니다.

합은 한자로 '더하다'라는 뜻입니다.

## OX 퀴즈

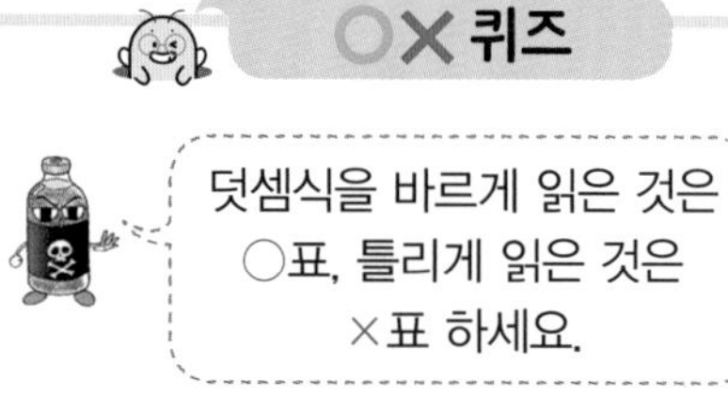

덧셈식을 바르게 읽은 것은 ○표, 틀리게 읽은 것은 ×표 하세요.

$2+1=3$

2 더하기 1은 4와 같습니다.

❶ ☐

2와 1의 합은 3입니다.

❷ ☐

정답 ❶ × ❷ ○

▶정답 및 풀이 9쪽

## 똑똑한 계산 연습

제한 시간 3분

덧셈식을 읽어 보세요.

1 $3+1=4$

- 3 더하기 1은 [ ]와 같습니다.
- 3과 [ ]의 합은 4입니다.

2 $2+5=7$

- 2 더하기 [ ]는 7과 같습니다.
- 2와 5의 합은 [ ]입니다.

3 $1+4=5$

- [ ] 더하기 4는 [ ]와 같습니다.
- 1과 4의 합은 [ ]입니다.

4 $5+3=8$

- 5 더하기 [ ]은 8과 같습니다.
- [ ]와 3의 합은 [ ]입니다.

5 $6+2=8$

- 6 더하기 [ ]는 [ ]과 같습니다.
- 6과 2의 합은 [ ]입니다.

6 $1+8=9$

- 1 더하기 8은 [ ]와 같습니다.
- 1과 [ ]의 합은 [ ]입니다.

7 $5+1=6$

- 5 [ ] 1은 [ ]과 같습니다.
- 5와 [ ]의 합은 6입니다.

8 $4+3=7$

- 4 더하기 [ ]은 7과 같습니다.
- 4와 3의 [ ]은 [ ]입니다.

3 일

# 기초 집중 연습

**1** 덧셈식을 찾아 선으로 이어 보세요.

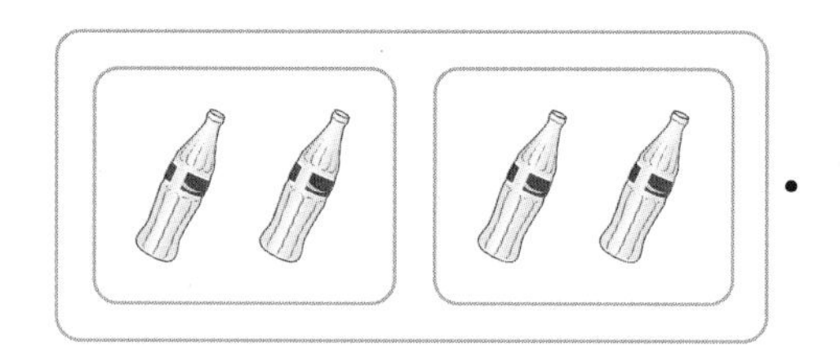

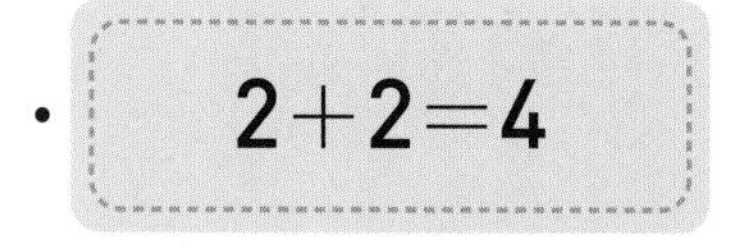


$3+1=4$

$2+1=3$

덧셈식을 쓰고 읽어 보세요.

**2-1**

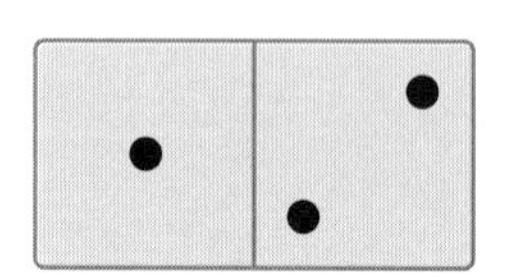

쓰기 $1+2=\square$

읽기 1 더하기 □는 □과 같습니다.

**2-2**

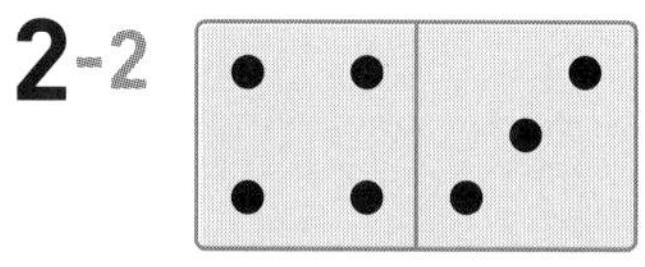

쓰기 $4+\square=\square$

읽기 4와 □의 합은 □입니다.

**2-3**

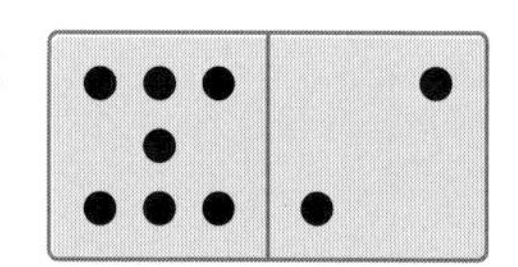

쓰기 $\square+2=\square$

읽기 □ 더하기 2는 □와 같습니다.

**2-4**

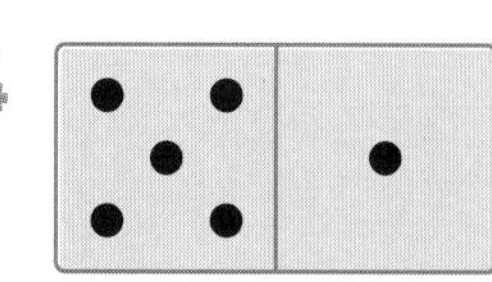

쓰기 $5+\square=\square$

읽기 5와 □의 합은 □입니다.

제한 시간 9분

## 생활 속 계산

친구들이 받은 칭찬 붙임 딱지입니다. 2명씩 짝 지었을 때, 받은 칭찬 붙임 딱지는 모두 몇 장인지 구하세요.

**3-1** 영탁 + 민하

2+3=☐(장)

**3-2**

☐+☐=☐(장)

**3-3**

☐+☐=☐(장)

**3-4** 영탁 + 우석

☐+☐=☐(장)

## 문장 읽고 계산식 세우기

덧셈식으로 나타내어 보세요.

**4-1** 4 더하기 1은 5와 같습니다.

식 4+☐=☐

**4-2** 2와 4의 합은 6입니다.

식 ☐+☐=☐

2주 3일

# 덧셈하기 ①

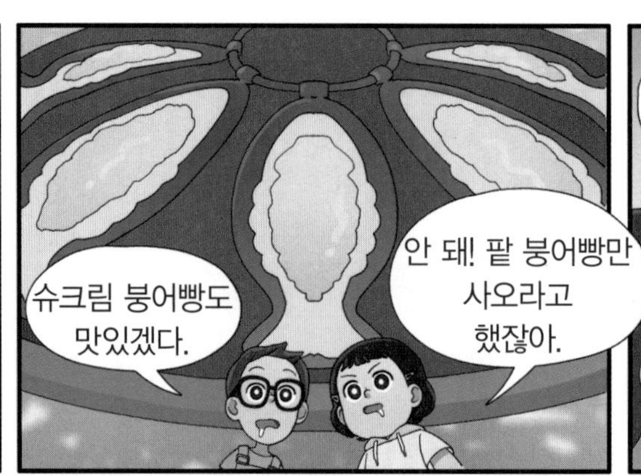

## 똑똑한 하루 계산법

• ○를 그려 덧셈하기

㉮ 5+2 계산하기

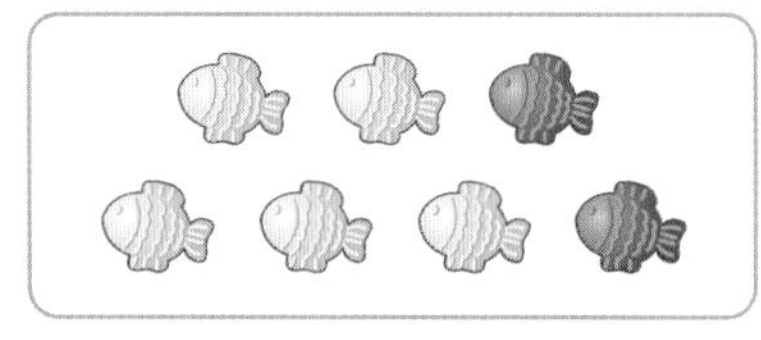

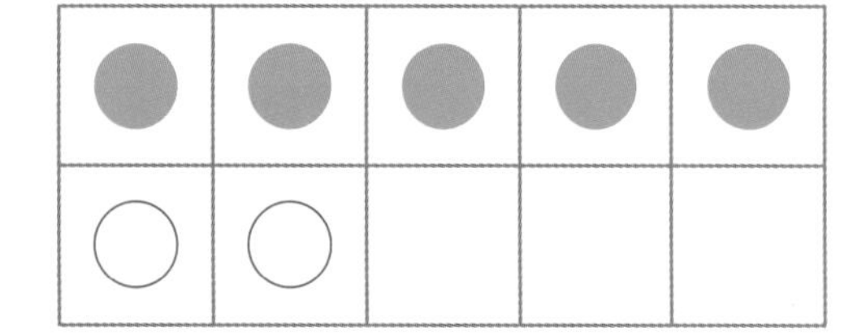

5+2=7

5 다음에 ○를 2개 더 그리면서
6, 7을 세면 5+2=7이에요.

## OX 퀴즈

그림을 보고 알맞은
덧셈식은 ○표, 아닌 것은
×표 하세요.

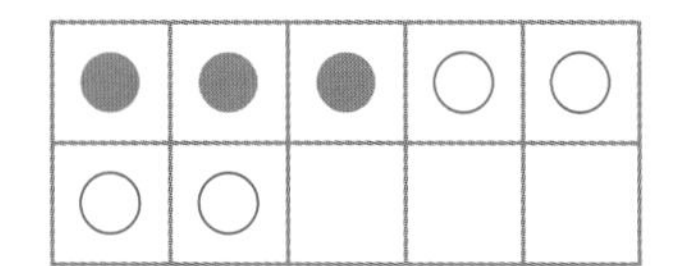

3+3=6 ❶ □

3+4=7 ❷ □

정답 ❶ × ❷ ○

# 똑똑한 계산 연습

▶정답 및 풀이 10쪽

제한 시간 3분

○를 더 그려 덧셈을 해 보세요.

1 $3+1=\square$

| ○ | ○ | ○ |  |  |
|---|---|---|---|---|
|  |  |  |  |  |

2 $4+2=\square$

| ○ | ○ | ○ | ○ |  |
|---|---|---|---|---|
|  |  |  |  |  |

3 $4+3=\square$

| ○ | ○ | ○ | ○ |  |
|---|---|---|---|---|
|  |  |  |  |  |

4 $2+2=\square$

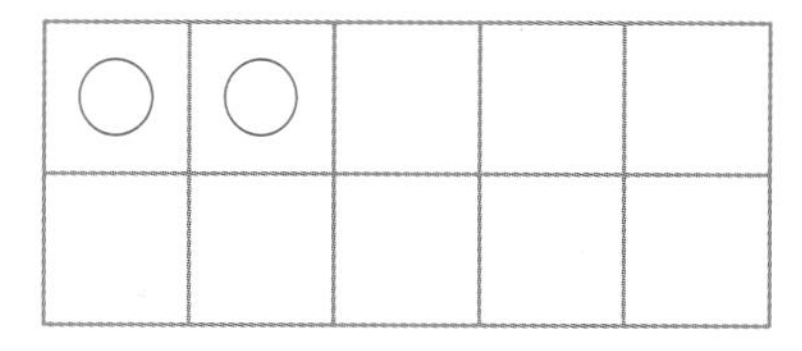

5 $6+2=\square$

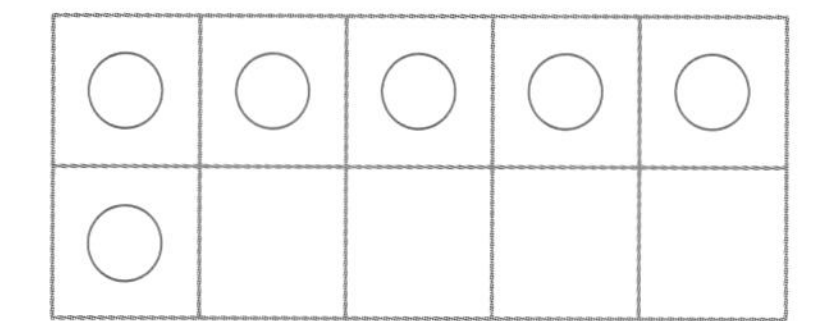

6 $8+1=\square$

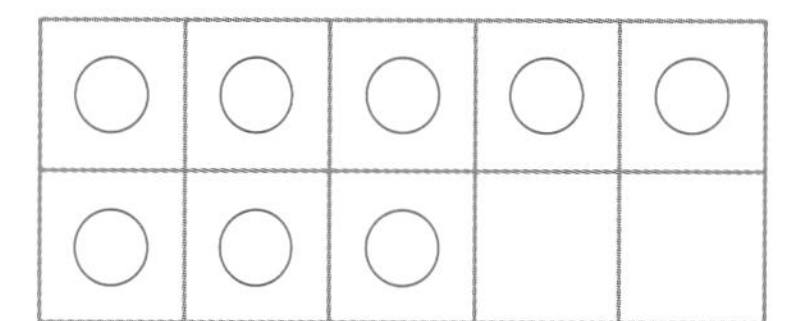

7 $5+3=\square$

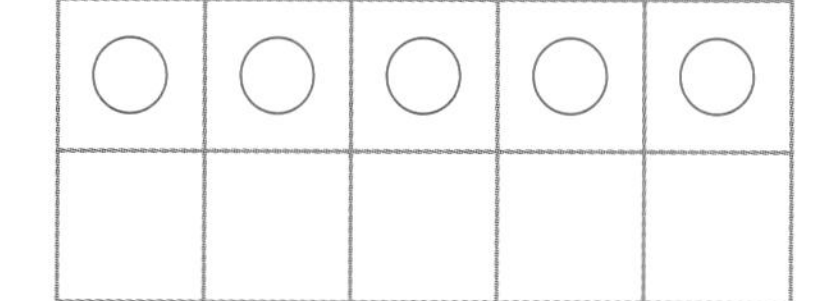

8 $7+2=\square$

| ○ | ○ | ○ | ○ | ○ |
|---|---|---|---|---|
| ○ | ○ |  |  |  |

2주 4일

# 4일 덧셈하기 ②

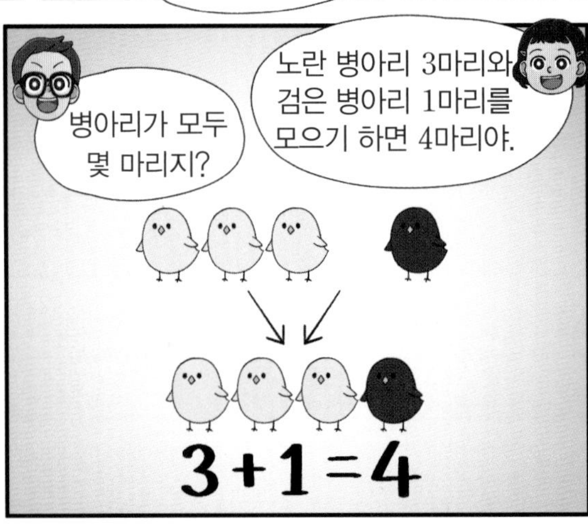

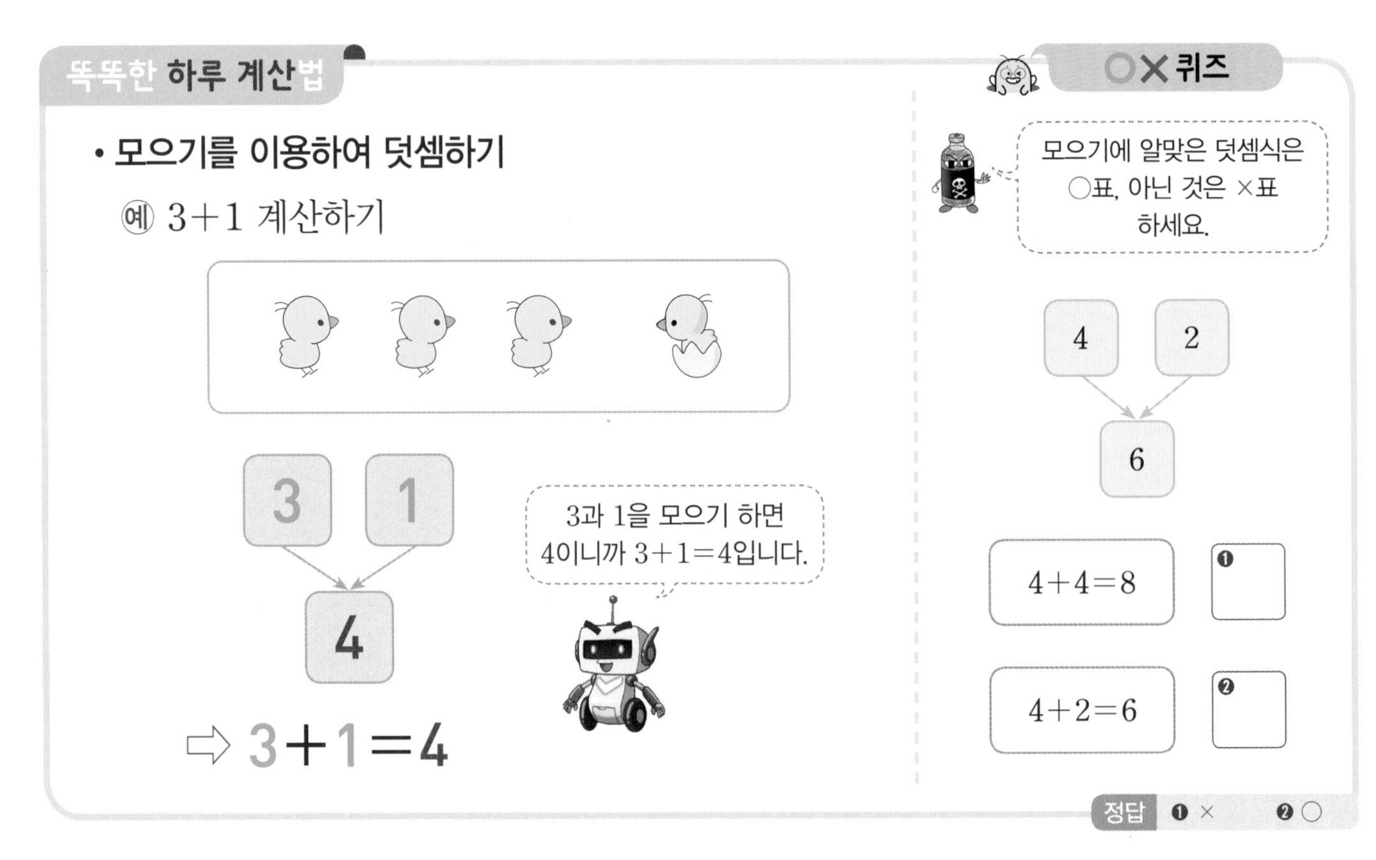

## 똑똑한 하루 계산법

• **모으기를 이용하여 덧셈하기**

예 3+1 계산하기

3, 1 → 4

3과 1을 모으기 하면
4이니까 3+1=4입니다.

⇨ 3+1=4

## OX 퀴즈

모으기에 알맞은 덧셈식은
○표, 아닌 것은 ×표
하세요.

4, 2 → 6

4+4=8 ❶ ☐

4+2=6 ❷ ☐

정답 ❶ × ❷ ○

# 똑똑한 계산 연습

제한 시간 3분

모으기를 하여 덧셈을 해 보세요.

1 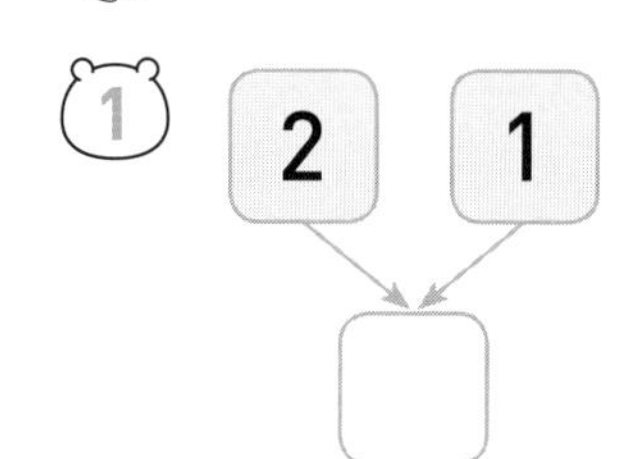


$2+1=$ □

2 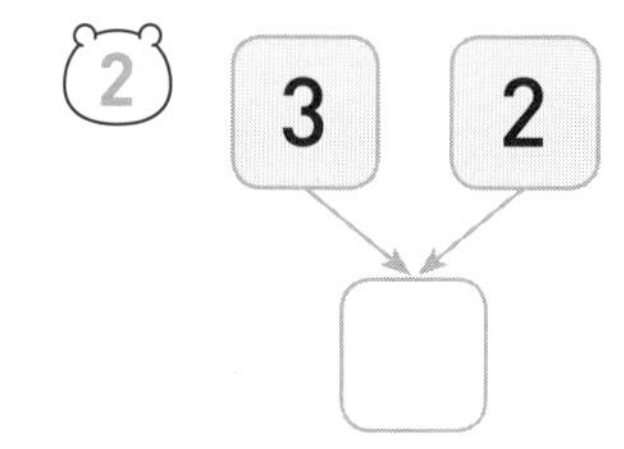


$3+2=$ □

3 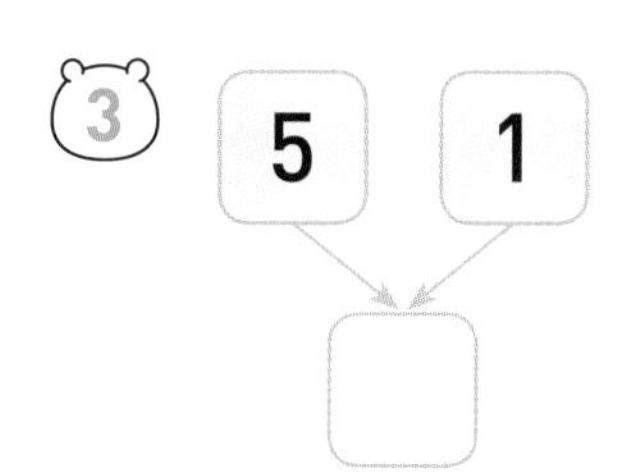


$5+1=$ □

4 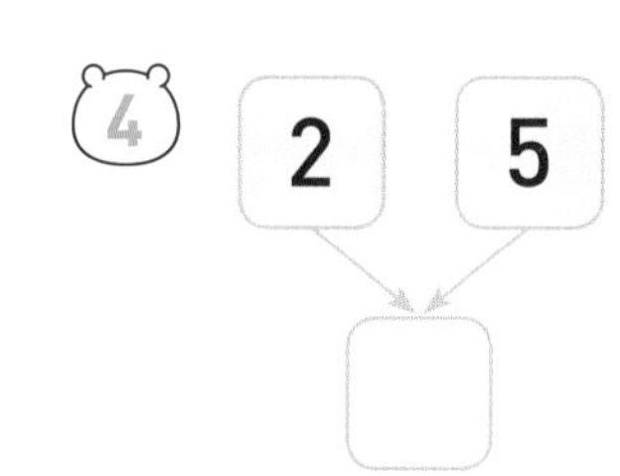


$2+5=$ □

5 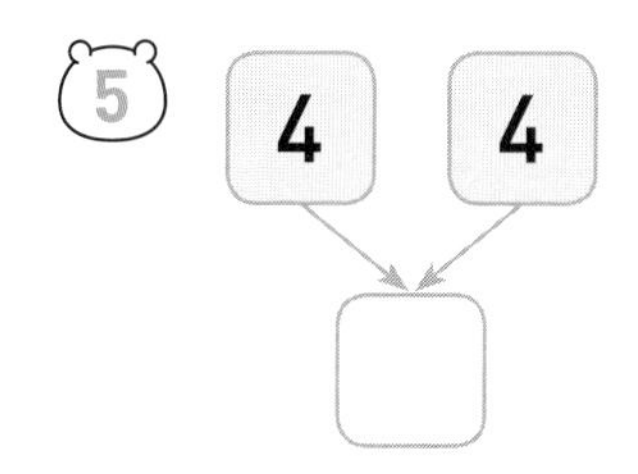


$4+4=$ □

6 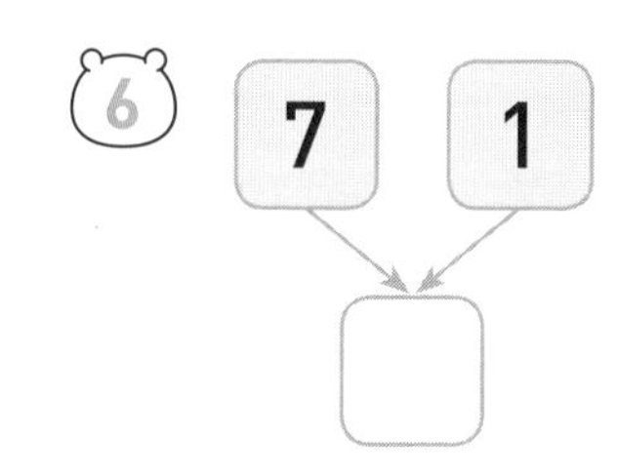


$7+1=$ □

7 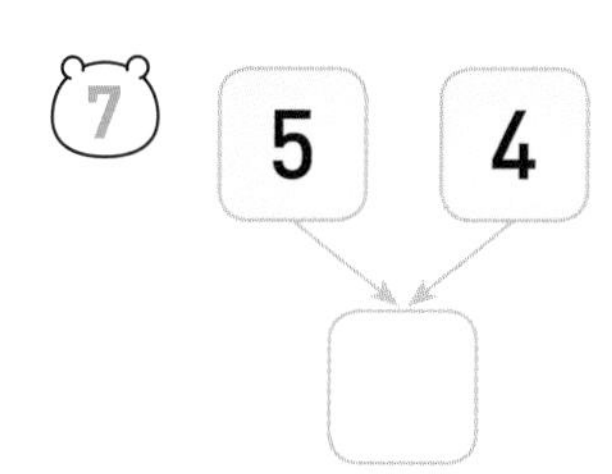


$5+4=$ □

8 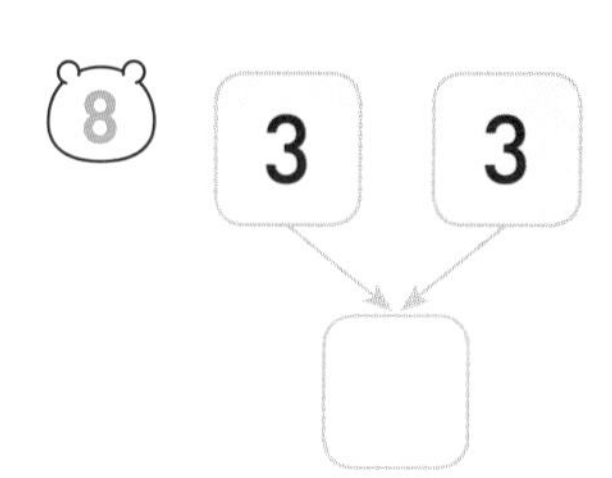


$3+3=$ □

# 4일 기초 집중 연습

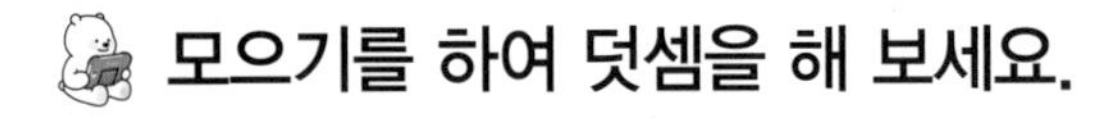

모으기를 하여 덧셈을 해 보세요.

**1-1**

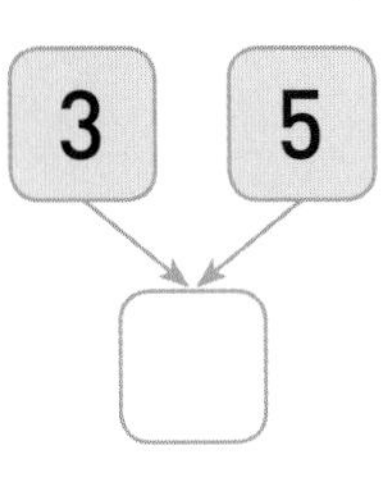


3 + □ = □

**1-2**

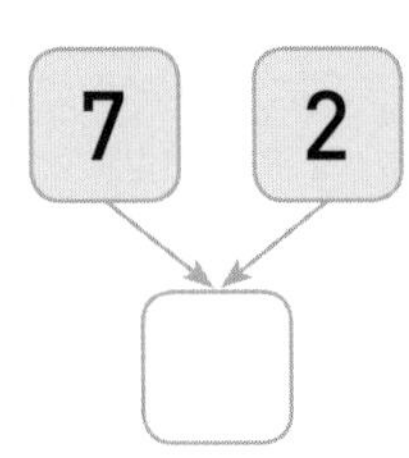


7 + □ = □

**1-3**

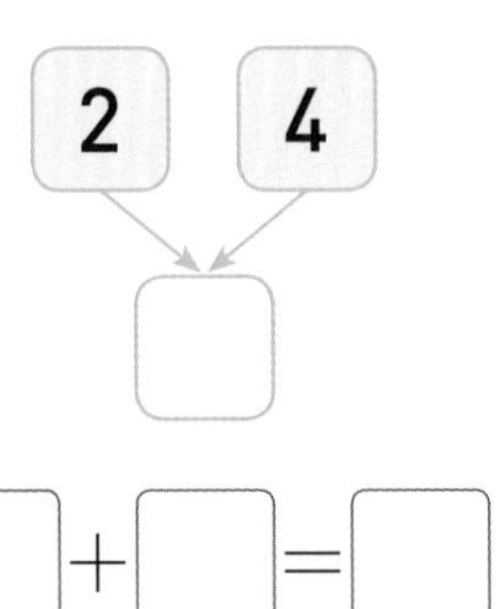


□ + □ = □

**1-4**

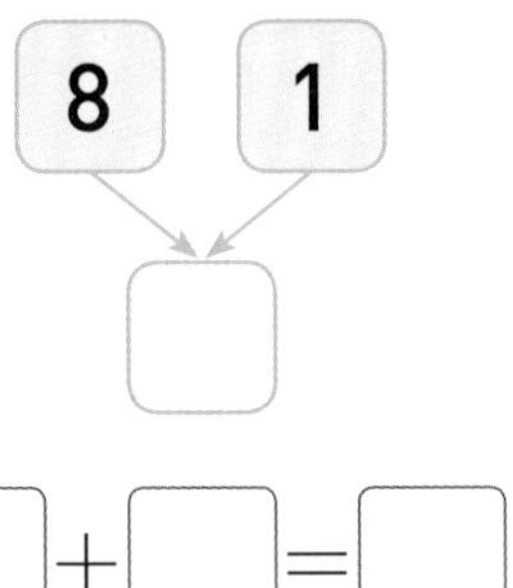


□ + □ = □

수만큼 ○를 그려 덧셈을 해 보세요.

**2-1**

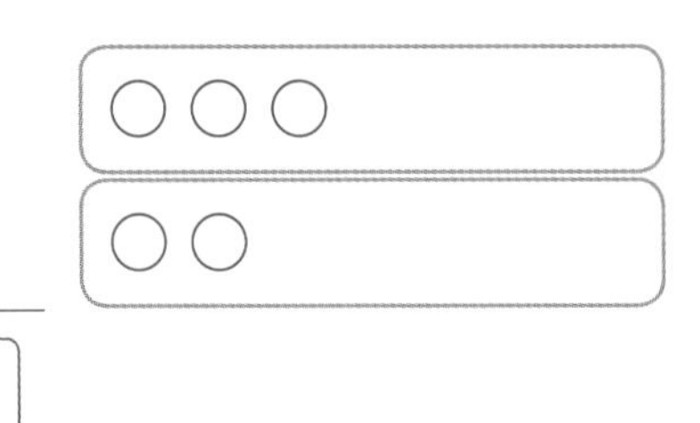

$$\begin{array}{r} 3 \\ +\ 2 \\ \hline \square \end{array}$$

○○○
○○

**2-2**

$$\begin{array}{r} 4 \\ +\ 3 \\ \hline \square \end{array}$$

**2-3**

$$\begin{array}{r} 6 \\ +\ 2 \\ \hline \square \end{array}$$

**2-4**

$$\begin{array}{r} 5 \\ +\ 4 \\ \hline \square \end{array}$$

제한 시간 9분

## 생활 속 계산

수가 쓰여 있는 숫자판이 있습니다. 숫자판 위에 말이 놓인 곳의 수와 주사위의 점의 수의 합을 덧셈식으로 나타내어 보세요.

**3-1**

| 1 | 2 |  | 4 | 5 |
|---|---|---|---|---|

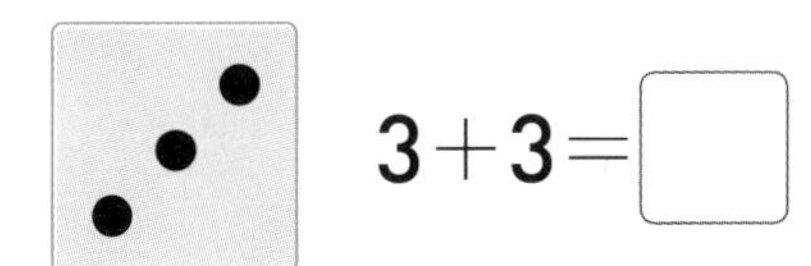

**3-2**

| 1 | 2 | 3 | 4 |  |
|---|---|---|---|---|

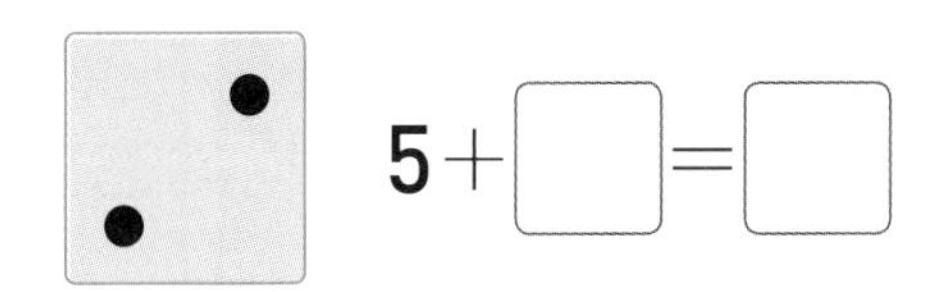

**3-3**

| 1 |  | 3 | 4 | 5 |
|---|---|---|---|---|

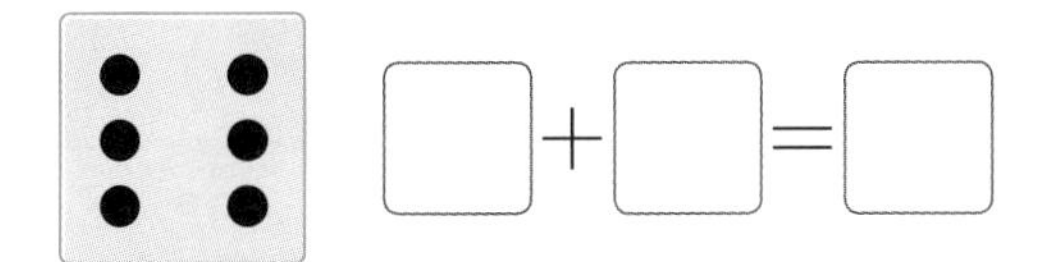

**3-4**

| 1 | 2 | 3 |  | 5 |
|---|---|---|---|---|

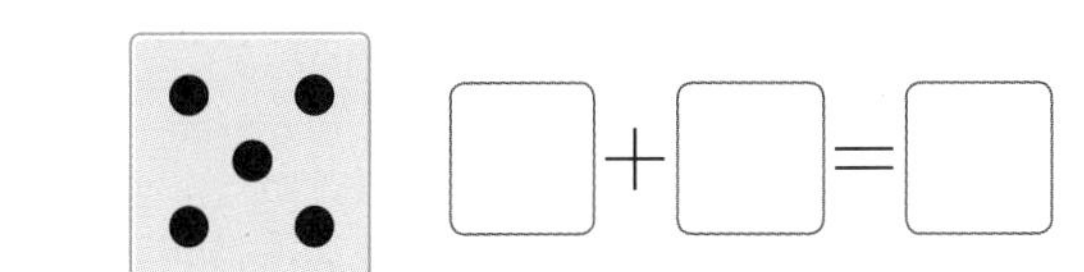

## 문장 읽고 계산식 세우기

**4-1** 딱지 2장과 1장을 모으기 하면?

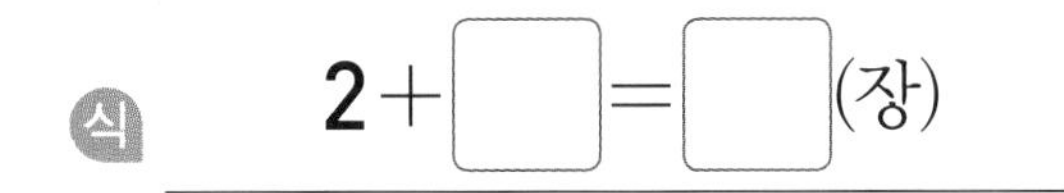

**4-2** 사탕 4개와 2개를 모으기 하면?

식 □+□=□(개)

**4-3** 연필이 2자루 들어 있는 필통에 연필 3자루를 더 넣으면?

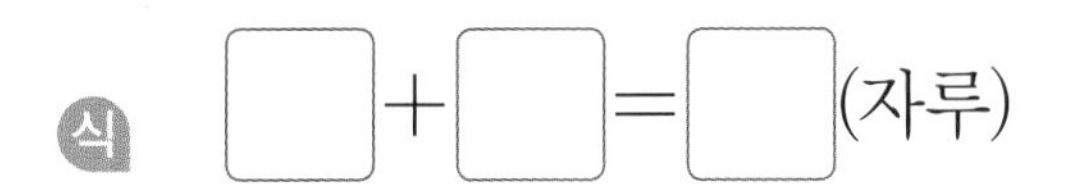

**4-4** 꽃이 5송이 꽂혀 있는 꽃병에 꽃 1송이를 더 꽂으면?

식 □+□=□(송이)

2주 4일

# 덧셈하기 ③

## 똑똑한 하루 계산법

• 9까지의 수의 덧셈하기

㉮ 5+2 계산하기

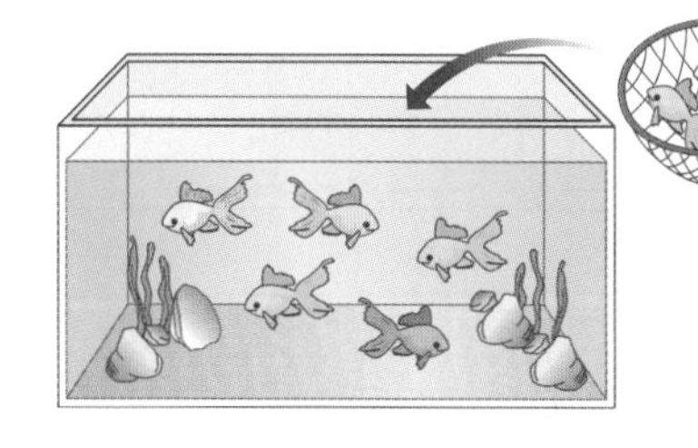

5 더하기 2는 하나씩 세어 보면 5하고 6, 7이므로 7이 됩니다.

5와 2를 모으기 하면 7이 되므로 모으기로 구할 수도 있습니다.

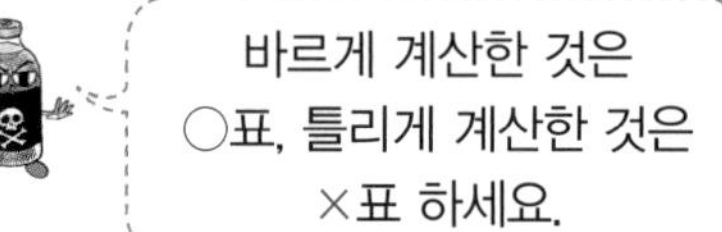


$2+1=3$ ❶ ☐

$1+1=3$ ❷ ☐

# 똑똑한 계산 연습

▶정답 및 풀이 11쪽

제한 시간 3분

덧셈을 해 보세요.

① $1+4=\square$

② $2+3=\square$

③ $3+1=\square$

④ $3+4=\square$

⑤ $5+3=\square$

⑥ $6+1=\square$

⑦ $3+6=\square$

⑧ $4+2=\square$

⑨ $4+4=\square$

⑩ $5+4=\square$

⑪ $8+1=\square$

⑫ $6+2=\square$

# 덧셈하기 ④

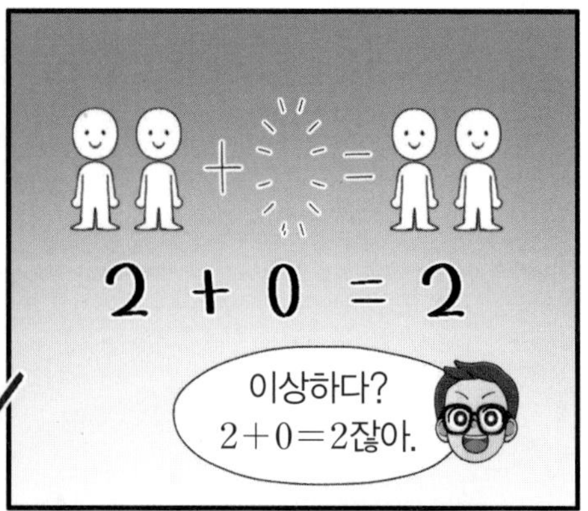

## 똑똑한 하루 계산법

- 0이 있는 덧셈하기

㉮ 2+0, 0+6 계산하기

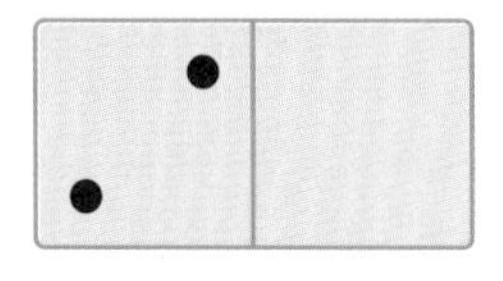

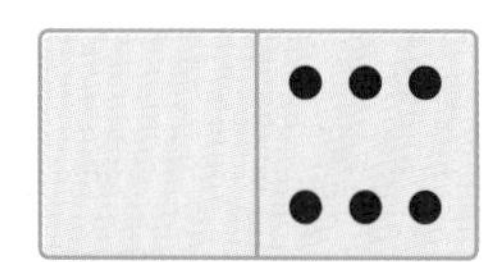

2+0=2　　　0+6=6

어떤 수에 0을 더하거나
0에 어떤 수를 더하면
항상 어떤 수가 됩니다.

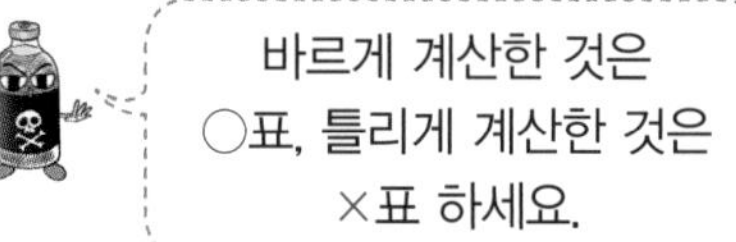

## ○× 퀴즈

바르게 계산한 것은 ○표, 틀리게 계산한 것은 ×표 하세요.

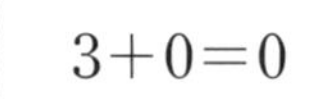
3+0=0 ❶

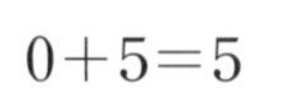
0+5=5 ❷

정답 ❶ × ❷ ○

# 똑똑한 계산 연습

▶정답 및 풀이 11쪽

제한 시간 3분

그림을 보고 덧셈을 해 보세요.

1  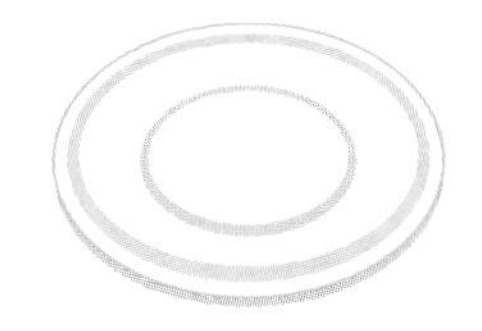

4+□=□

 2 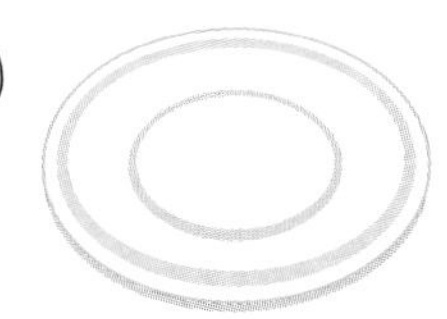 

0+□=□

 3 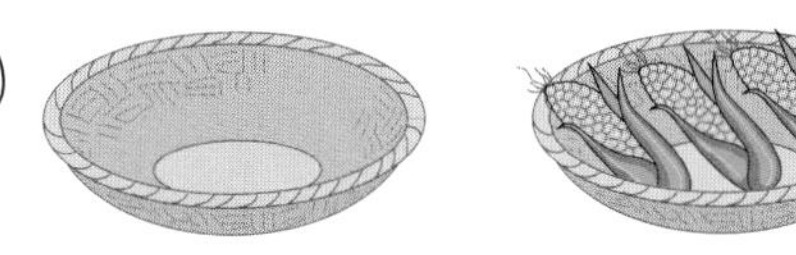

□+□=□

 4 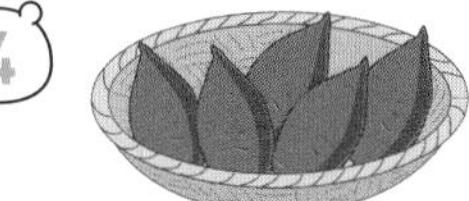 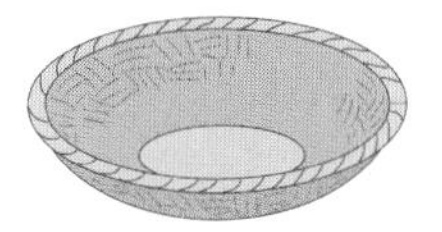

□+□=□

덧셈을 해 보세요.

5 0+2=□

6 1+0=□

7 8+0=□

8 0+4=□

9 0+7=□

10 9+0=□

5일

# 기초 집중 연습

빈 곳에 알맞은 수를 써넣으세요.

**1-1** 3 → (+4) → □

**1-2** 3 → (+0) → □

**1-3** 2 → (+7) → □

**1-4** 0 → (+6) → □

계산 결과가 다른 하나에 ×표 하세요.

**2-1**

$5+1$ (　　) $3+3$ (　　) $7+0$ (　　)

**2-2**

$2+3$ (　　)

(　　)

$0+5$ (　　)

**2-3**

$9+0$ (　　)

(　　)

$7+1$ (　　)

제한 시간 9분

생활 속 계산

과녁 맞히기 놀이를 하였습니다. 모두 몇 점을 받았는지 구하세요.

**3-1**

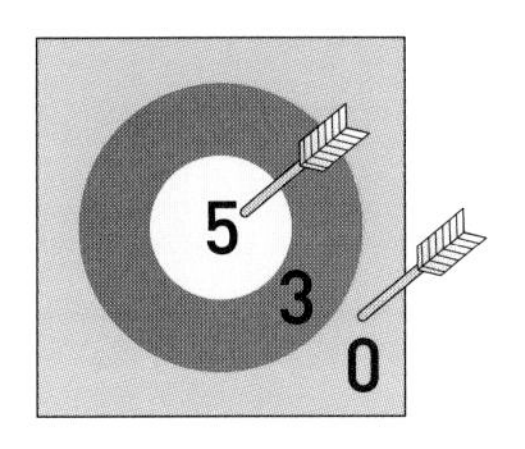


5+□=□(점)

**3-2**

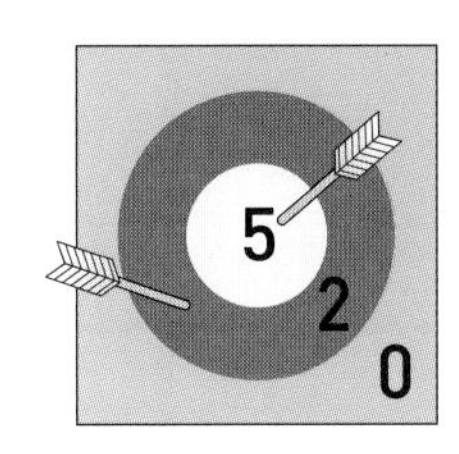


□+□=□(점)

**3-3**

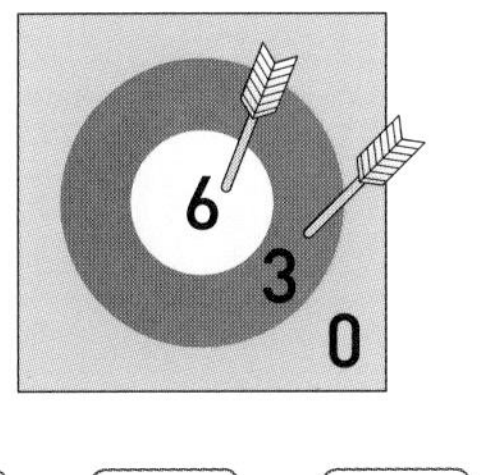


□+□=□(점)

**3-4**

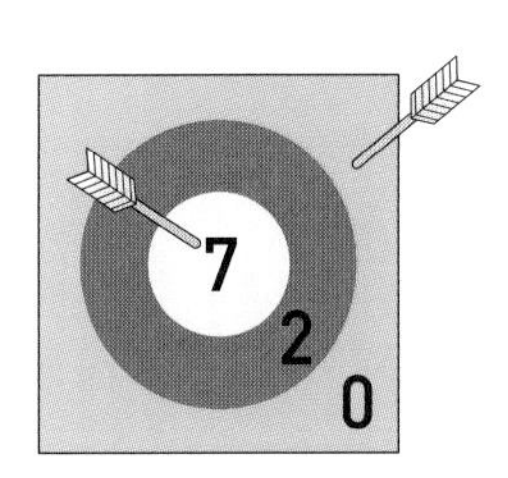


□+□=□(점)

문장 읽고 계산식 세우기

**4-1** 3보다 2만큼 더 큰 수는?

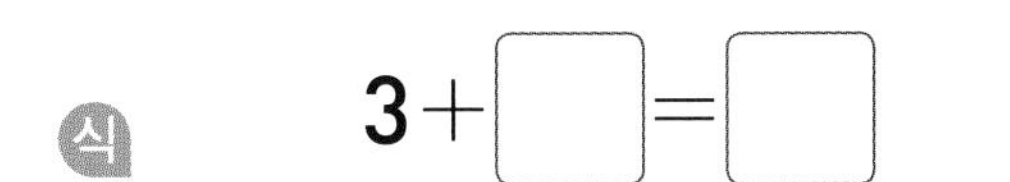

식 3+□=□

**4-2** 5보다 4만큼 더 큰 수는?

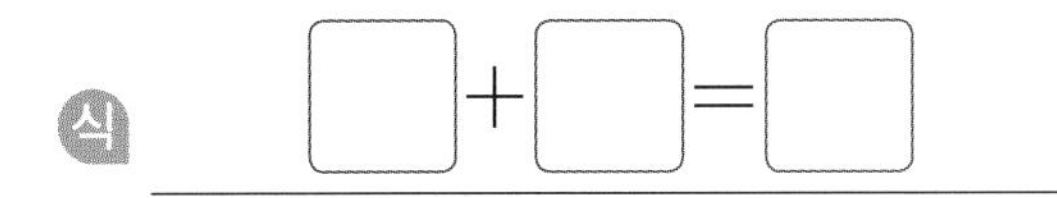

식 □+□=□

**4-3** 노란 색종이 2장과 빨간 색종이 5장을 합하면?

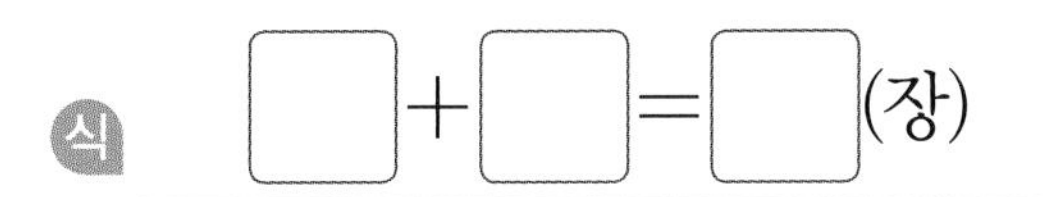

식 □+□=□(장)

**4-4** 남학생 5명과 여학생 3명을 합하면?

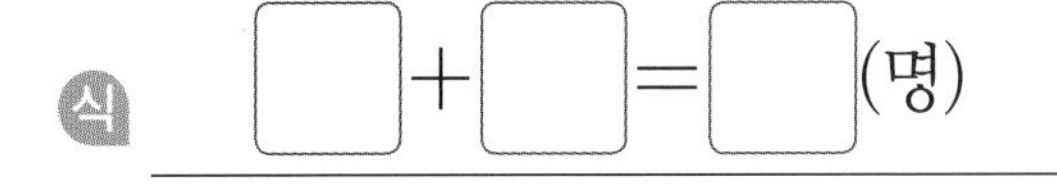

식 □+□=□(명)

2주 5일

# 누구나 100점 맞는 TEST

모으기와 가르기를 해 보세요.

❶

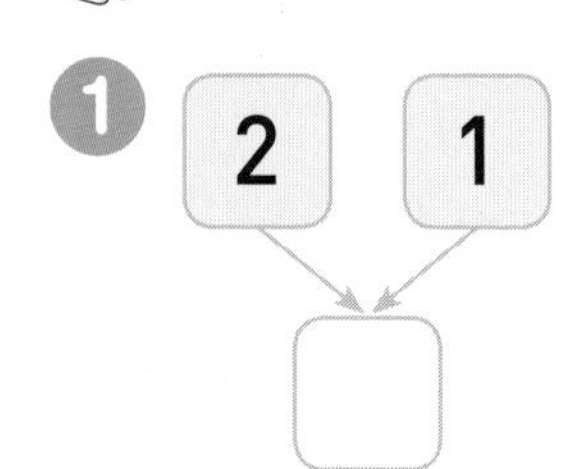


❷

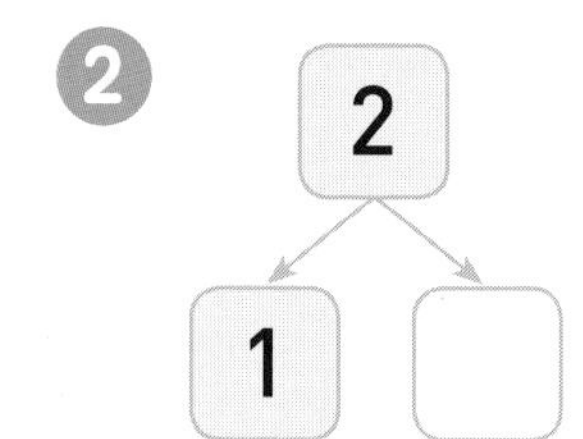


❸

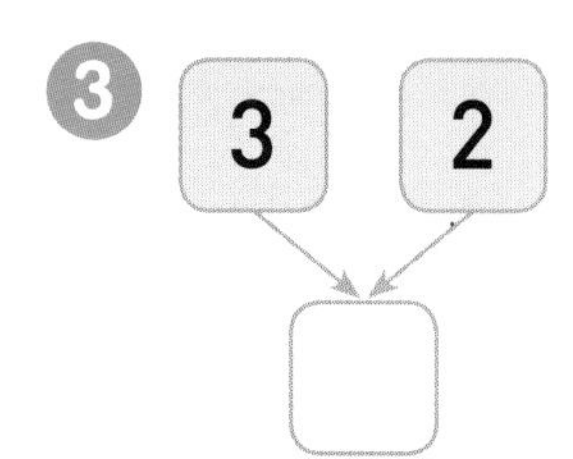


❹

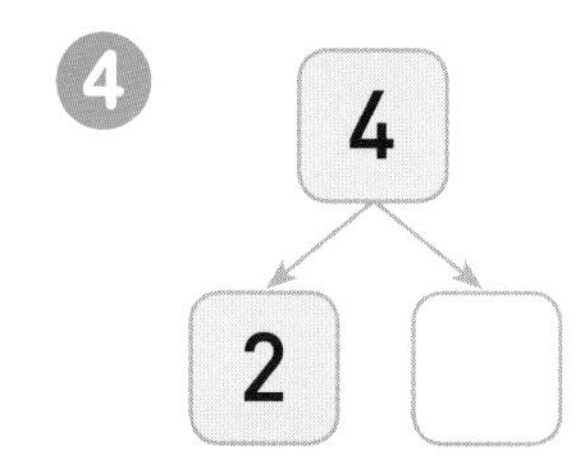


❺

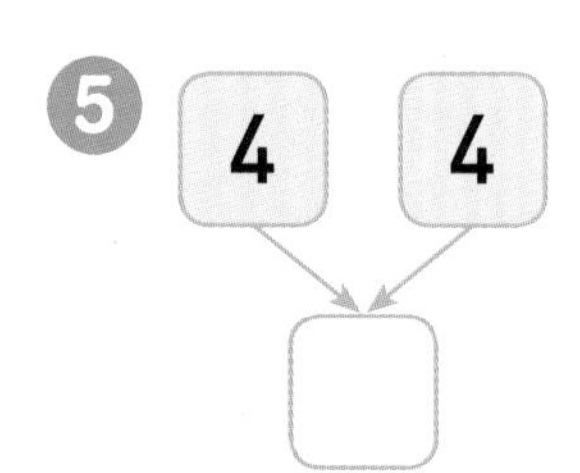


❻

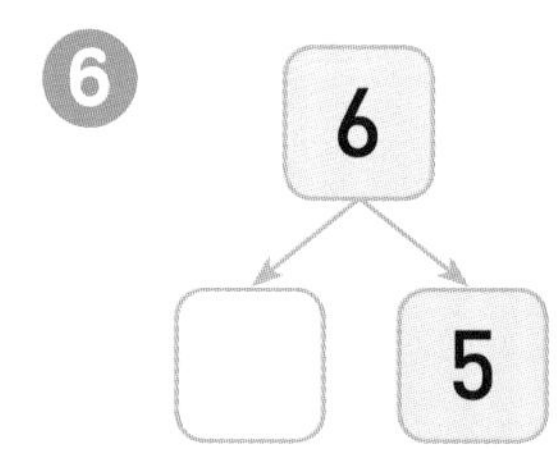


❼

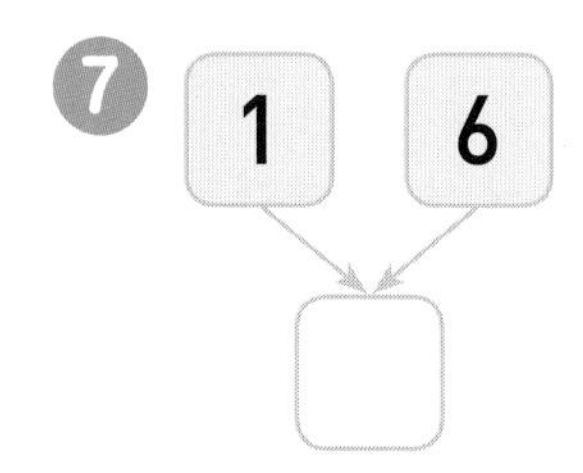


❽

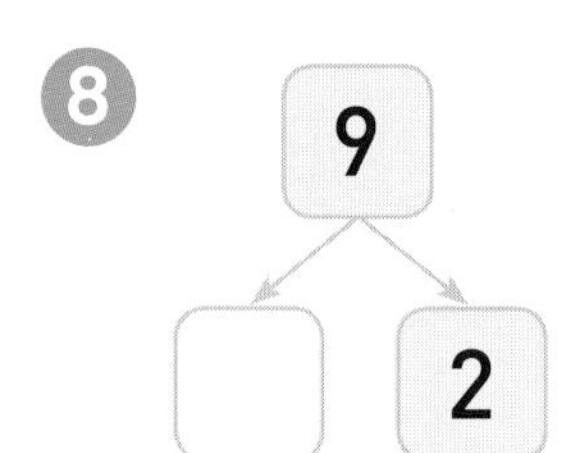

덧셈을 해 보세요.

⑨ $2+3=\square$

⑩ $1+4=\square$

⑪ $0+2=\square$

⑫ $2+1=\square$

⑬ $4+2=\square$

⑭ $3+0=\square$

⑮ $7+1=\square$

⑯ $0+5=\square$

⑰ $3+3=\square$

⑱ $4+3=\square$

⑲ $8+0=\square$

⑳ $6+3=\square$

제한 시간 안에 정확하게
모두 풀었다면 여러분은 진정한 **계산왕!**

# 특강 창의·융합·코딩

## 계단 오르기 놀이

현우, 희재, 수영이가 계단 오르기 놀이를 하고 있습니다. 희재와 수영이는 각각 몇 계단을 올라왔는지 구하세요.

난 3계단보다 2계단 더 높으니까

3+□=□(계단)

올라왔어.

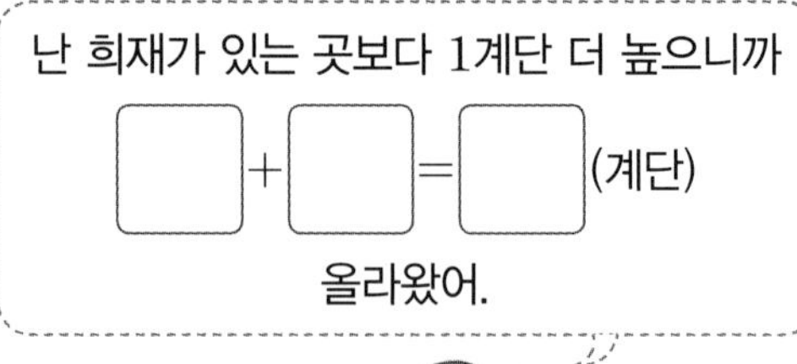

난 희재가 있는 곳보다 1계단 더 높으니까

□+□=□(계단)

올라왔어.

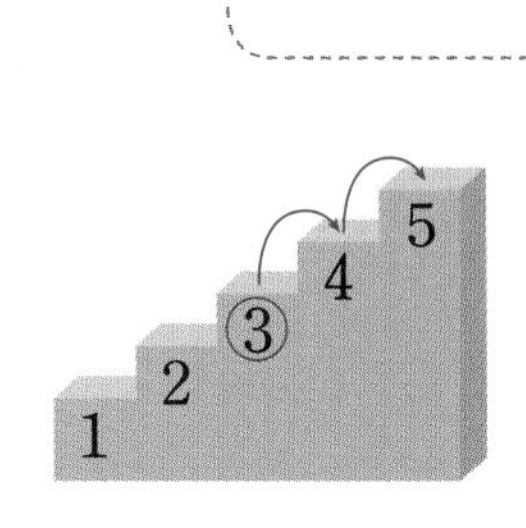

답 희재: □ 계단, 수영: □ 계단

▶정답 및 풀이 12쪽

# 도둑을 찾아라!

명탐정과 함께 주어진 사건 단서를 가지고 도둑의 이름을 구하세요.

① $2+1=$ □  ② $5+1=$ □  ③ $4+4=$ □

①, ②, ③의 계산 결과에 해당하는 글자를 표에서 찾아 차례로 쓰면 도둑의 이름을 알 수 있어.

| 1 | 아 | 4 | 사 | 7 | 이 |
|---|---|---|---|---|---|
| 2 | 삼 | 5 | 황 | 8 | 팡 |
| 3 | 루 | 6 | 유 | 9 | 정 |

답 도둑의 이름: ① □ ② □ ③ □

# 창의·융합·코딩

창의 3 보기 와 같이 모으기와 가르기에 맞게 선을 그어 보세요.

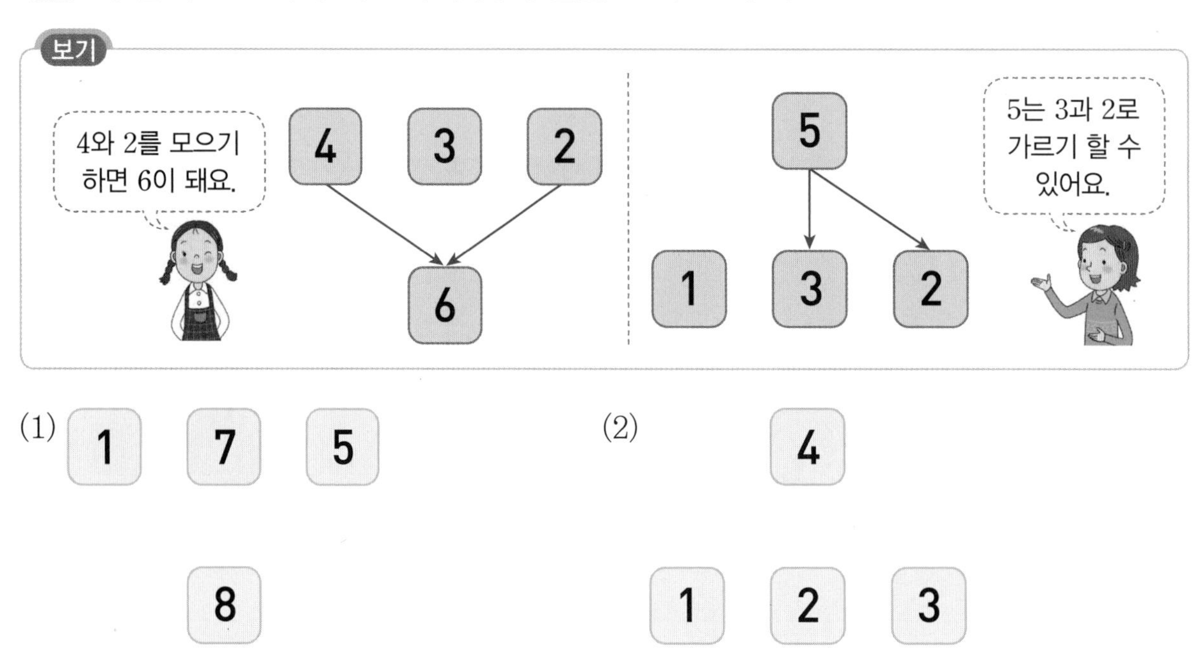


(1) 1 7 5

8

(2) 4

1 2 3

융합 4 모빌 양쪽에 놓인 공의 수의 합이 각각 7이 되도록 빈 곳에 알맞은 수를 써넣고, 식을 완성하세요.

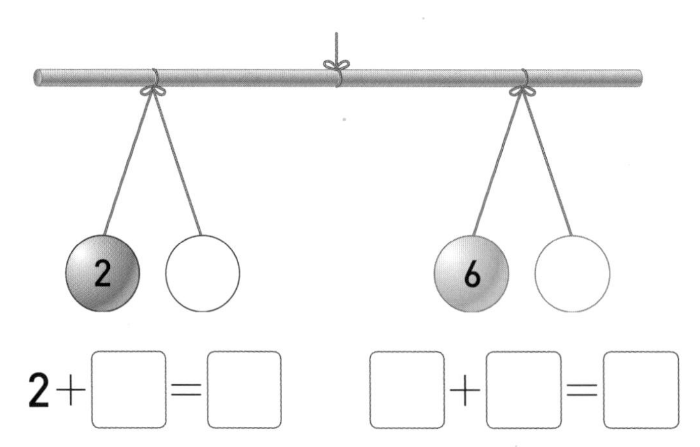


$2+\square=\square$ $\square+\square=\square$

▶정답 및 풀이 12쪽

## 창의 5

보기 와 같이 두 수의 합이 주어진 수가 되도록 선으로 이어 보세요.

9

| | | | |
|---|---|---|---|
| 2 | | | 4 |
| | 6 | | |
| | 5 | 3 | |
| 7 | | | |



## 창의 6

바르게 계산한 곳을 따라가며 선을 그어 보세요.

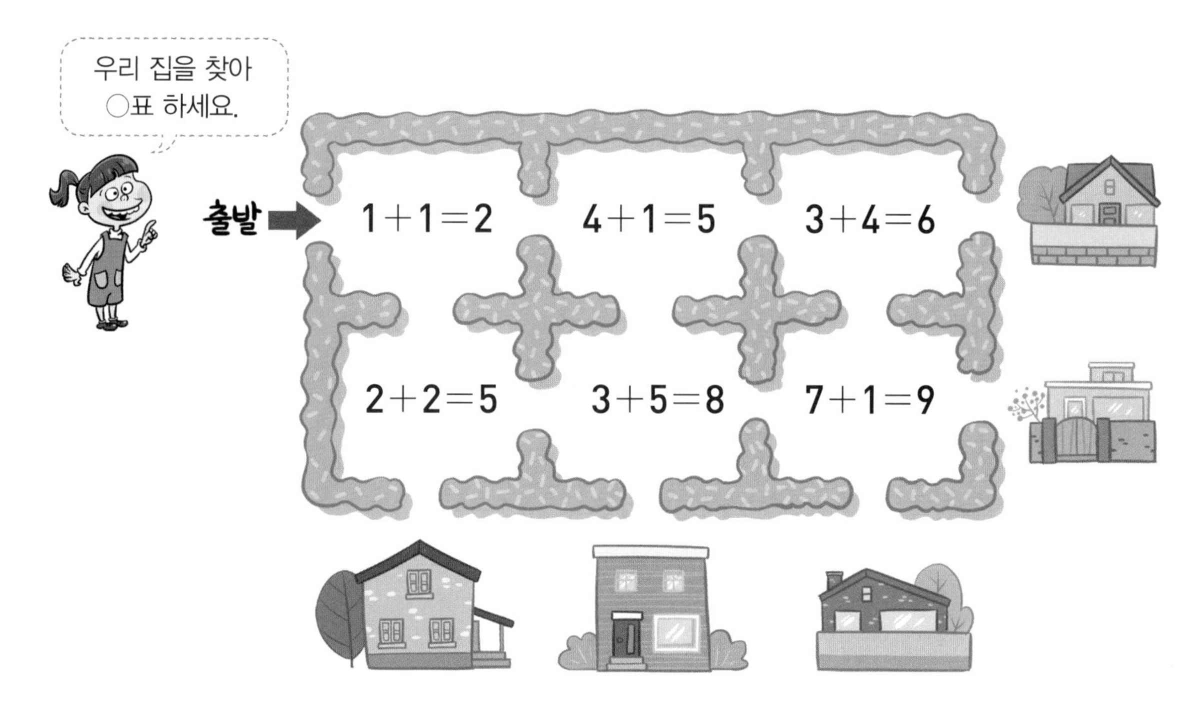

# 특강 창의 · 융합 · 코딩

창의 7 2장의 수 카드를 모은 수를 사다리를 타고 내려가서 도착한 곳에 써넣으세요.

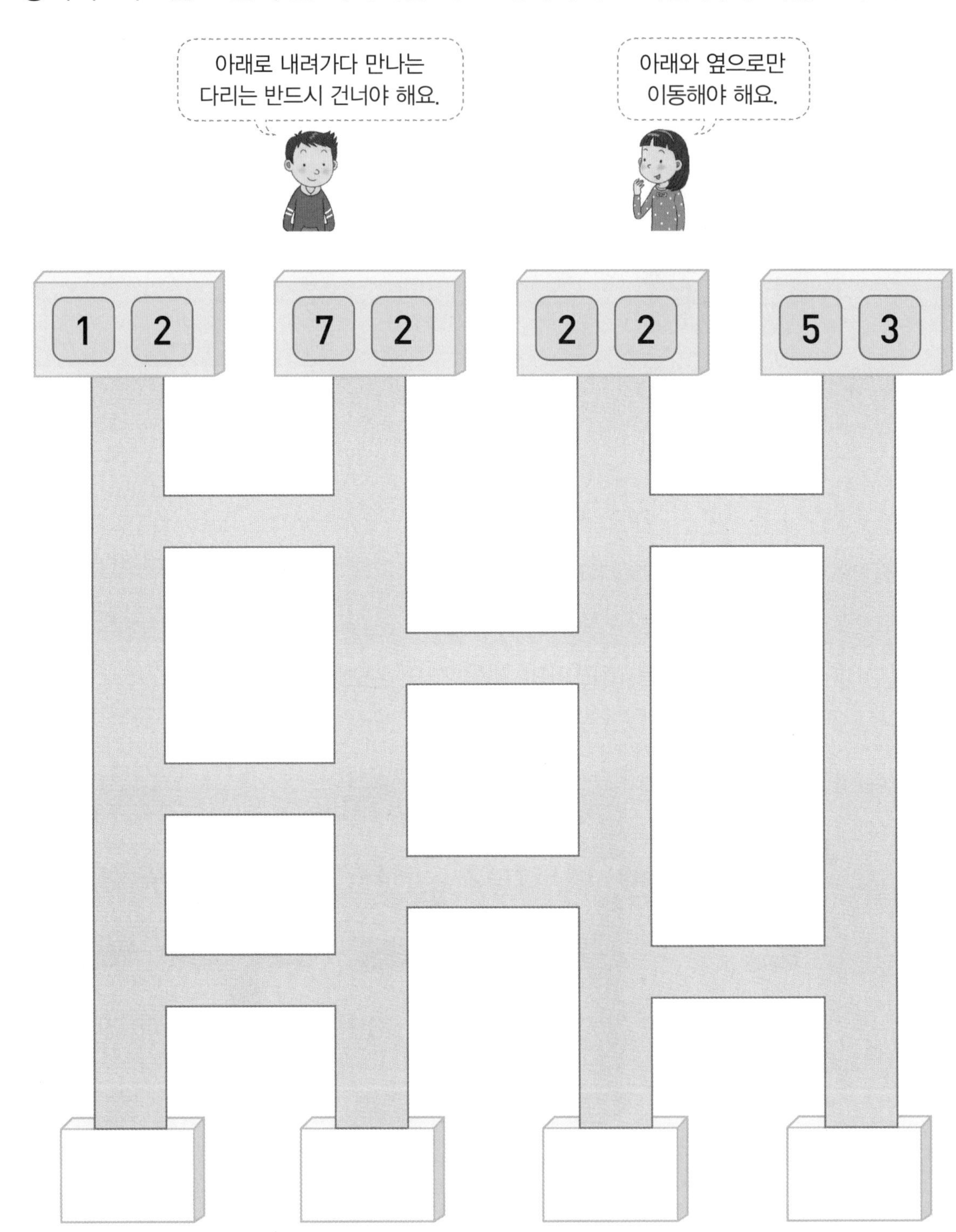

▶정답 및 풀이 12쪽

보기 와 같이 왼쪽의 명령에 따라 다람쥐가 지나간 길을 그리고, 지나간 길에 있는 도토리의 개수를 구하세요.

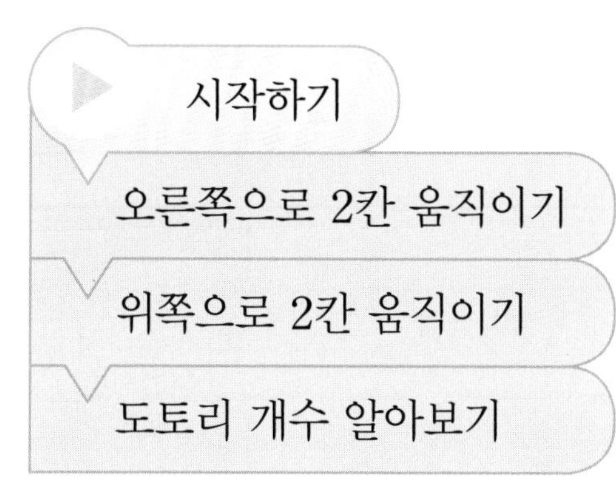


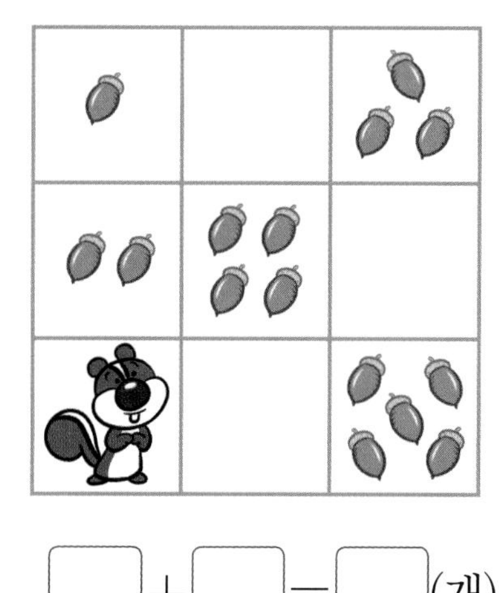

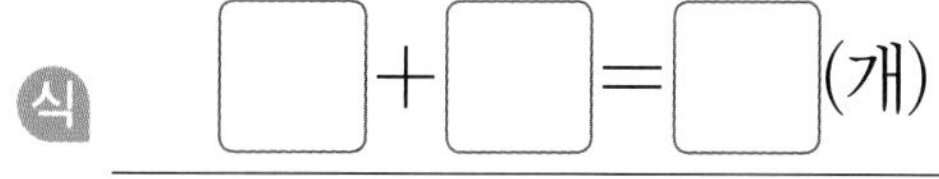


2주 특강

3
주

# 덧셈과 뺄셈 (2)

저기 봐, 호수에
오리가 있어.

하얀 오리가
1마리 있었는데
노란 오리가 더 와서
4마리가 되었어.
노란 오리는
몇 마리가
온 거지?

오리가 1마리에서
4마리가 되었으므로
3마리가 더 온
거야.
우와~
그렇구나.

하나, 둘,
셋~.
2
3
1
정말
3마리네!

우리처럼
셋이네. 꽥꽥~.

요란하게
헤엄치는 오리가
너랑 똑같긴 하네.

이렇게?
파닥
파닥
꼬애~액!
꼬애액!!

파다닥!!

앗! 너 때문에
오리가 놀라서
다 날아갔잖아!
미안하꽥.

## 이번에 배울 내용을 알아볼까요?

1일 덧셈식에서 □ 구하기
2일 빼기로 나타내기
3일 뺄셈하기(1)
4일 뺄셈하기(2)
5일 뺄셈식에서 □ 구하기

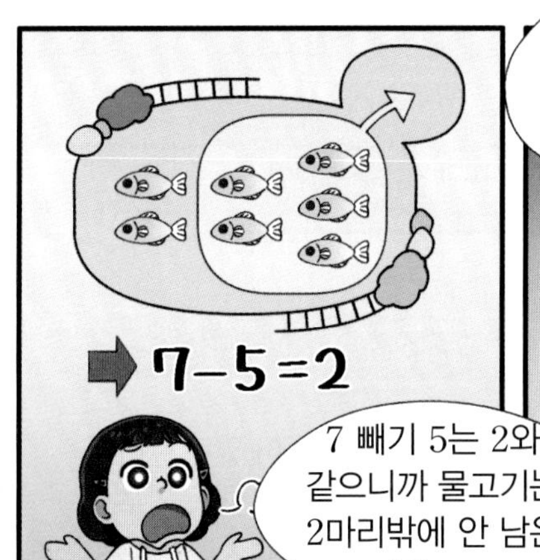

# 덧셈식에서 □ 구하기 ①

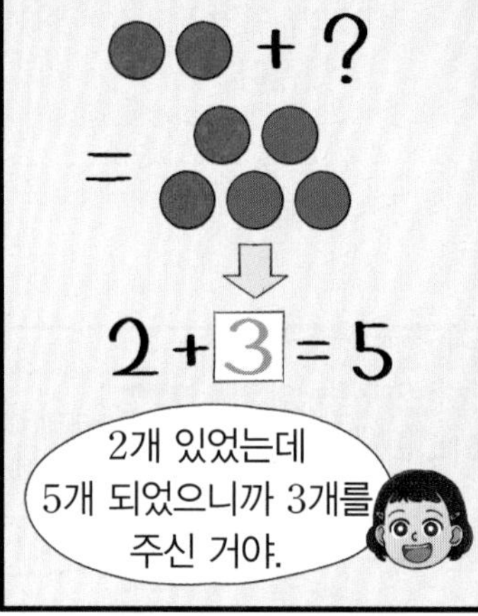

## 똑똑한 하루 계산법

• 덧셈식에서 더하는 수 구하기

예 2+□=5에서 □ 구하기

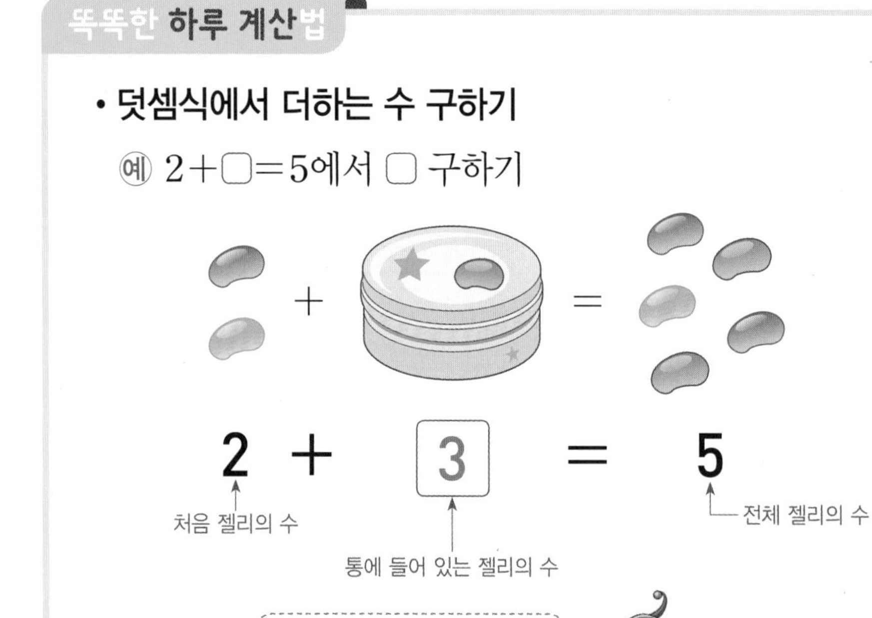


2와 어떤 수를 더했을 때 5가 되는지 생각해 봅니다.

## ○✕ 퀴즈

통에 들어 있는 젤리의 수를 □라 하고 □ 안의 수가 옳으면 ○에, 틀리면 ✕에 ○표 하세요.

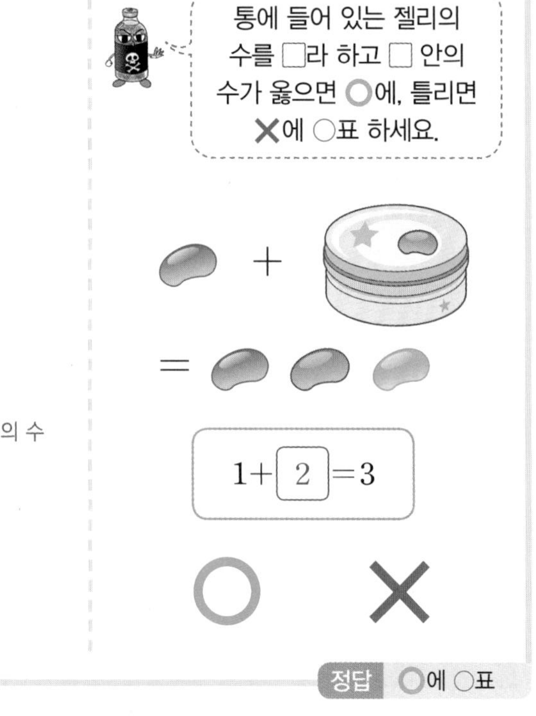


정답 ○에 ○표

# 똑똑한 계산 연습

▶정답 및 풀이 13쪽

제한 시간 3분

상자에 들어 있는 과일의 수를 구하세요.

1 사과 $4+\square=6$

2 감 $2+\square=3$

3 사과 $5+\square=8$

4 감 $3+\square=5$

5 사과 $2+\square=7$

6 감 $4+\square=4$

7 사과 $5+\square=9$

8 감 $2+\square=8$

1 일

# 덧셈식에서 □ 구하기 ②

수업 끝!
바구니에 공을 담아 정리합시다.
네에-

여기 공 1개 가져왔어.
공 1개 추가요~.

앗, 벌써 바구니가 꽉 찼는데?

꺼내서 공이 몇 개 인지 세어 보자.
휙

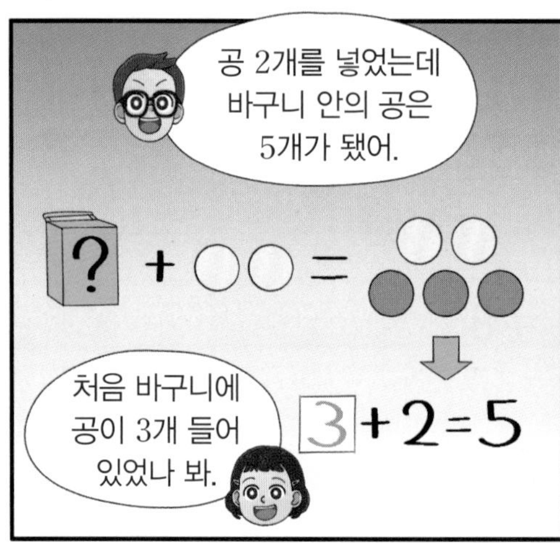
공 2개를 넣었는데 바구니 안의 공은 5개가 됐어.
? + ○○ =
3+2=5
처음 바구니에 공이 3개 들어 있었나 봐.

정리 다 했나요~?
데굴
데굴
앗, 다시 어질러졌잖아!

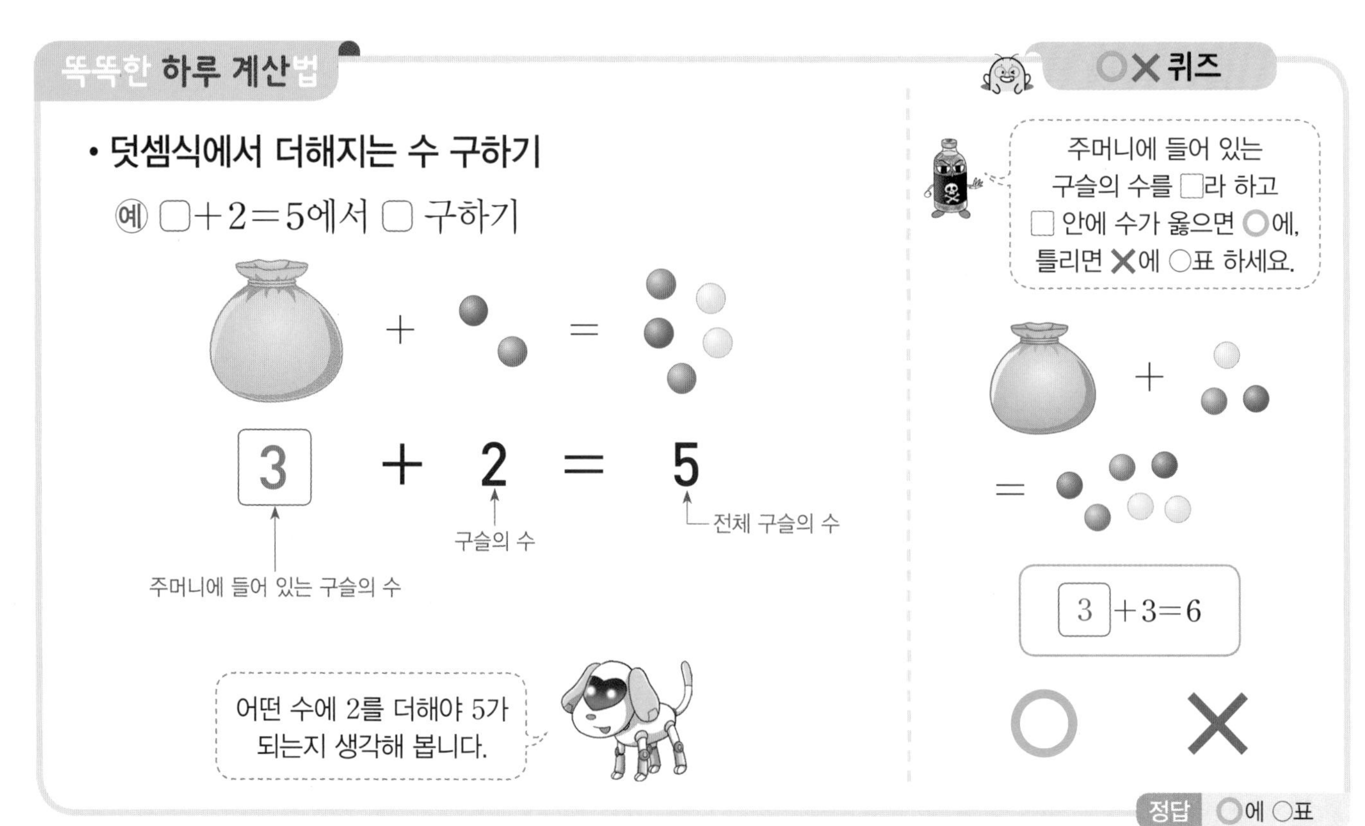
똑똑한 하루 계산법
• 덧셈식에서 더해지는 수 구하기
예 □+2=5에서 □ 구하기
+
=
3 + 2 = 5
주머니에 들어 있는 구슬의 수
구슬의 수
전체 구슬의 수
어떤 수에 2를 더해야 5가 되는지 생각해 봅니다.
OX 퀴즈
주머니에 들어 있는 구슬의 수를 □라 하고 □ 안에 수가 옳으면 ○에, 틀리면 X에 ○표 하세요.
+
=
3 +3=6
○
X
정답 ○에 ○표

# 똑똑한 계산 연습

▶정답 및 풀이 13쪽

제한 시간 3분

 통에 들어 있는 사탕의 수를 구하세요.

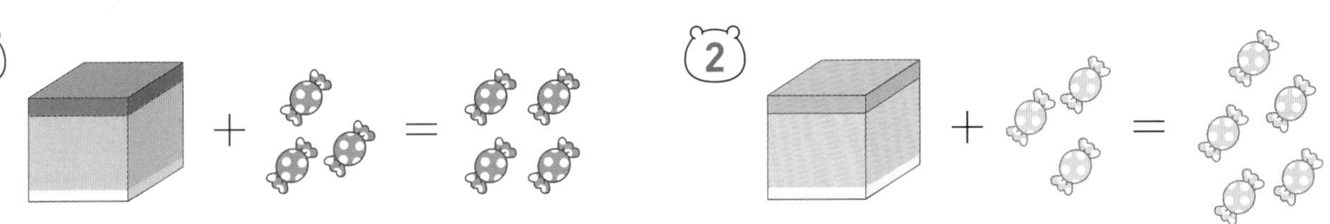

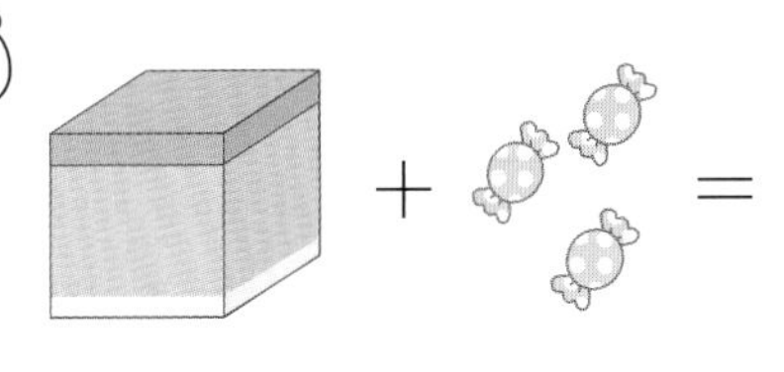

1. $\square + 3 = 4$

2. $\square + 3 = 5$

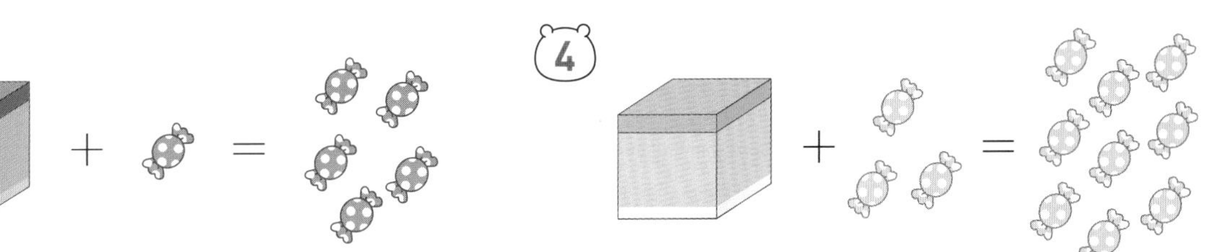

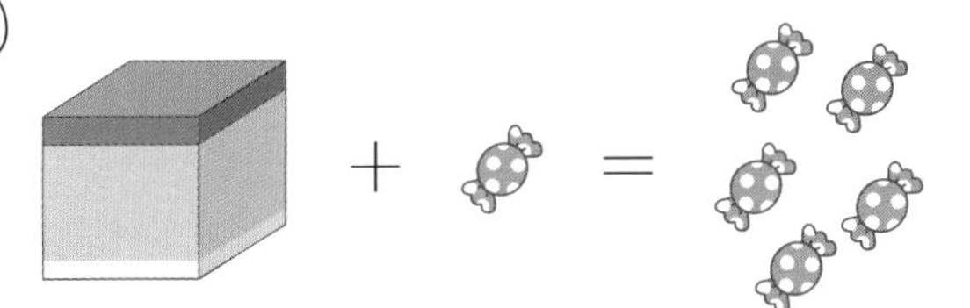

3. $\square + 1 = 5$

4. $\square + 3 = 9$

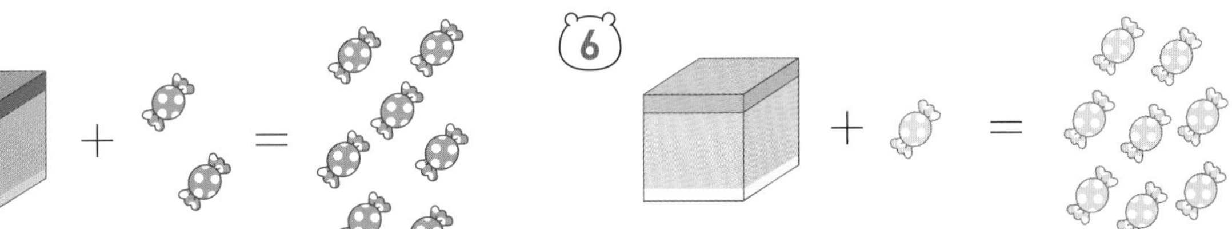

5. $\square + 2 = 7$

6. $\square + 1 = 8$

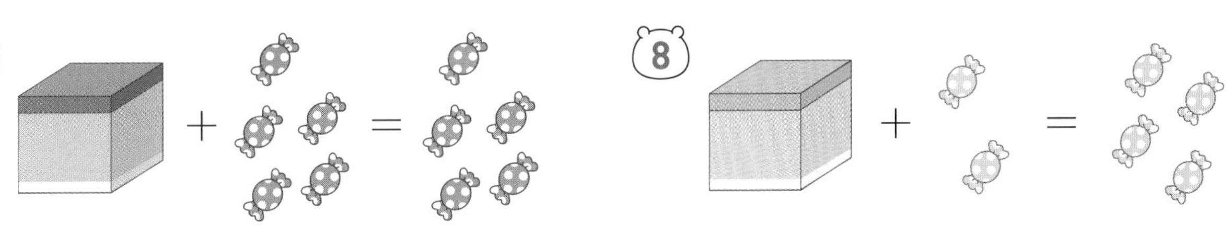

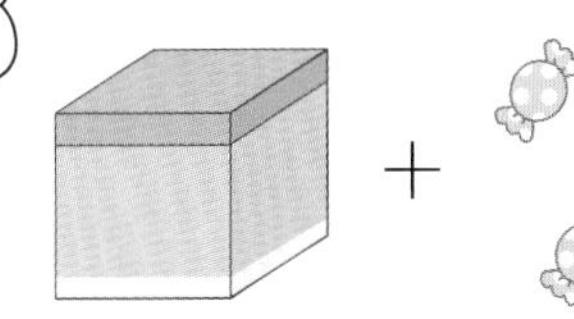

7. $\square + 5 = 5$

8. $\square + 2 = 4$

3주 1일

# 기초 집중 연습

▢ 안에 알맞은 수를 써넣으세요.

**1-1**

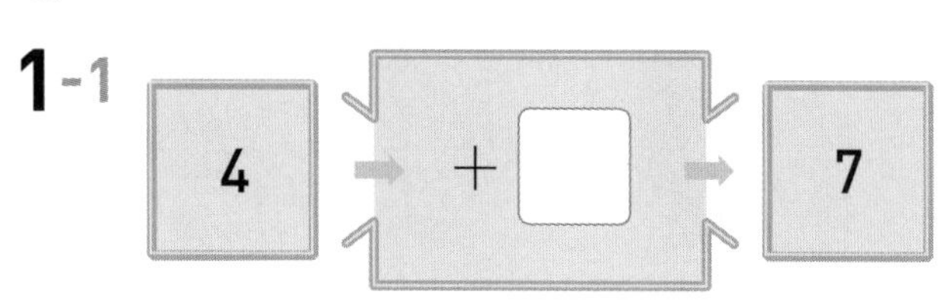


**1-2**

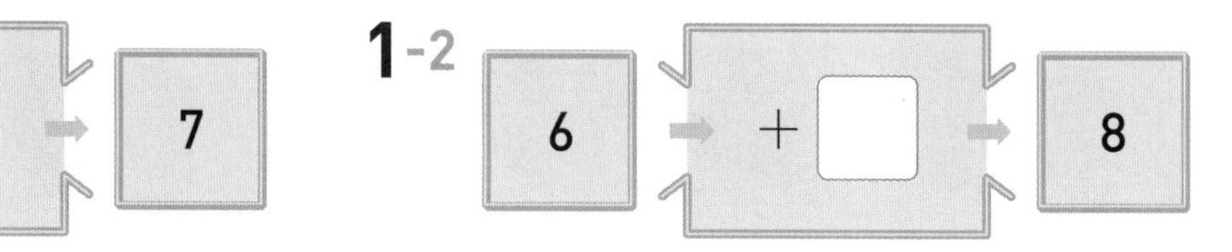


**1-3**

**1-4**

+2 → 4

전체 색종이의 수를 세어 보고 ▢ 안에 알맞은 수를 써넣으세요.

**2-1**

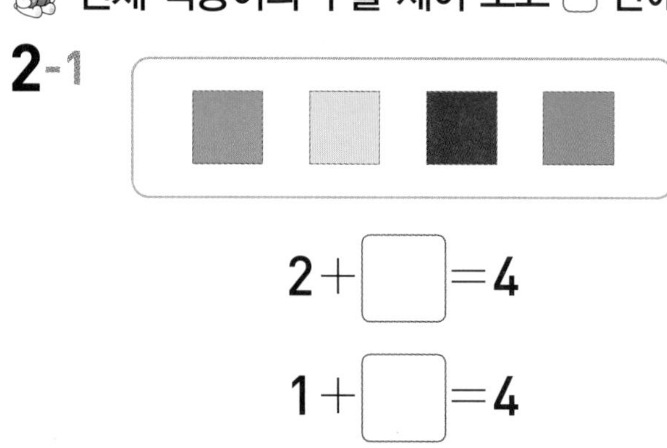

$2+\square=4$

$1+\square=4$

**2-2**

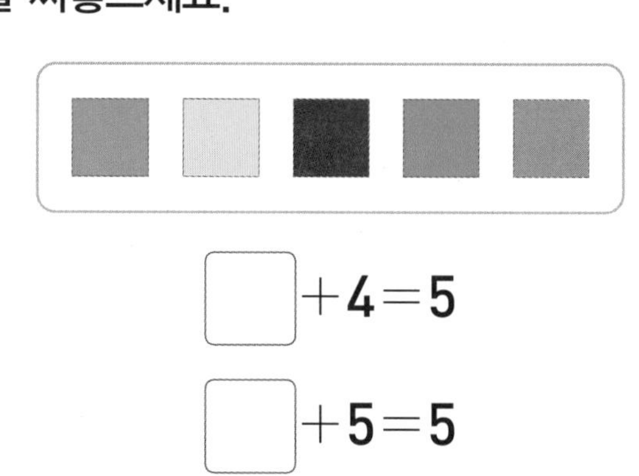

$\square+4=5$

$\square+5=5$

**2-3**

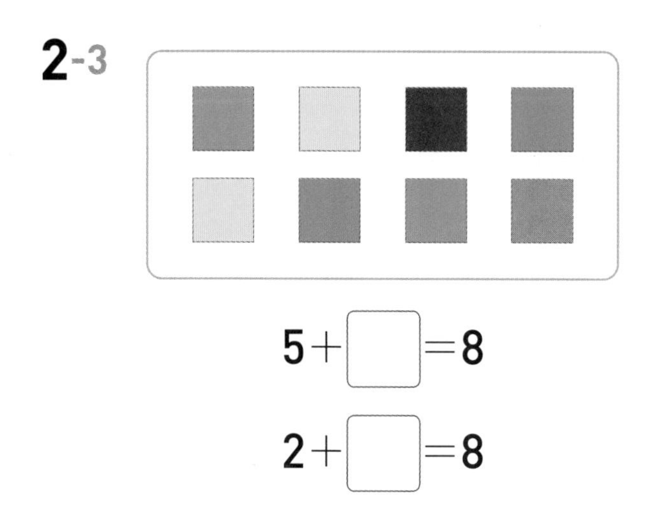

$5+\square=8$

$2+\square=8$

**2-4**

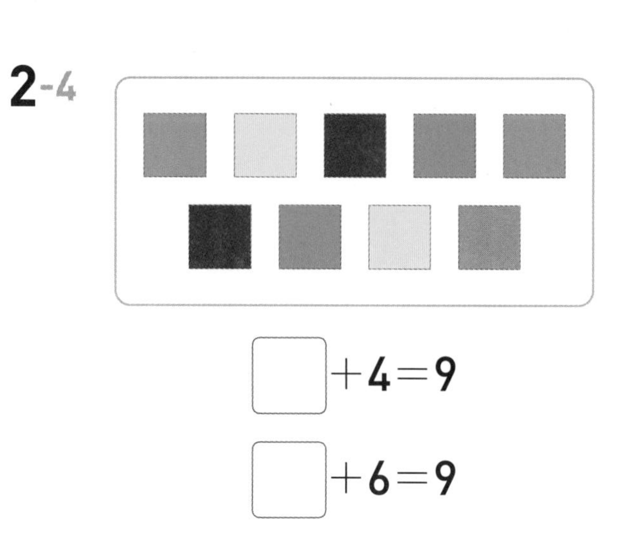

$\square+4=9$

$\square+6=9$

제한 시간 9분

## 생활 속 계산

필통에 들어 있는 물건의 수를 구하세요.

**3-1**

3+☐=5

**3-2**

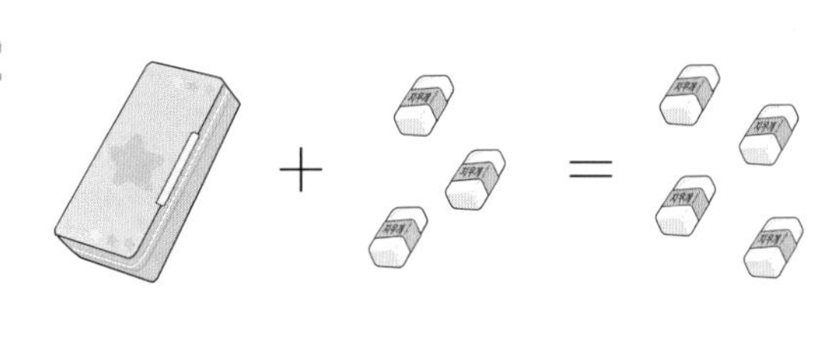

☐+3=4

**3-3**

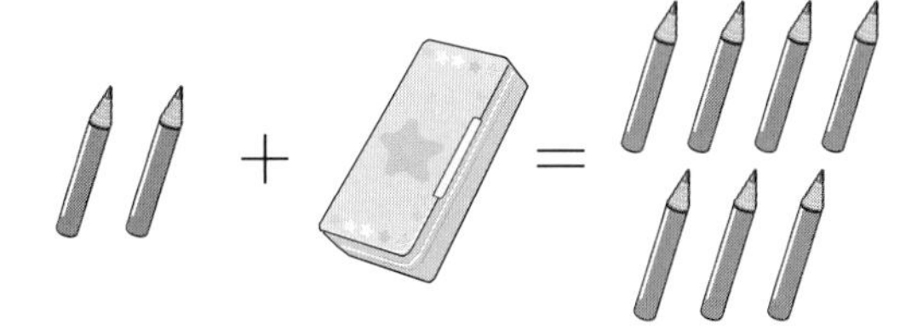

2+☐=7

**3-4**

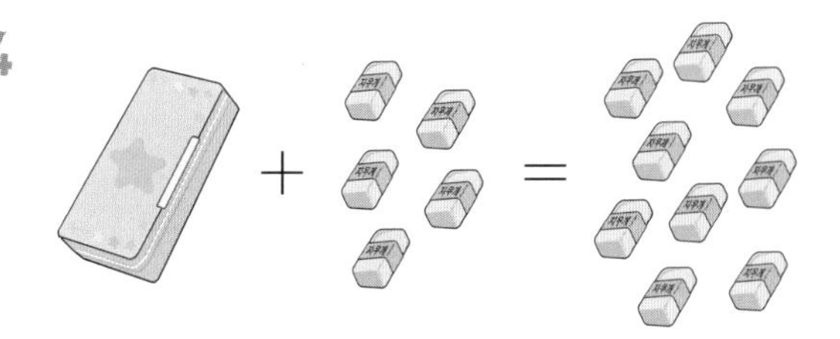

☐+5=9

## 문장 읽고 계산식 세우기

문장을 읽고 ☐를 사용하여 식을 완성하고 답을 구하세요.

**4-1** 오리 1마리에서 몇 마리가 더 오면 7마리가 되는지?

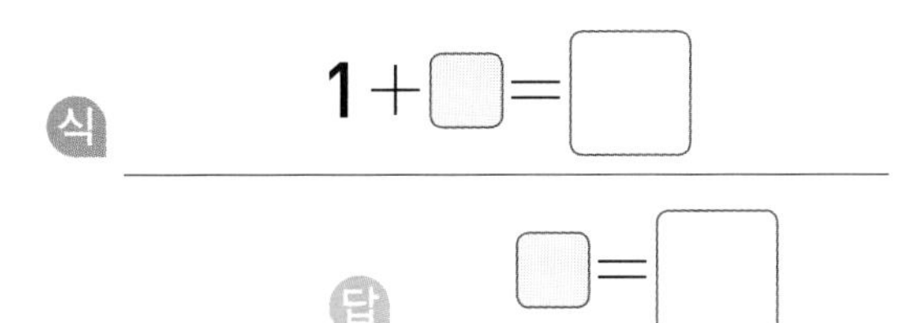

식 1+☐=☐

답 ☐=☐

**4-2** 문어 몇 마리와 오징어 2마리를 더하면 6마리가 되는지?

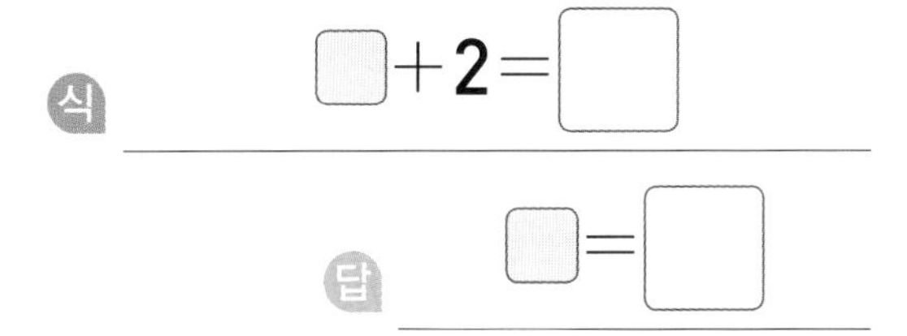

식 ☐+2=☐

답 ☐=☐

# 빼기로 나타내기 ①

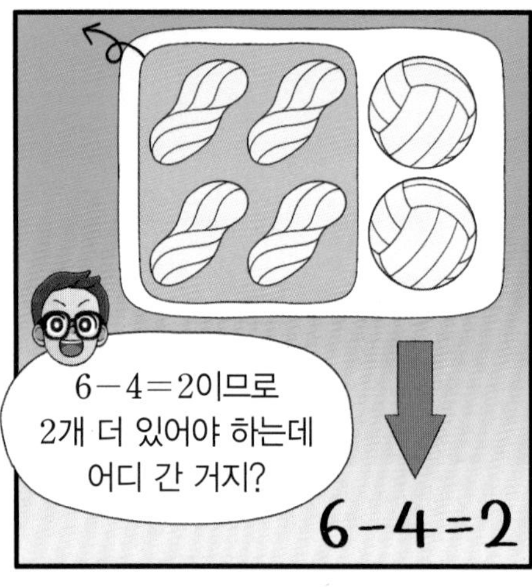

## 똑똑한 하루 계산법

• 그림을 보고 빼기로 나타내기

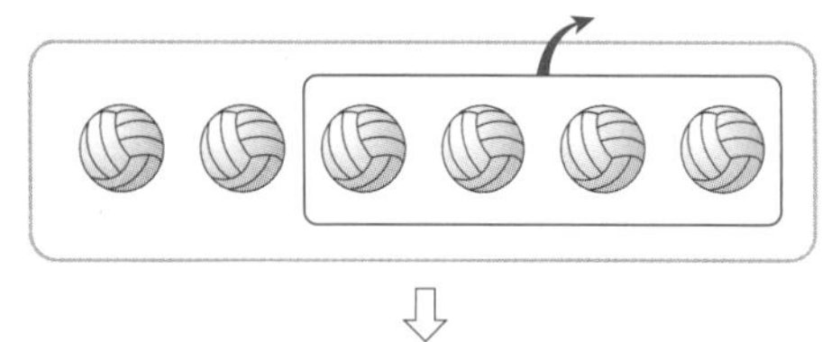

$$6 - 4 = 2$$

배구공 6개에서 4개를 빼면 2개가 남습니다.

## OX 퀴즈

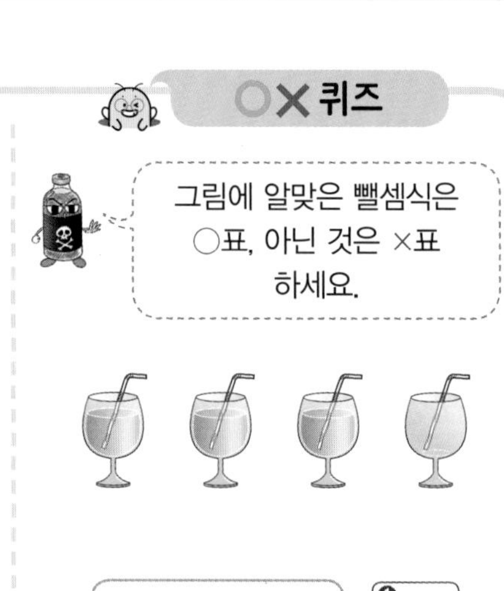

그림에 알맞은 뺄셈식은 ○표, 아닌 것은 ×표 하세요.

$4-1=3$ ❶

$4-2=2$ ❷

정답 ❶ ○ ❷ ×

# 똑똑한 계산 연습

▶정답 및 풀이 13쪽

제한 시간 3분

그림에 알맞은 뺄셈식을 써 보세요.

① 

5 − 3 = □

② 

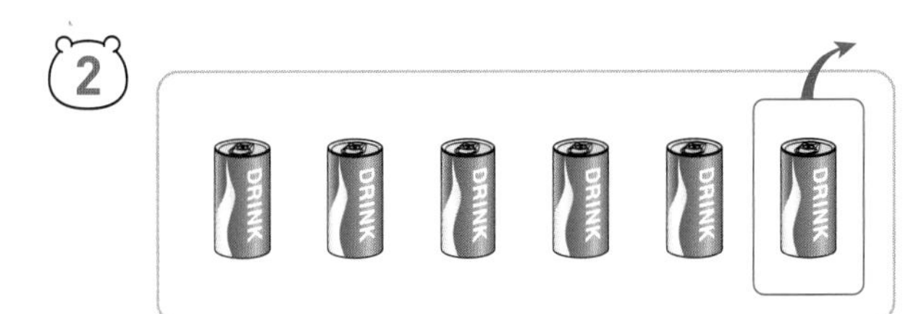


6 − 1 = □

③ 

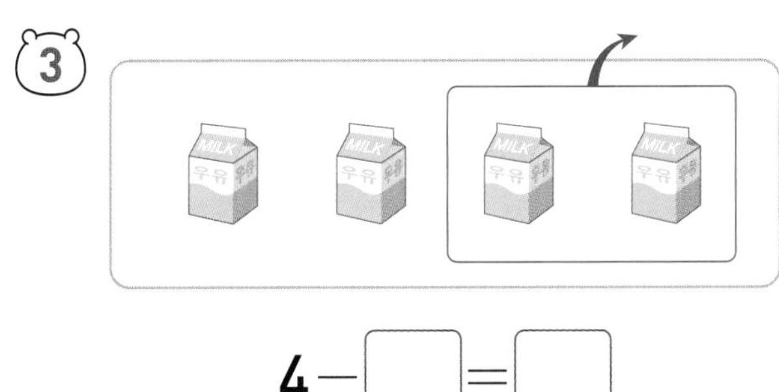


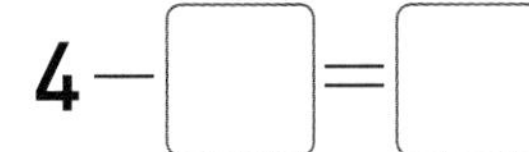

4 − □ = □

④ 

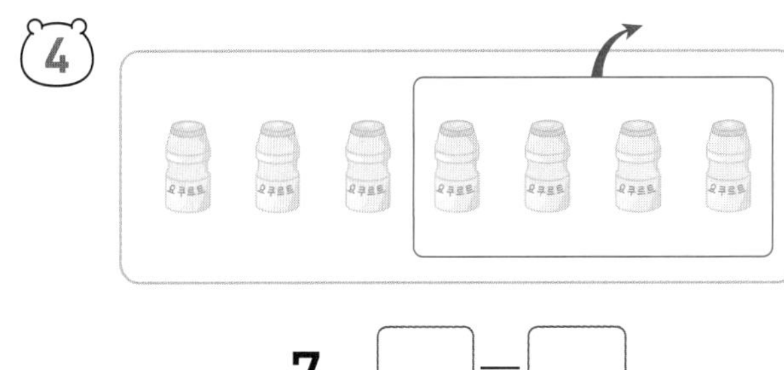

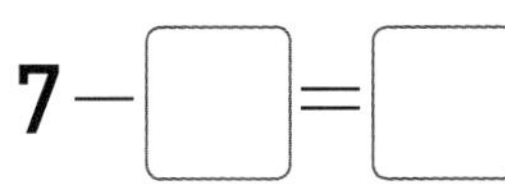

7 − □ = □

⑤ 

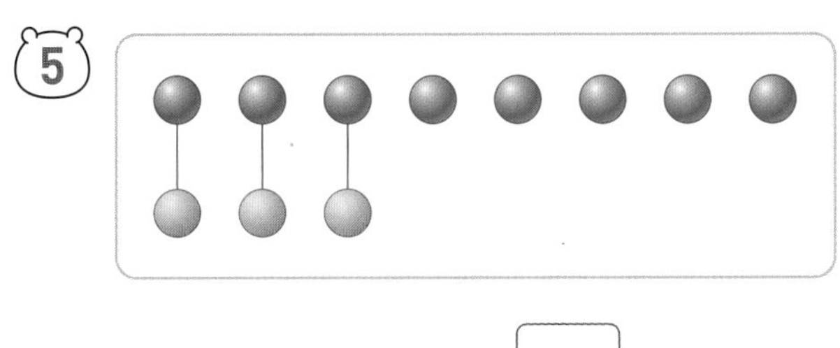

8 − 3 = □

⑥ 

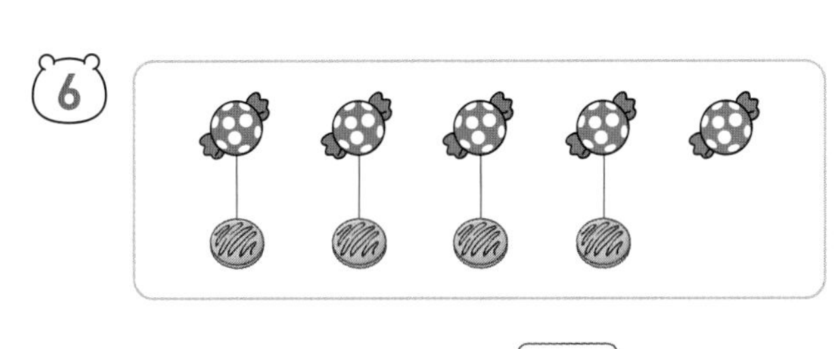

5 − 4 = □

⑦ 

7 − □ = □

⑧ 

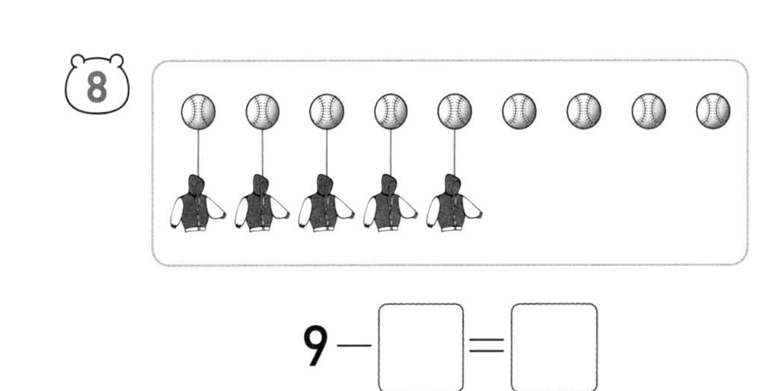

9 − □ = □

# 빼기로 나타내기 ②

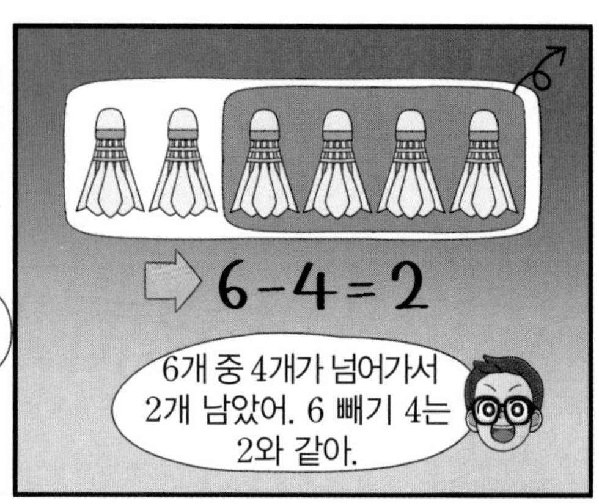

## 똑똑한 하루 계산법

• 뺄셈식을 읽어 보기

6 − 4 = 2

읽기 ① 6 빼기 4는 2와 같습니다.

② 6 과 4의 차는 2입니다.

−는 빼기로,
=는 같다로 읽습니다.

## OX 퀴즈

뺄셈식을 보고 알맞은 말에 ○표 하세요.

7−1=6

7과 1의 (❶ 합 , 차 )는 6입니다.

7 (❷ 더하기 , 빼기 ) 1은 6과 같습니다.

정답 ❶ 차에 ○표 ❷ 빼기에 ○표

## 똑똑한 계산 연습

제한 시간 3분

빨셈식을 읽어 보세요.

① $4-2=2$

- 4 빼기 2는 ☐ 와 같습니다.
- 4와 ☐ 의 차는 2입니다.

② $7-3=4$

- 7 빼기 ☐ 은 4와 같습니다.
- 7과 3의 차는 ☐ 입니다.

③ $8-7=1$

- ☐ 빼기 7은 ☐ 과 같습니다.
- 8과 ☐ 의 차는 ☐ 입니다.

④ $9-6=3$

- 9 빼기 ☐ 은 ☐ 과 같습니다.
- ☐ 와 6의 차는 ☐ 입니다.

⑤ $6-1=5$

- 6 ☐ 1은 ☐ 와 같습니다.
- ☐ 과 1의 차는 ☐ 입니다.

⑥ $5-2=3$

- 5 빼기 ☐ 는 ☐ 과 같습니다.
- 5와 2의 ☐ 는 ☐ 입니다.

⑦ $7-5=2$

- ☐ 빼기 5는 ☐ 와 같습니다.
- ☐ 과 5의 ☐ 는 ☐ 입니다.

⑧ $3-2=1$

- 3 ☐ 2는 ☐ 과 같습니다.
- ☐ 과 2의 차는 ☐ 입니다.

# 2일 기초 집중 연습

빨셈식을 쓰고 읽어 보세요.

**1-1**

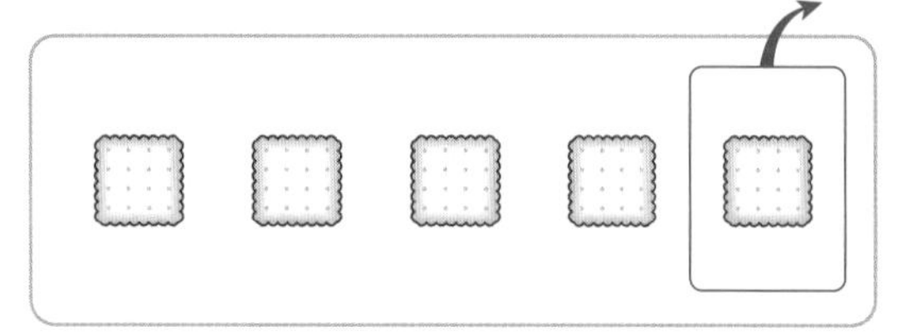

쓰기 5−1=□

읽기 5 빼기 □은 □와 같습니다.

**1-2**

쓰기 6−□=□

읽기 6과 □의 차는 □입니다.

**1-3**

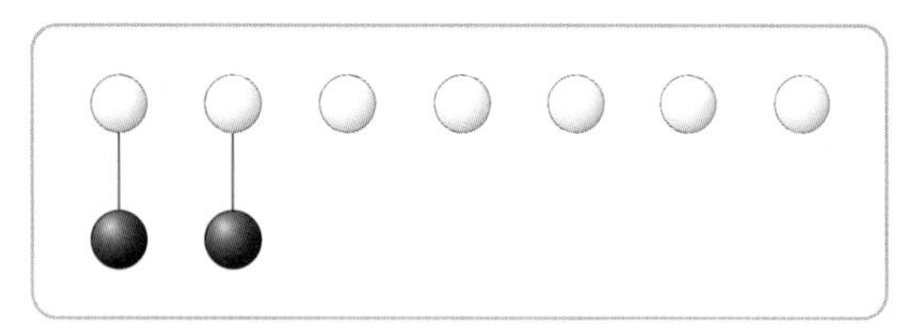

쓰기 7−2=□

읽기 □ 빼기 2는 □와 같습니다.

**1-4**

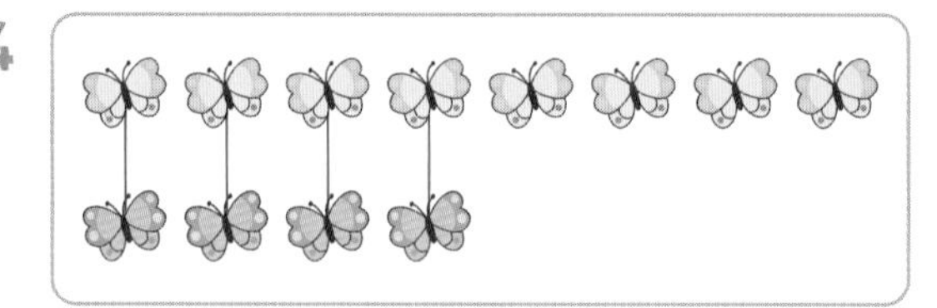

쓰기 8−4=□

읽기 □과 4의 □는 □입니다.

**2** 알맞은 것끼리 선으로 이어 보세요.

- 6−2=4
- 7−5=2
- 8−3=5

제한 시간 9분

생활 속 계산

그림에 알맞은 뺄셈식을 써 보세요.

**3-1**

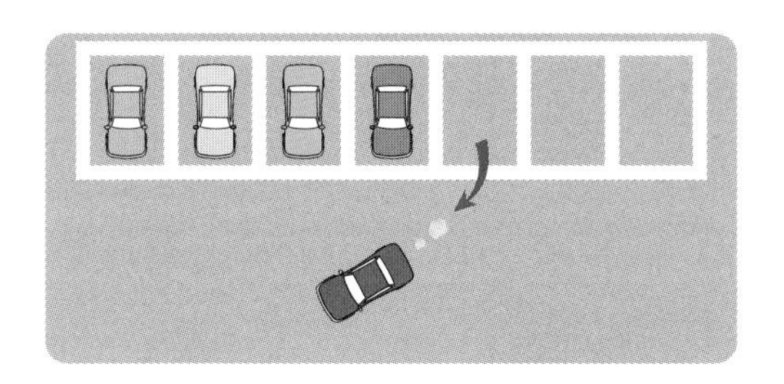

$5-1=\square$

**3-2**

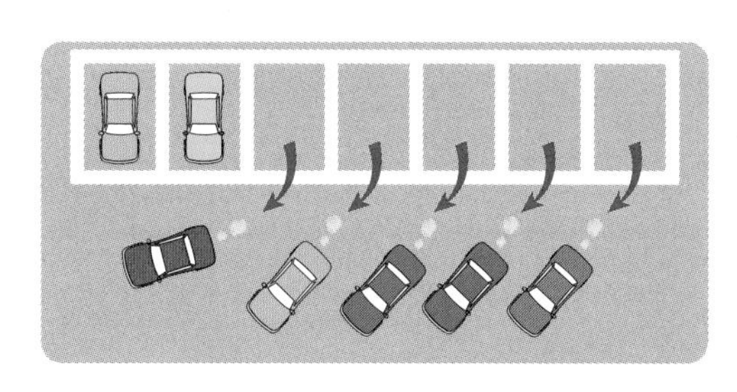

$\square-5=\square$

**3-3**

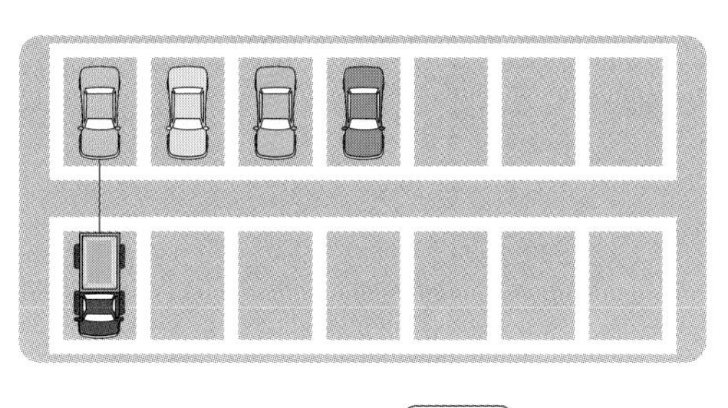

$4-1=\square$

**3-4**

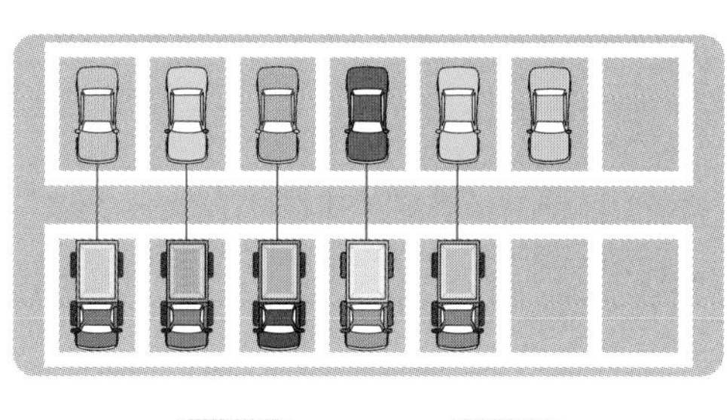

$\square-5=\square$



문장 읽고 계산식 세우기

뺄셈식으로 나타내어 보세요.

**4-1**

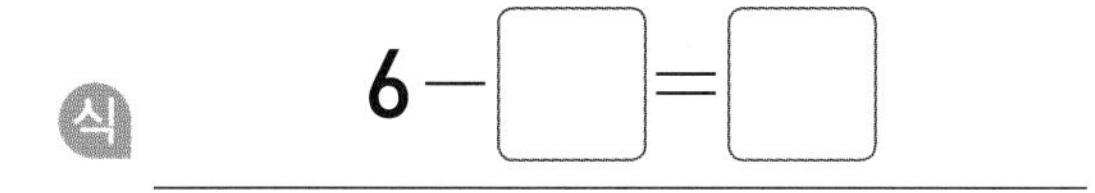

6 빼기 2는 4와 같습니다.

식 $6-\square=\square$

**4-2**

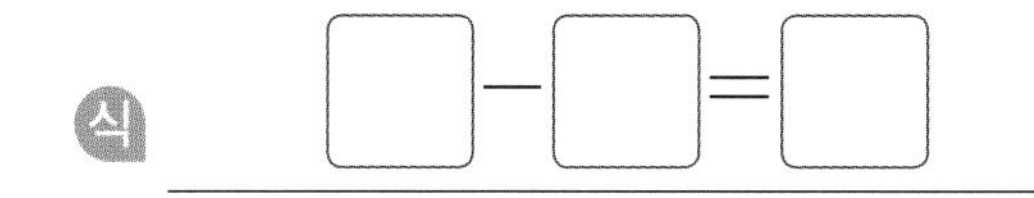

9와 5의 차는 4입니다.

식 $\square-\square=\square$

# 뺄셈하기 ①

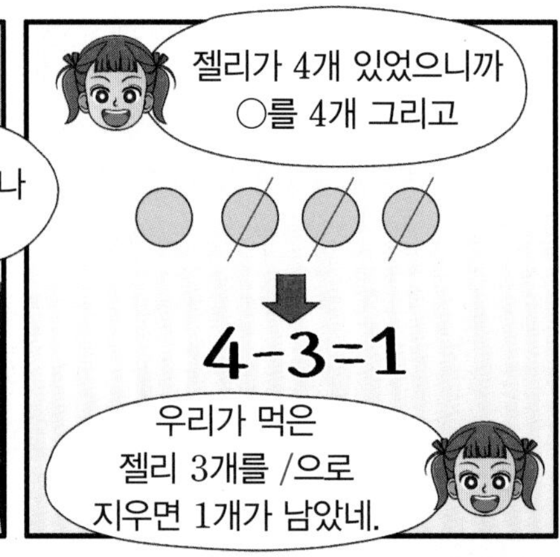

## 똑똑한 하루 계산법

• **그림을 그려 뺄셈하기**

예 4－3 계산하기

방법 1 ○를 /으로 지우고 남은 ○의 수 세기

○ ⦰ ⦰ ⦰ ⇨ 4－3＝1

방법 2 하나씩 연결해 보고 남은 구슬의 수 세기

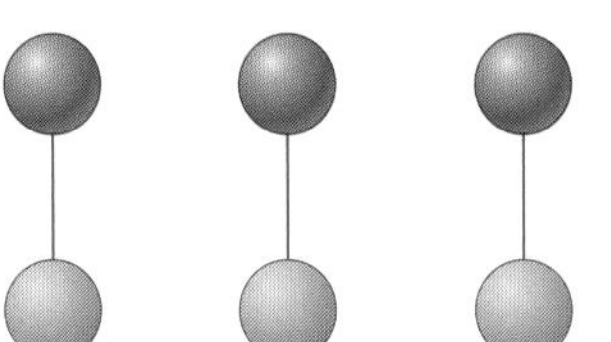

⇨ 4－3＝1

## OX 퀴즈

그림을 보고 알맞은 뺄셈식은 ○표, 아닌 것은 ×표 하세요.

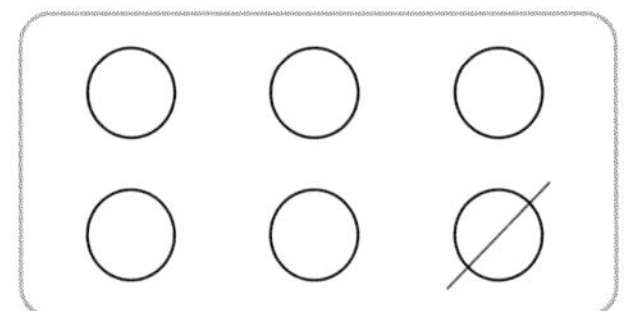

| 식 | 답 |
|---|---|
| 6－1＝5 | ❶ |
| 6－2＝4 | ❷ |

정답 ❶ ○ ❷ ×

▶정답 및 풀이 14쪽

# 똑똑한 계산 연습

제한 시간 3분

식에 알맞은 그림을 그려 뺄셈을 해 보세요.

① 5－3＝☐

② 6－1＝☐

③ 4－2＝☐

④ 7－4＝☐

⑤ 6－2＝☐

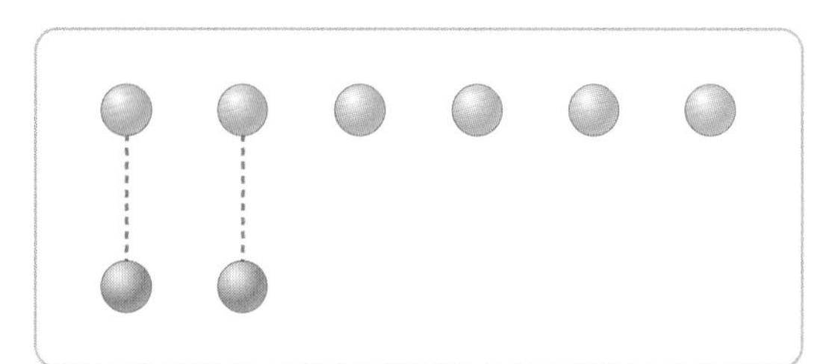

⑥ 9－3＝☐

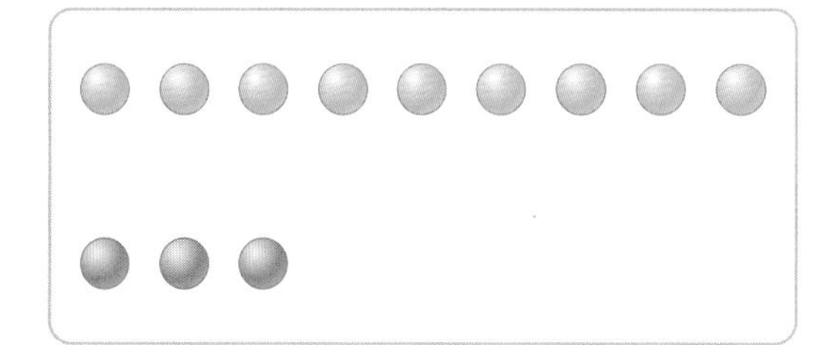

⑦ 8－5＝☐

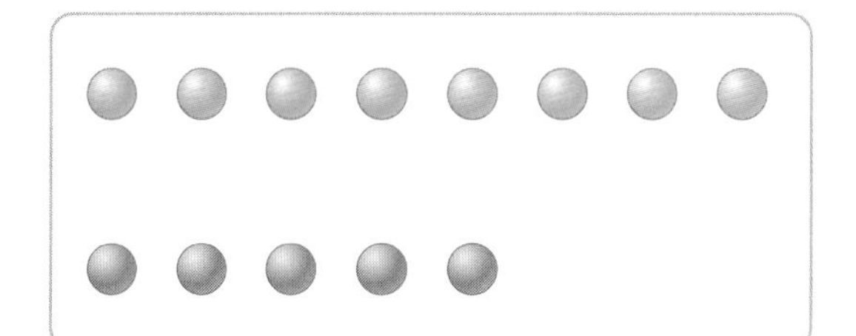

⑧ 4－1＝☐

# 뺄셈하기 ②

## 똑똑한 하루 계산법

- **가르기를 이용하여 뺄셈하기**

예 6−1 계산하기

6 ← 전체 풍선 수

1 5

터진 풍선 수 남은 풍선 수

⇨ $6-1=5$

6은 1과 5로 가르기 할 수 있으므로 $6-1=5$입니다.

## OX 퀴즈

가르기로 알맞은 뺄셈식이면 ○에, 아니면 ✕에 ○표 하세요.

4

3 1

$4-3=1$

○ ✕

정답 ○에 ○표

# 똑똑한 계산 연습

▶정답 및 풀이 15쪽

제한 시간 3분

가르기를 이용하여 뺄셈을 해 보세요.

1 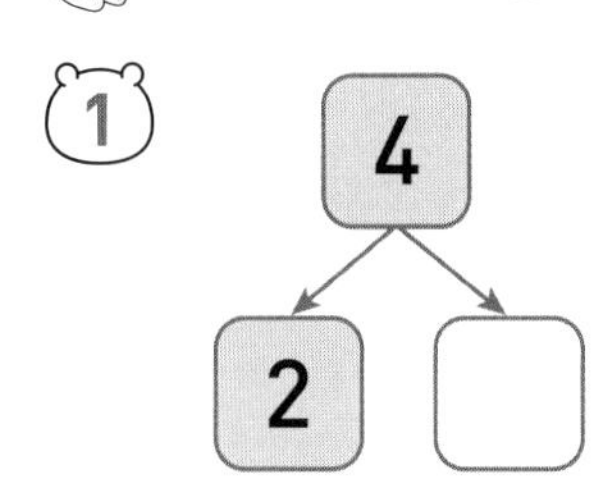

$4-2=\square$

2 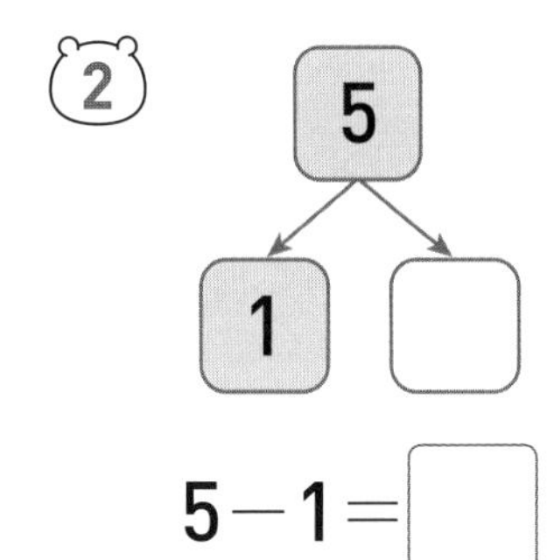

$5-1=\square$

3 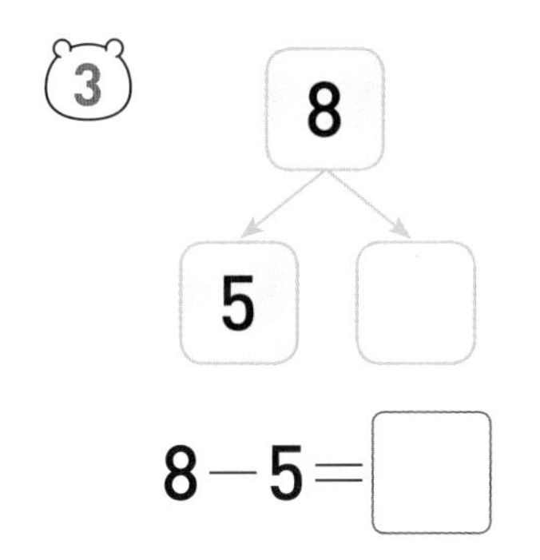

$8-5=\square$

4 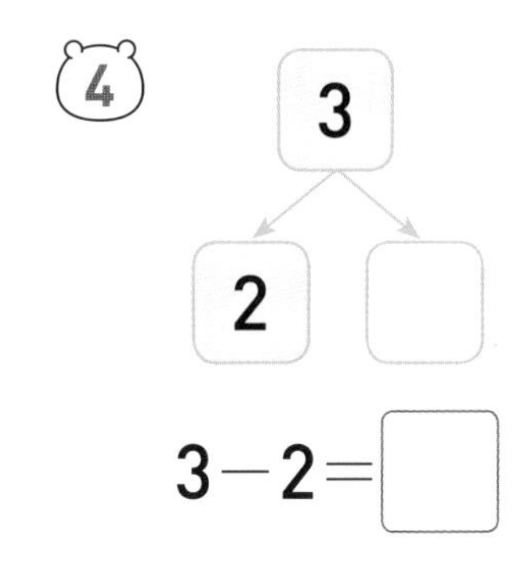

$3-2=\square$

5 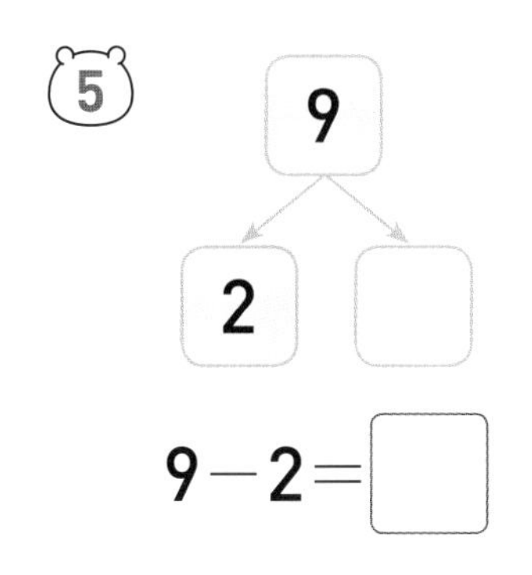

$9-2=\square$

6 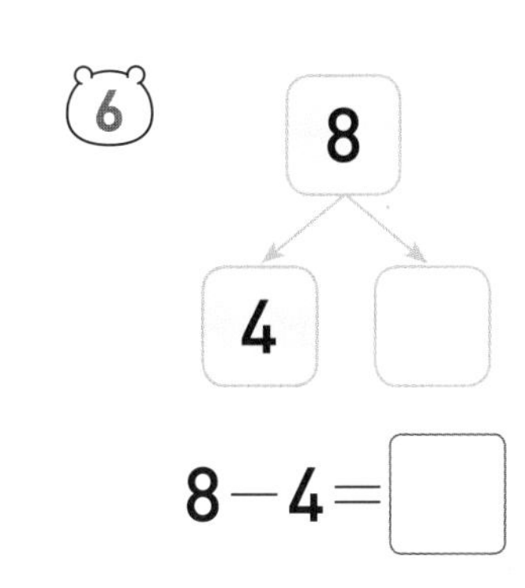

$8-4=\square$

7 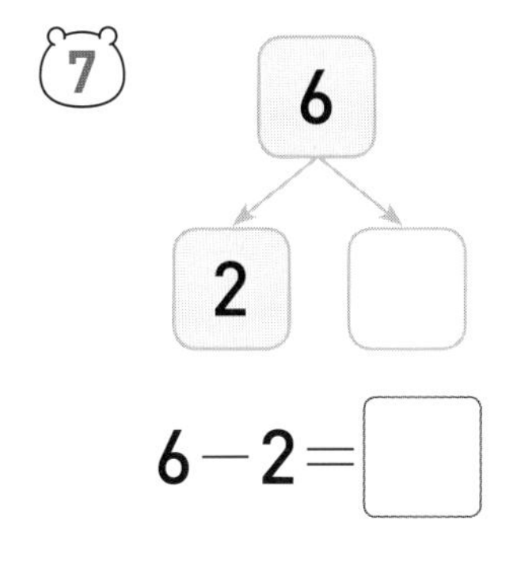

$6-2=\square$

8 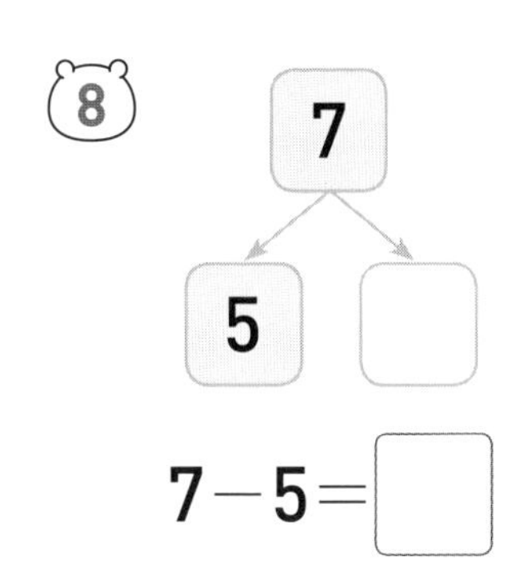

$7-5=\square$

# 3일 기초 집중 연습

가르기를 이용하여 뺄셈을 해 보세요.

**1**-1

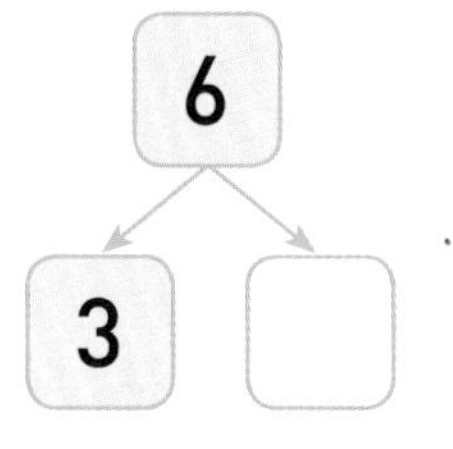


$6-3=\square$

**1**-2

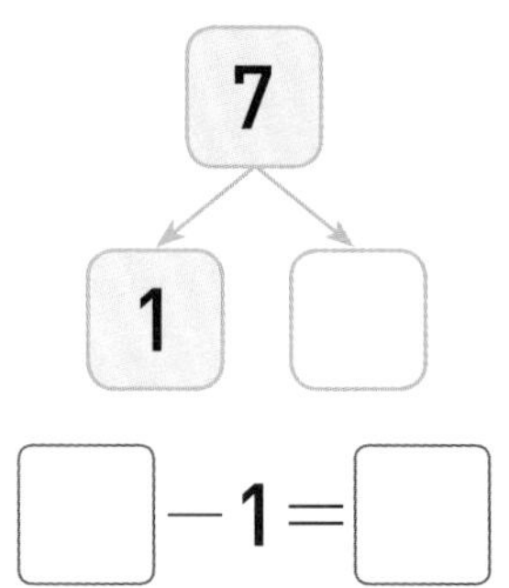


$\square-1=\square$

**1**-3

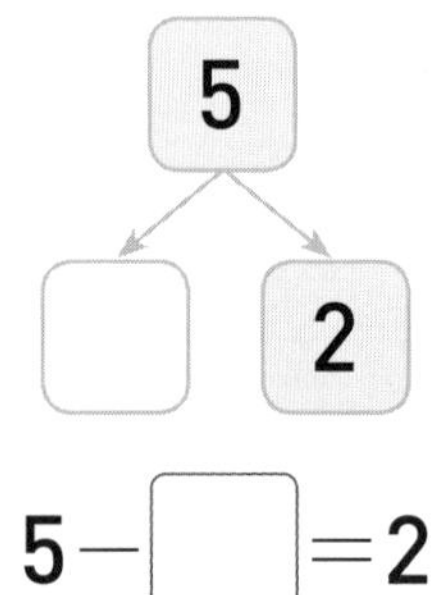


$5-\square=2$

**1**-4

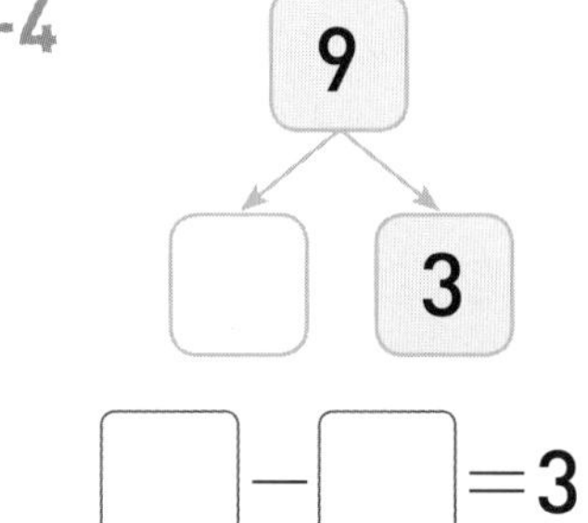


$\square-\square=3$

빈칸에 알맞은 수를 써넣으세요.

**2**-1

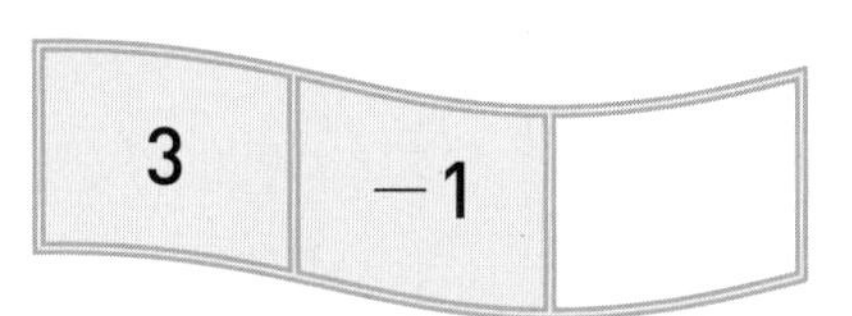


**2**-2

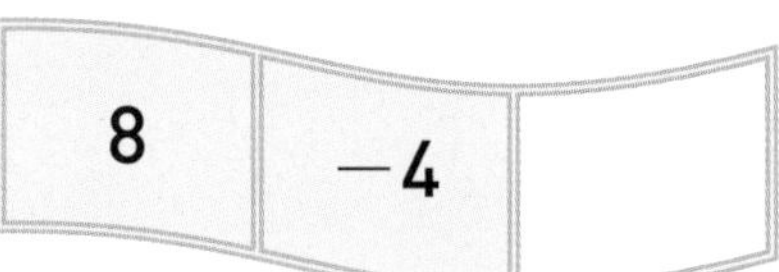


**2**-3

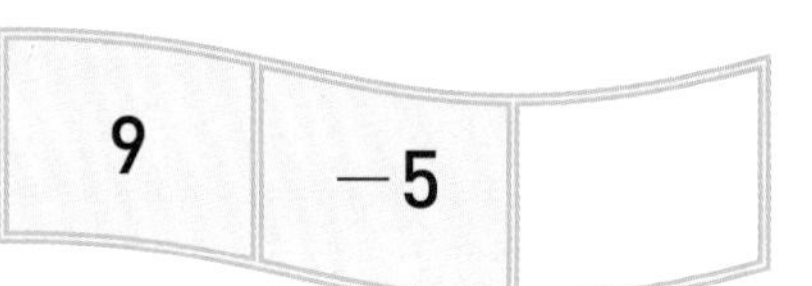


**2**-4

| 4 | −3 |  |
|---|---|---|

제한 시간 9분

## 생활 속 계산

냉장고에 있는 종류별 우유의 개수입니다. 우유의 개수의 차를 구하세요.

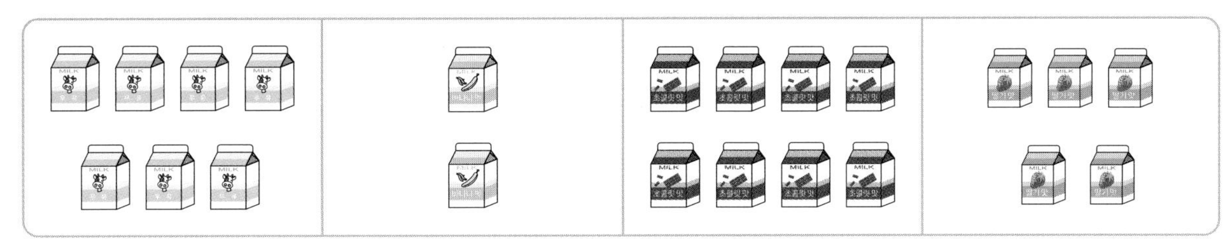


**3-1** − 

⇨ 7 − □ = □(개)

**3-2** − 

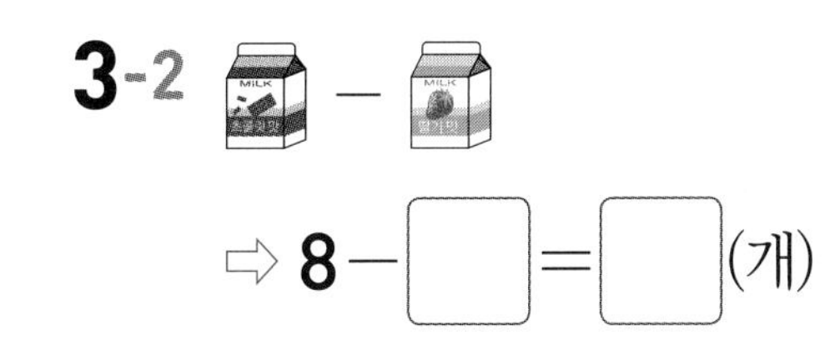

⇨ 8 − □ = □(개)

**3-3** − = □(개)

**3-4** − = □(개)

## 문장 읽고 계산식 세우기

**4-1** 쿠키 7개 중 4개를 먹었다면 남은 쿠키는 몇 개?

식 7 − □ = □(개)

**4-2** 주스 9컵 중 6컵을 마셨다면 남은 주스는 몇 컵?

식 □ − 6 = □(컵)

**4-3** 개구리 4마리 중 2마리가 나갔다면 남은 개구리는 몇 마리?

식 □ − □ = □(마리)

**4-4** 꽃 6송이 중 1송이가 떨어졌다면 남은 꽃은 몇 송이?

식 □ − □ = □(송이)

# 뺄셈하기 ③

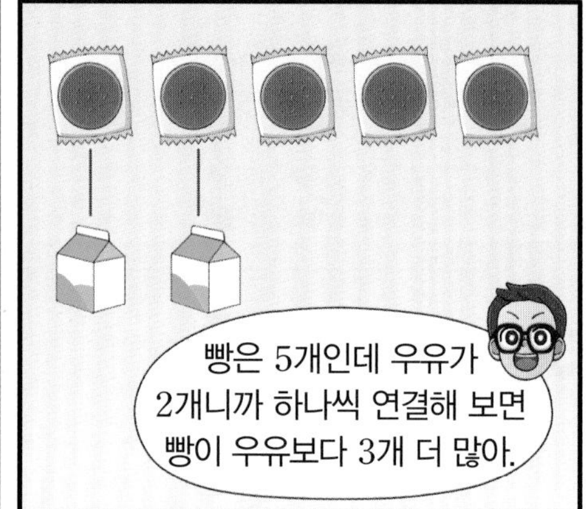

## 똑똑한 하루 계산법

• 9까지의 수의 뺄셈하기

㉮ 5－2 계산하기

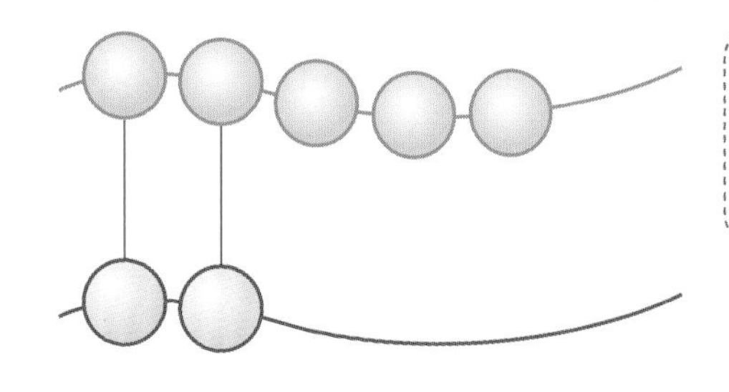

하나씩 연결해 보면 파란색 구슬 3개가 남습니다.

$$5-2=3$$

## OX 퀴즈

바르게 계산한 것은 ○표, 틀리게 계산한 것은 ×표 하세요.

| 식 | 답 |
|---|---|
| $6-2=3$ | ❶ |
| $7-3=4$ | ❷ |
| $8-6=2$ | ❸ |

정답 ❶ × ❷ ○ ❸ ○

# 똑똑한 계산 연습

▶정답 및 풀이 15쪽

제한 시간 3분

빨셈을 해 보세요.

① $2-1=\square$

② $6-2=\square$

③ $3-1=\square$

④ $5-3=\square$

⑤ $9-6=\square$

⑥ $7-4=\square$

⑦ $8-7=\square$

⑧ $6-4=\square$

⑨ $9-5=\square$

⑩ $4-3=\square$

⑪ $9-7=\square$

⑫ $7-2=\square$

# 빨셈하기 ④

## 똑똑한 하루 계산법

• 0의 뺄셈하기

㉮ 4－0의 계산

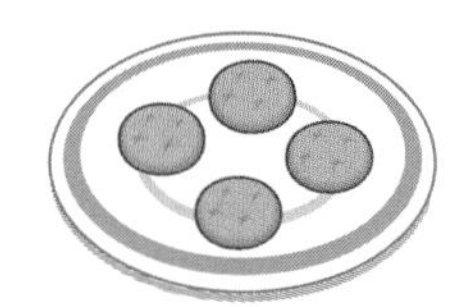 ⇨ 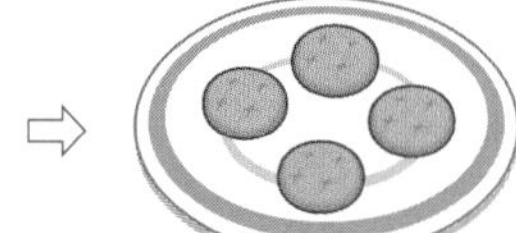

어떤 수에서 0을 빼면 항상 어떤 수가 됩니다.

4－0＝4

㉮ 3－3의 계산

 ⇨ 

어떤 수에서 그 수 전체를 빼면 0이 됩니다.

3－3＝0

## ○✕ 퀴즈

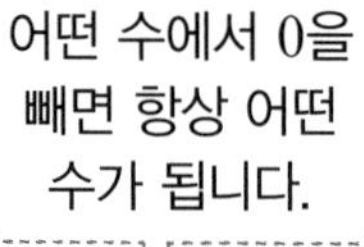

그림을 보고 알맞은 뺄셈식은 ○에, 아닌 것은 ✕에 ○표 하세요.

 ⇨ 

5－0＝5

정답 ○에 ○표

▶정답 및 풀이 15쪽

제한 시간 3분

그림을 보고 뺄셈을 해 보세요.

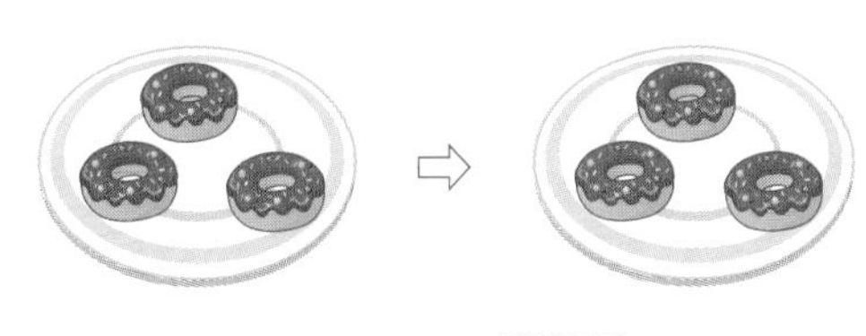

$3-0=\square$

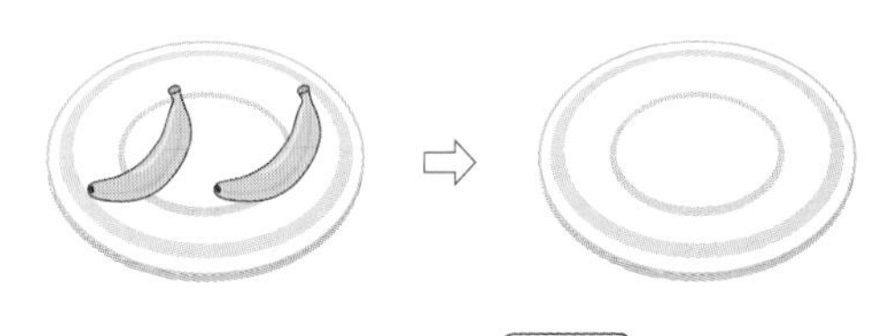

$2-2=\square$

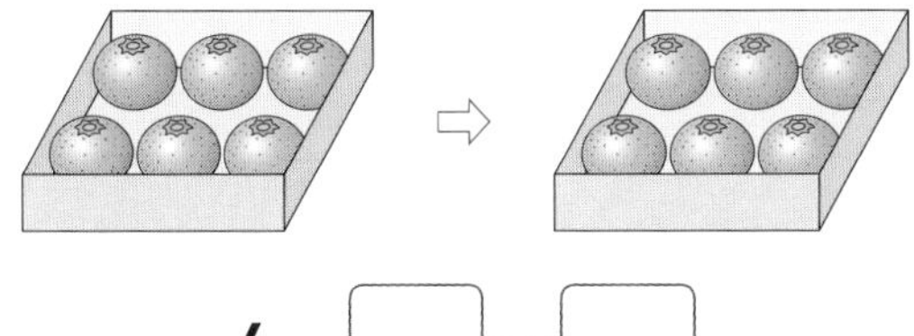

$6-\square=\square$

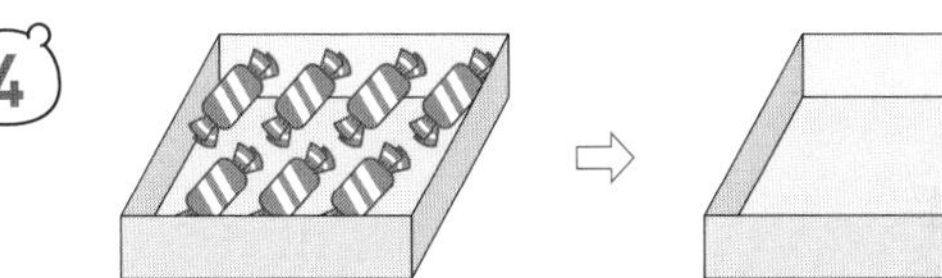

$7-\square=\square$

⑤ $2-0=\square$

⑥ $4-4=\square$

⑦ $6-6=\square$

⑧ $8-0=\square$

⑨ $5-0=\square$

⑩ $9-9=\square$

# 기초 집중 연습

계산 결과가 다른 하나에 색칠해 보세요.

**1-1** 6−5 7−4 9−8

**1-2** 5−3 4−0 6−2

**1-3** 7−2 9−4 6−3

**1-4** 2−2 3−3 5−0

빈 곳에 알맞은 수를 써넣으세요.

**2-1**

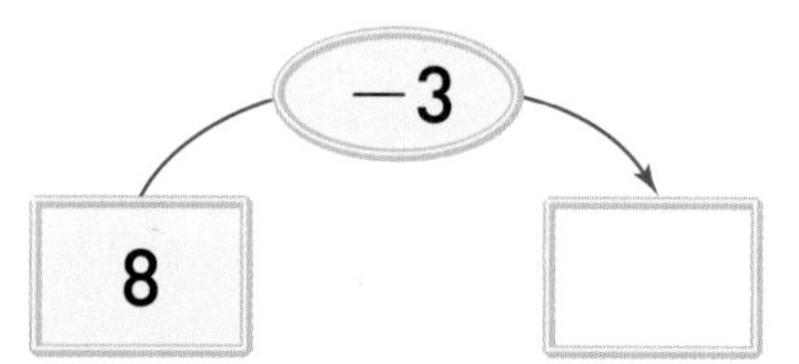


**2-2**

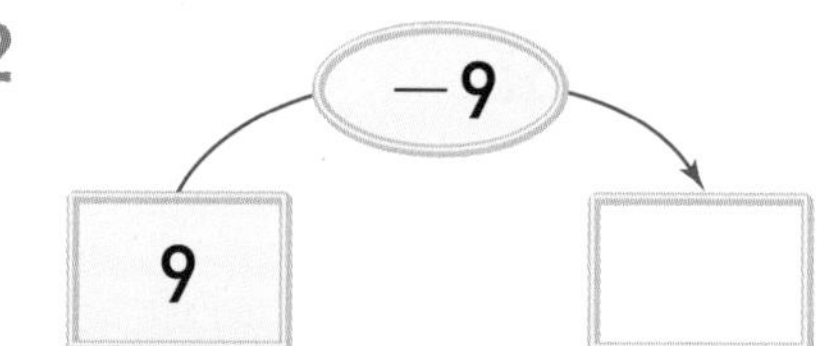


**2-3**

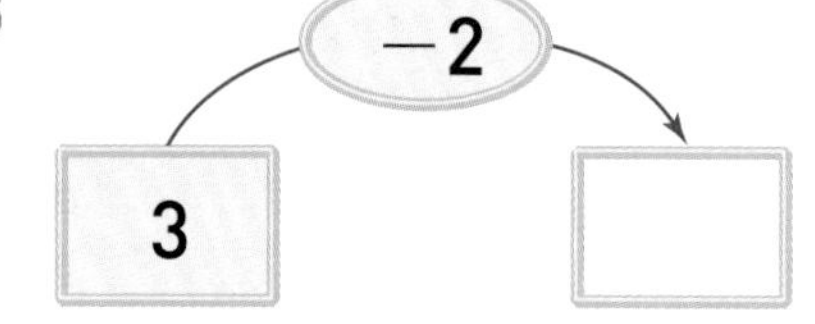


**2-4**

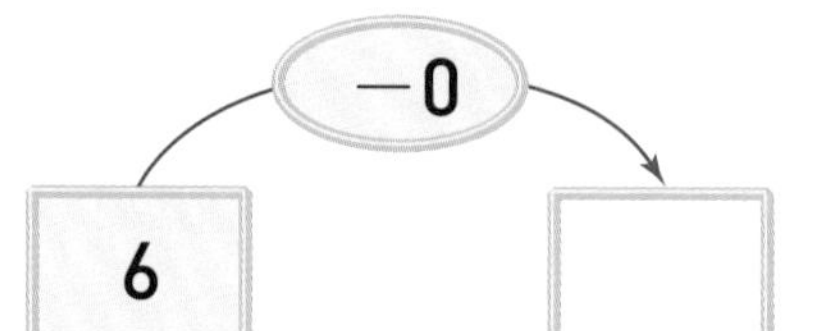

## 생활 속 계산

그림을 보고 빼셈식을 써 보세요.

**3-1**

□ − □ = □

□ − □ = □

**3-2**

□ − □ = □

□ − □ = □

## 문장 읽고 계산식 세우기

**4-1** 풍선 8개 중 2개가 날아갔다면 남은 풍선은 몇 개?

식 8 − □ = □(개)

**4-2** 딸기 7개 중 하나도 먹지 않았다면 남은 딸기는 몇 개?

식 7 − □ = □(개)

**4-3** 민규가 구슬 5개 중 태영이에게 5개를 주었다면 민규에게 남은 구슬은 몇 개?

식 □ − □ = □(개)

**4-4** 병아리는 9마리, 닭은 1마리 있다면 병아리는 닭보다 몇 마리 더 많은지?

식 □ − □ = □(마리)

# 뺄셈식에서 □ 구하기 ①

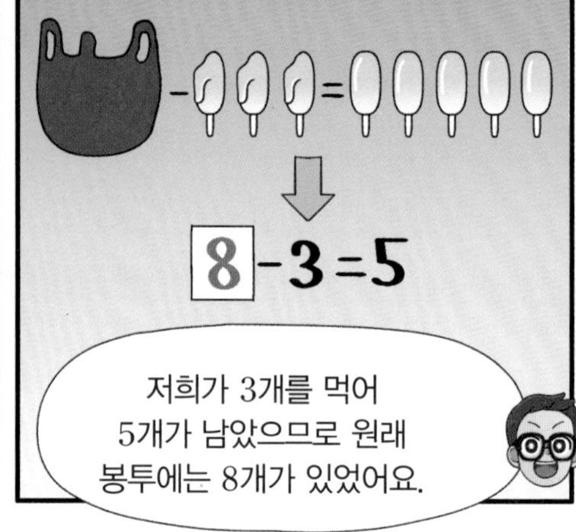

## 똑똑한 하루 계산법

- **뺄셈식에서 빼지는 수 구하기**

예 □−3=5에서 □ 구하기

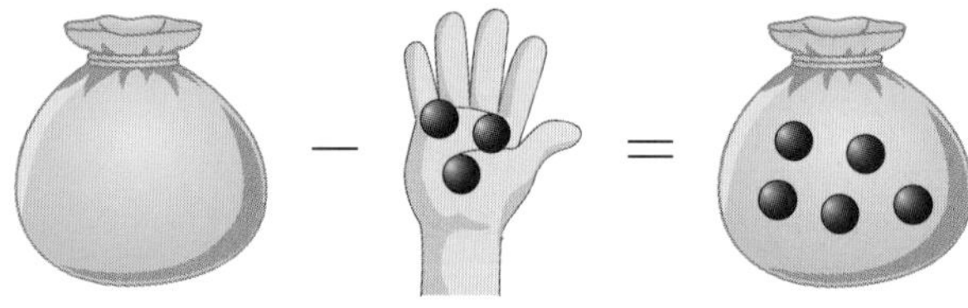

8 − 3 = 5

처음 바둑돌의 수 / 빼낸 바둑돌의 수 / 남아 있는 바둑돌의 수

바둑돌 3개를 빼내어 5개가 남았으므로 처음에 있던 바둑돌은 8개입니다.

## OX 퀴즈

처음 주머니에 있던 바둑돌의 수를 □라 하고 □ 안의 수가 옳으면 ○에, 틀리면 ✕에 ○표 하세요.

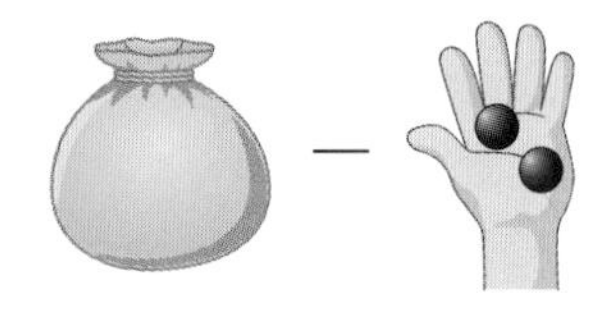

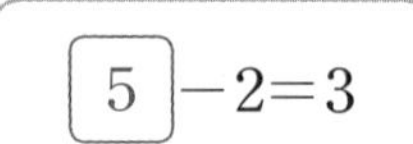

정답 ○에 ○표

▶정답 및 풀이 16쪽

제한 시간 3분

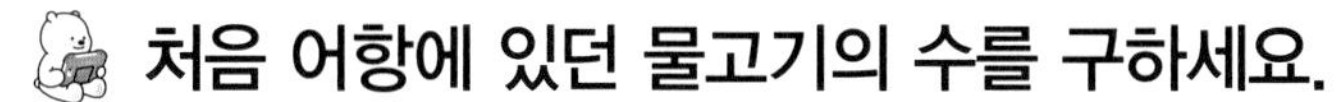

처음 어항에 있던 물고기의 수를 구하세요.

1

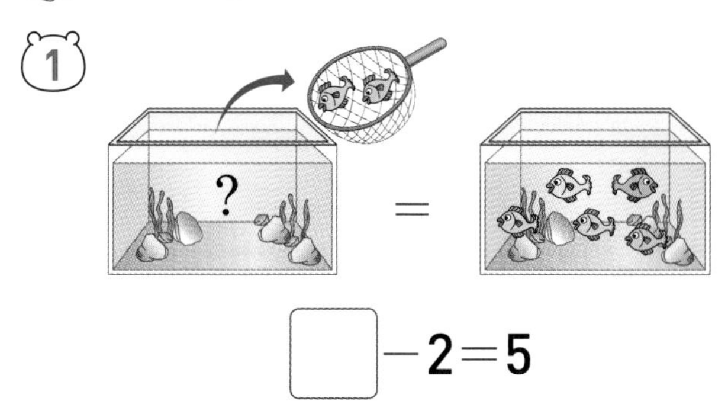

$\square - 2 = 5$

2

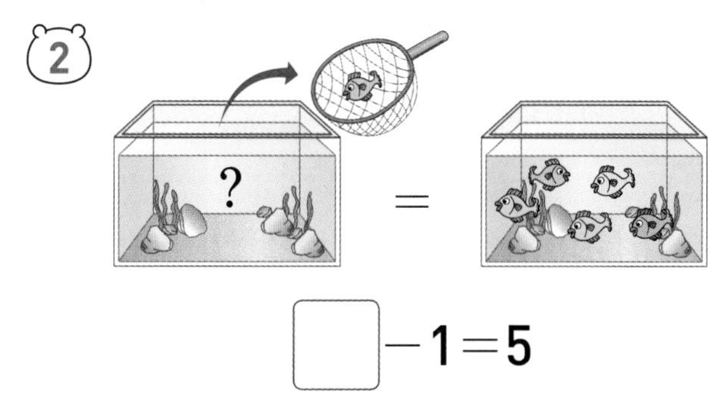

$\square - 1 = 5$

3

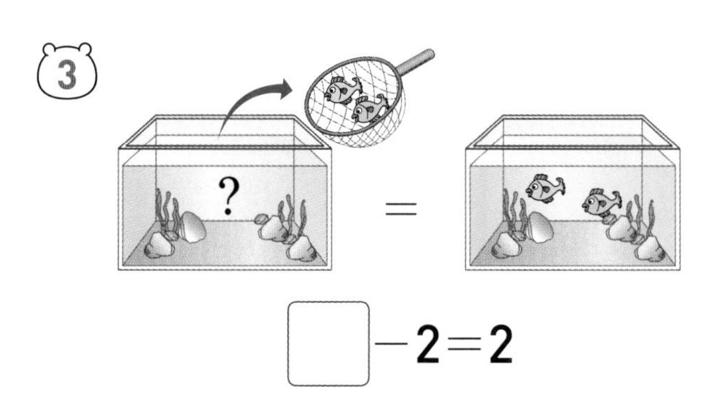

$\square - 2 = 2$

4

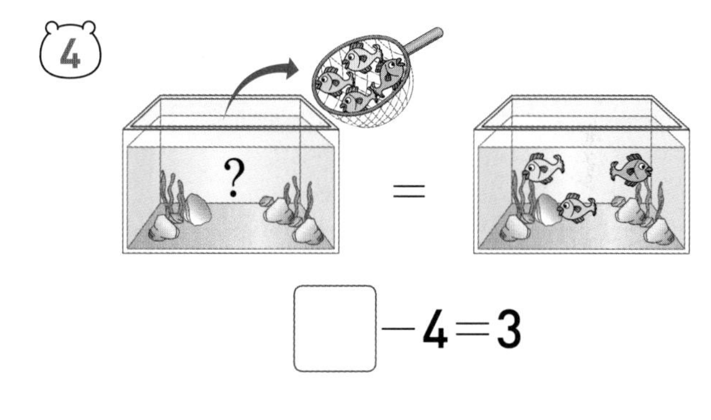

$\square - 4 = 3$

5

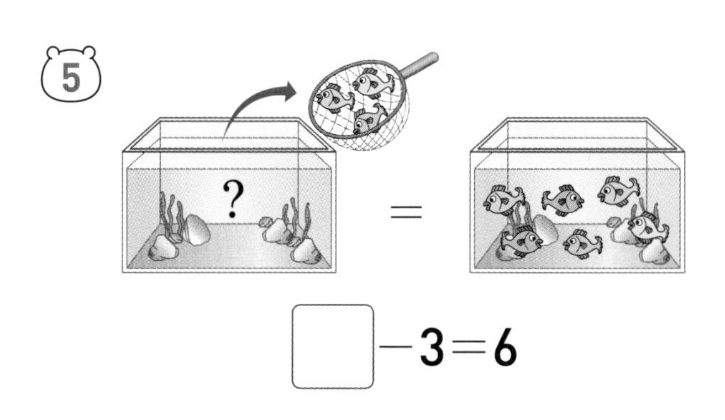

$\square - 3 = 6$

6

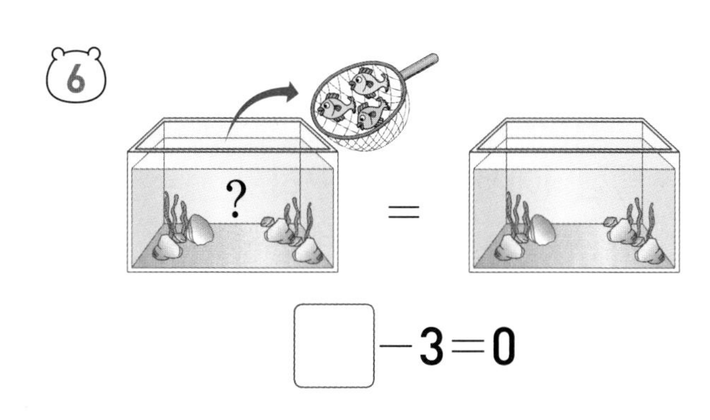

$\square - 3 = 0$

7

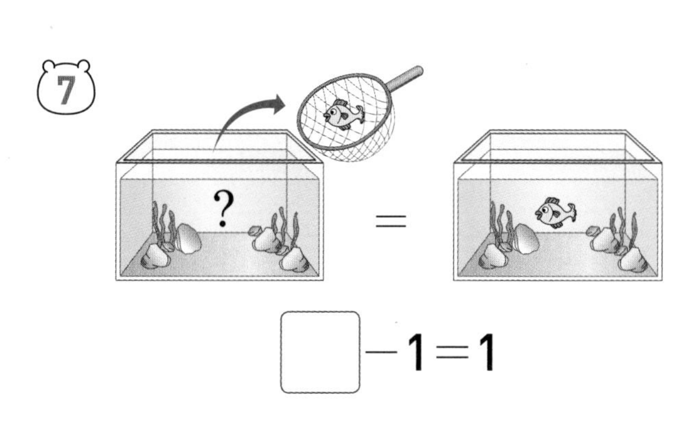

$\square - 1 = 1$

8

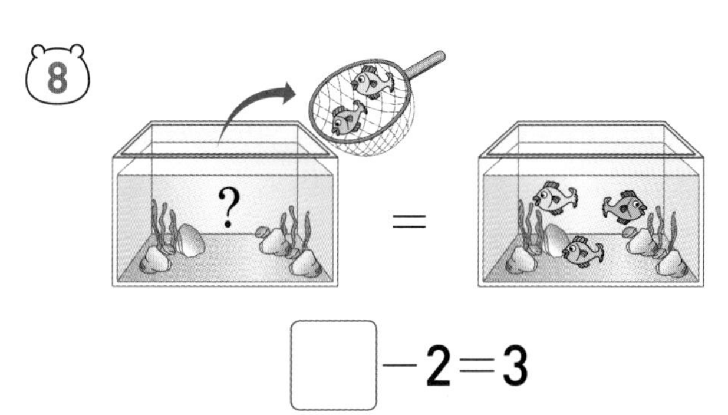

$\square - 2 = 3$

# 뺄셈식에서 □ 구하기 ②

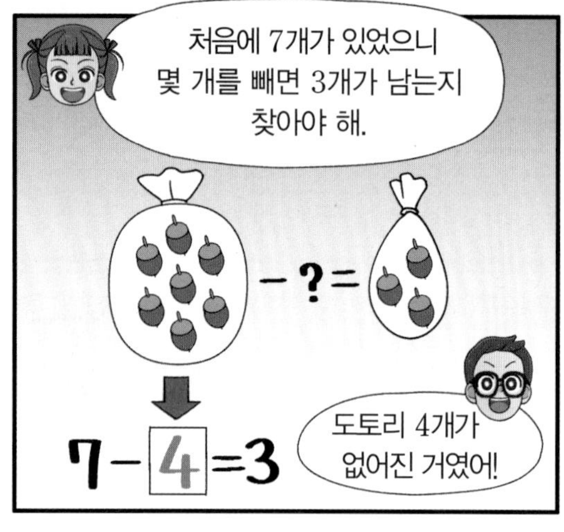

## 똑똑한 하루 계산법

- **뺄셈식에서 빼는 수 구하기**

예 7−□=3에서 □ 구하기

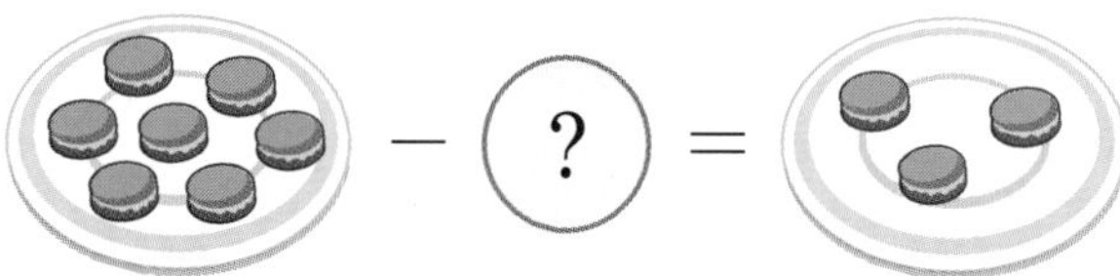

$$7 - \boxed{4} = 3$$

처음 마카롱의 수 / 먹은 마카롱의 수 / 남은 마카롱의 수

7에서 어떤 수를 빼었을 때 3이 되는지 생각해 봅니다.

## ○✕ 퀴즈

먹은 마카롱의 수를 □라 하고 □ 안의 수가 옳으면 ○에, 틀리면 ✕에 ○표 하세요.

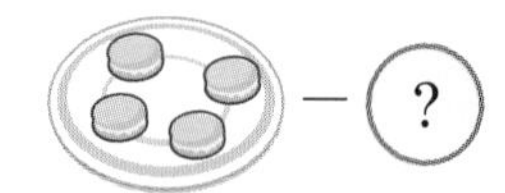

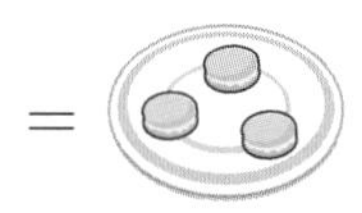

4−2=3

○ ✕

정답 ✕에 ○표

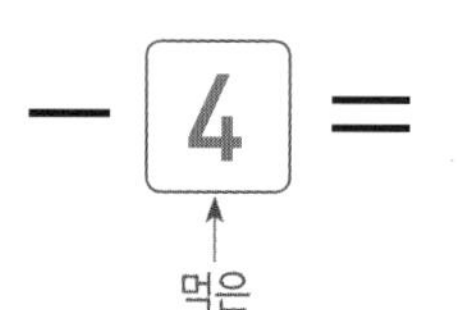

# 똑똑한 계산 연습

▶정답 및 풀이 17쪽

제한 시간 3분

깨진 달걀의 수를 구하세요.

① $3 - \square = 1$

② $6 - \square = 3$

③ $8 - \square = 5$

④ $7 - \square = 2$

⑤ $2 - \square = 2$

⑥ $9 - \square = 5$

⑦ $5 - \square = 4$

⑧ $4 - \square = 0$

3주 5일

# 기초 집중 연습

 □ 안에 알맞은 수를 써넣으세요.

**1**-1 □$-2=4$

**1**-2 $5-$□$=4$

**1**-3 □$-7=2$

**1**-4 $7-$□$=3$

**1**-5 □$-3=5$

**1**-6 $9-$□$=1$

 □ 안에 알맞은 수를 써넣으세요.

**2**-1

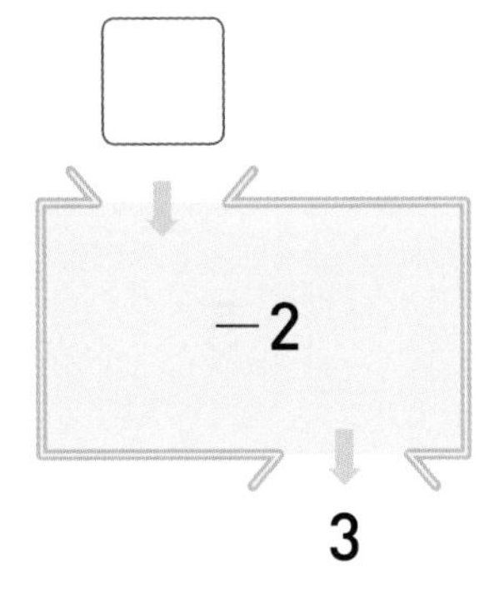


**2**-2

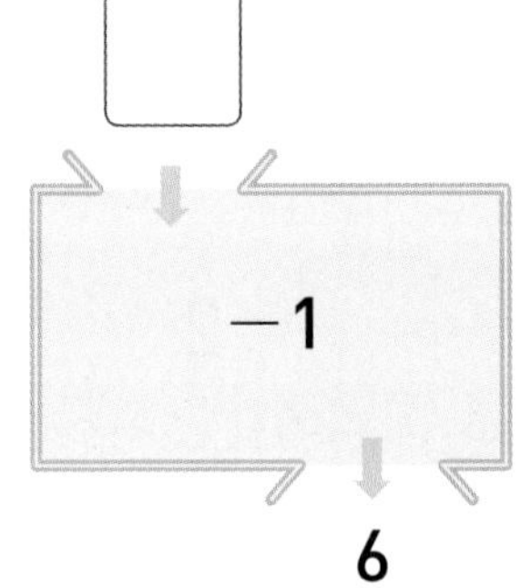


**2**-3

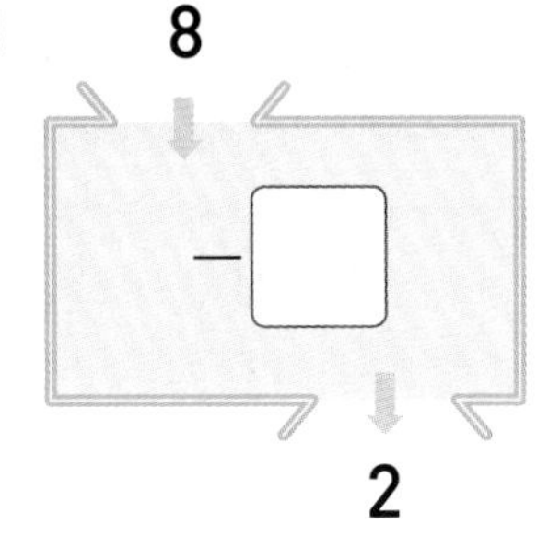


**2**-4

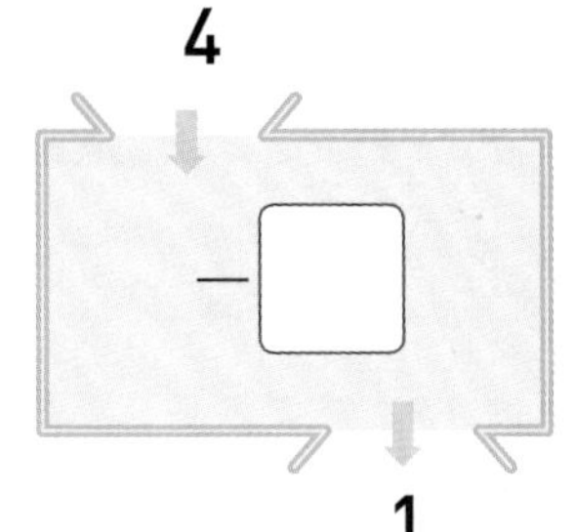

제한 시간 9분

## 생활 속 계산

? 에 알맞은 볼링핀의 수를 구하세요.

**3-1** ? − (쓰러진 볼링핀 3개) = (볼링핀 1개)

□ − 3 = 1

↑ 처음 서 있던 볼링핀의 수

**3-2** ? − (쓰러진 볼링핀 1개) = (볼링핀 4개)

□ − 1 = 4

↑ 처음 서 있던 볼링핀의 수

**3-3** (볼링핀 7개) − ? = (볼링핀 5개)

7 − □ = 5

↑ 쓰러진 볼링핀의 수

**3-4**

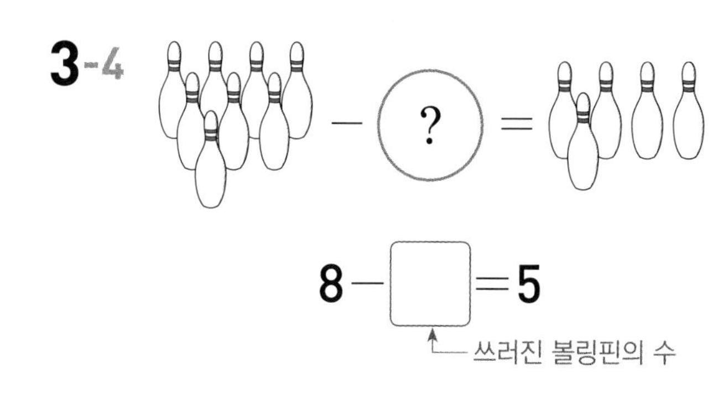

8 − □ = 5

↑ 쓰러진 볼링핀의 수



## 문장 읽고 계산식 세우기

문장을 읽고 □를 사용하여 식을 완성하고 답을 구하세요.

**4-1** 주스 몇 컵 중 2컵을 마셔서 3컵이 남았다면 처음에 있던 주스는 몇 컵?

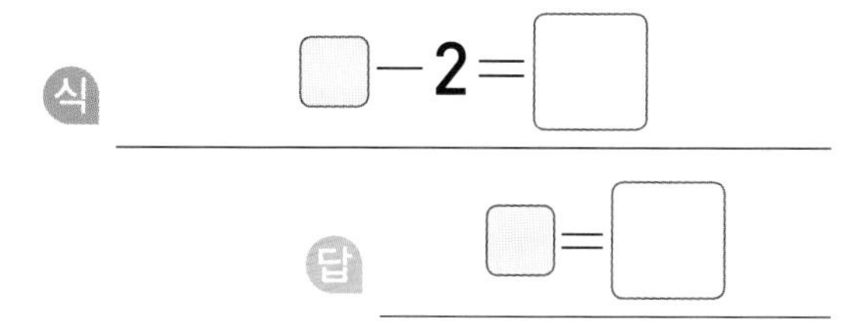

식 □ − 2 = □

답 □ = □

**4-2** 달걀 9개 중 몇 개를 사용하여 7개가 남았다면 사용한 달걀은 몇 개?

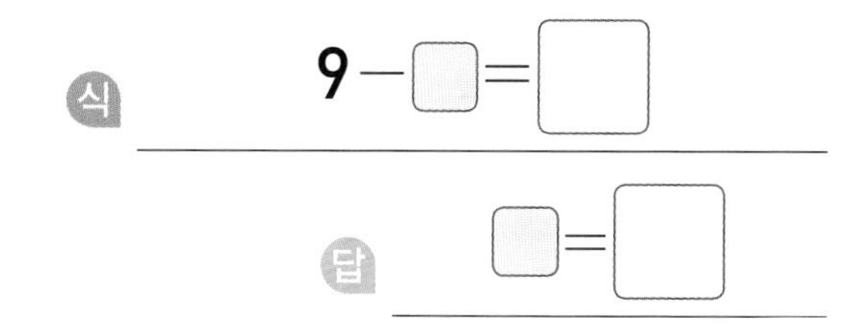

식 9 − □ = □

답 □ = □

# 3주 평가 누구나 100점 맞는 TEST

계산을 하세요.

❶ $6-4=\square$

❷ $8-1=\square$

❸ $9-4=\square$

❹ $7-3=\square$

❺ $4-2=\square$

❻ $2-0=\square$

❼ $6-3=\square$

❽ $3-3=\square$

❾ $7-7=\square$

❿ $5-1=\square$

▶정답 및 풀이 17쪽

제한 시간 10분

맞은 개수 / 20개

□ 안에 알맞은 수를 써넣으세요.

⑪ $2+\square=8$

⑫ $\square+5=6$

⑬ $3+\square=3$

⑭ $\square+1=9$

⑮ $7-\square=4$

⑯ $\square-4=4$

⑰ $6-\square=0$

⑱ $\square-5=2$

⑲ $4-\square=1$

⑳ $\square-0=5$

제한 시간 안에 정확하게
모두 풀었다면 여러분은 진정한 **계산왕!**

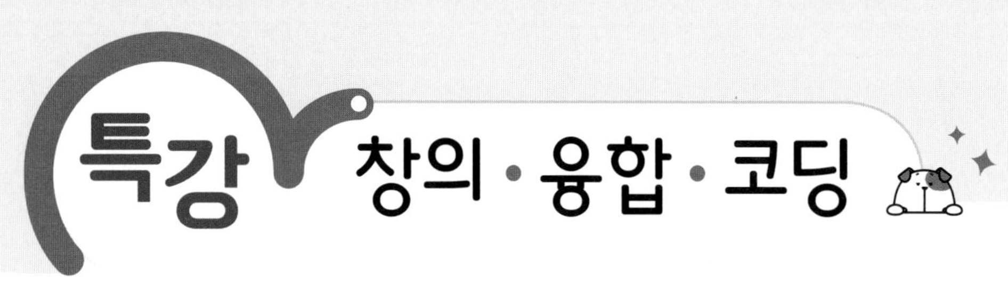


# 엘리베이터에 타고 있는 사람 수를 구하라!

사람들이 엘리베이터에 타고 내리고 있습니다. 2층과 3층에서 문이 열렸다 닫힌 후 엘리베이터에 타고 있는 사람 수를 각각 구하세요.

2층에서 문이 열렸다 닫힌 후 엘리베이터에

타고 있는 사람은 5−☐=☐(명)이에요.

3층에서 문이 열렸다 닫힌 후 엘리베이터에

타고 있는 사람은 5−☐=☐(명)이에요.

▶정답 및 풀이 18쪽

# 꼬마 김밥 만들기

현주가 간식으로 꼬마 김밥을 만들기 위해 재료와 만드는 방법을 찾아보니 다음과 같았습니다.

재료(3인분): 밥 3공기, 김 3장, 오이 1개, 당근 2개, 햄 6줄, 단무지 3줄,
소금 약간, 참기름 약간, 식초 약간

① 밥에 소금, 참기름, 식초를 넣고 살살 버무립니다.

② 오이, 당근은 껍질을 벗기고 적당한 길이로 토막 낸 다음 채 썹니다.

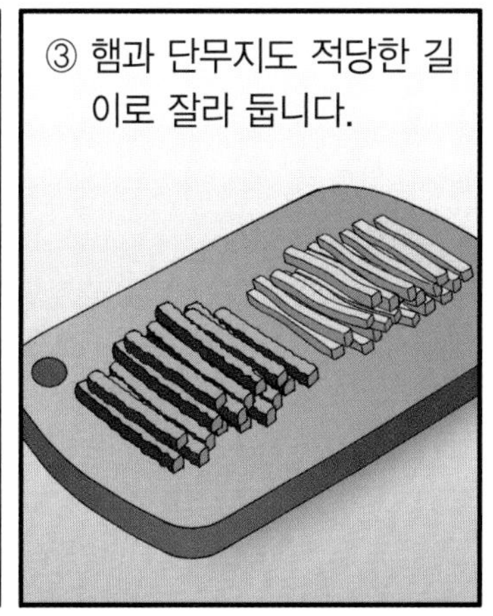
③ 햄과 단무지도 적당한 길이로 잘라 둡니다.

④ 김은 살짝 구워 반으로 자르고 다시 3조각으로 자릅니다.

⑤ 김에 밥을 얇게 펼쳐서 깔고, 준비한 오이와 당근, 햄, 단무지를 얹어 돌돌 맙니다.

현주는 김 8장, 오이 3개, 당근 2개, 햄 9줄을 가지고 3인분의 김밥을 만들었어.
김밥을 만들고 남은 김과 햄의 수를 각각 식을 쓰고 읽어 보자.

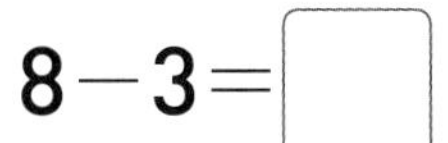

햄

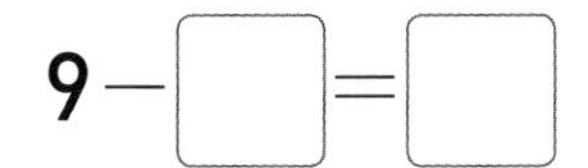

3주 특강

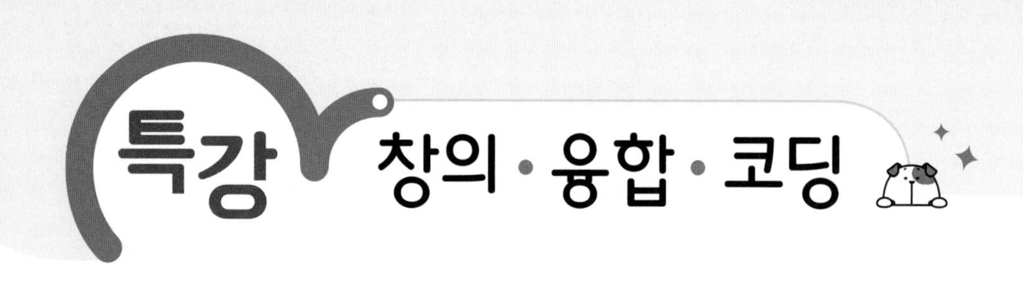


창의 3 보기 와 같이 양쪽의 추의 무게가 같을 때 윗접시저울은 수평이 됩니다. ▢ 안에 알맞은 수를 써넣으세요.

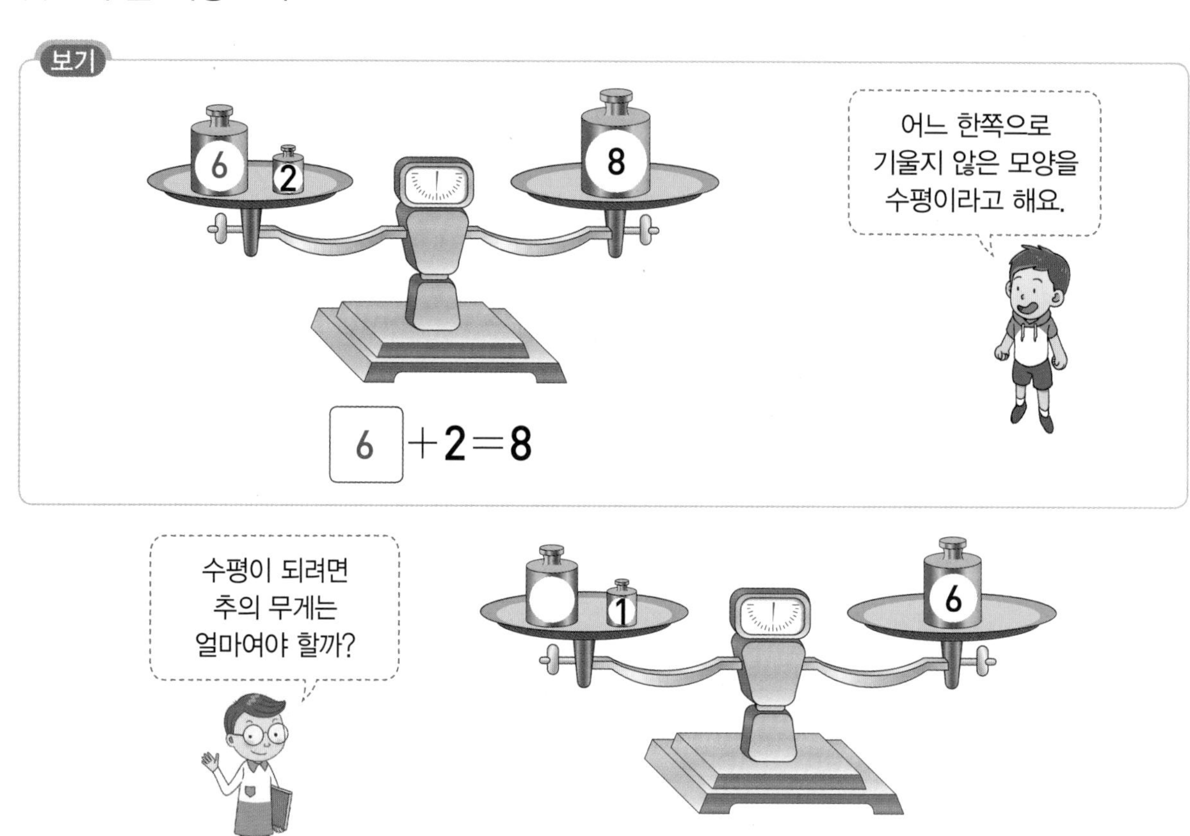


융합 4 비사치기를 하여 쓰러지지 않은 비석은 몇 개인지 가르기를 이용하여 뺄셈을 해 보세요.

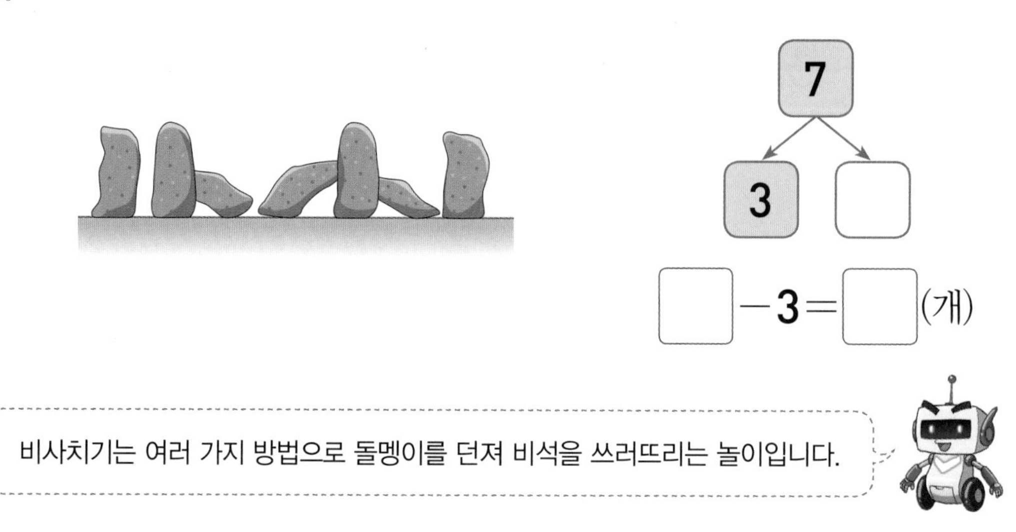

▶정답 및 풀이 18쪽

창의 5 준호가 말한 수가 차가 되는 뺄셈식을 따라 집에 가는 길을 나타내어 보세요.

창의 6 보기 의 막대에 쓰인 수가 막대의 길이입니다. 막대를 보고 ▢ 안에 알맞은 수를 써넣으세요.

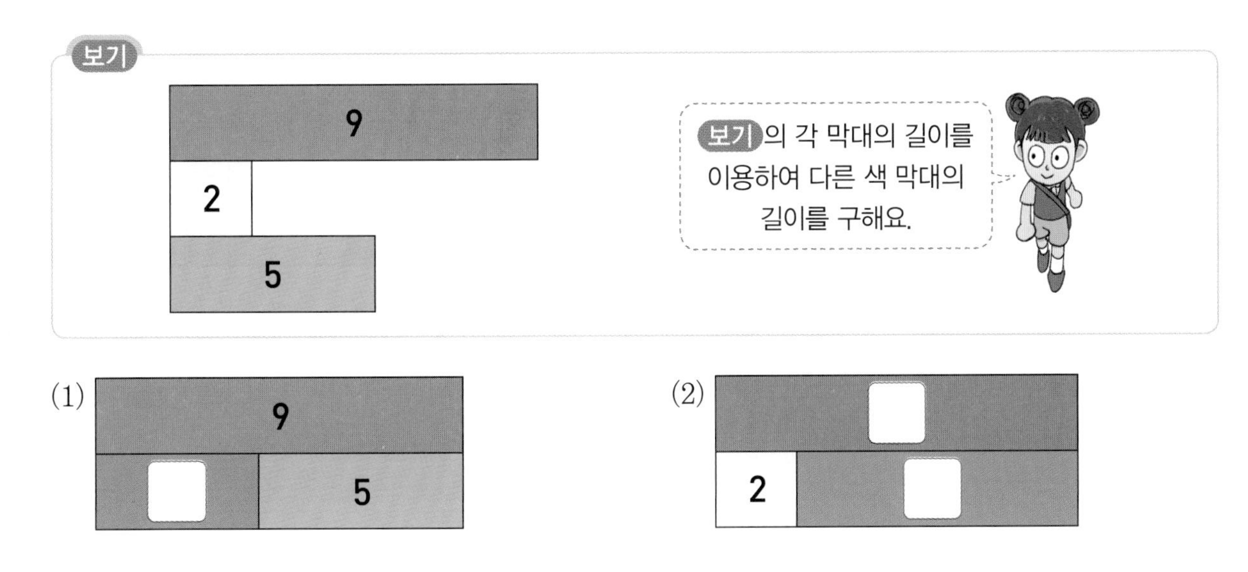

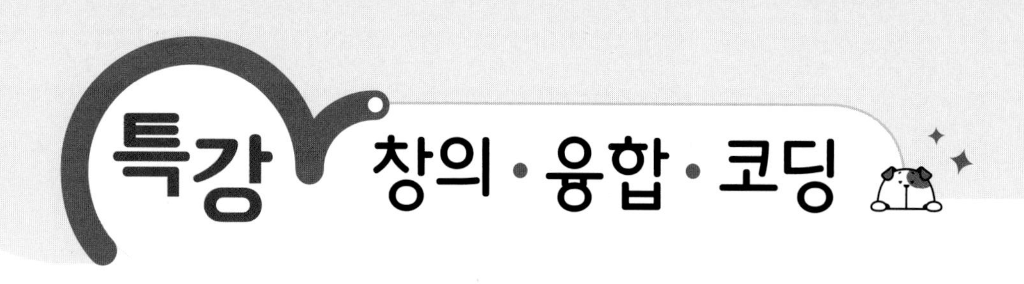

보기 와 같이 로봇이 명령에 따라 움직이는 길에 있는 수 카드를 줍습니다. 로봇이 주운 카드의 수의 차를 구하세요.

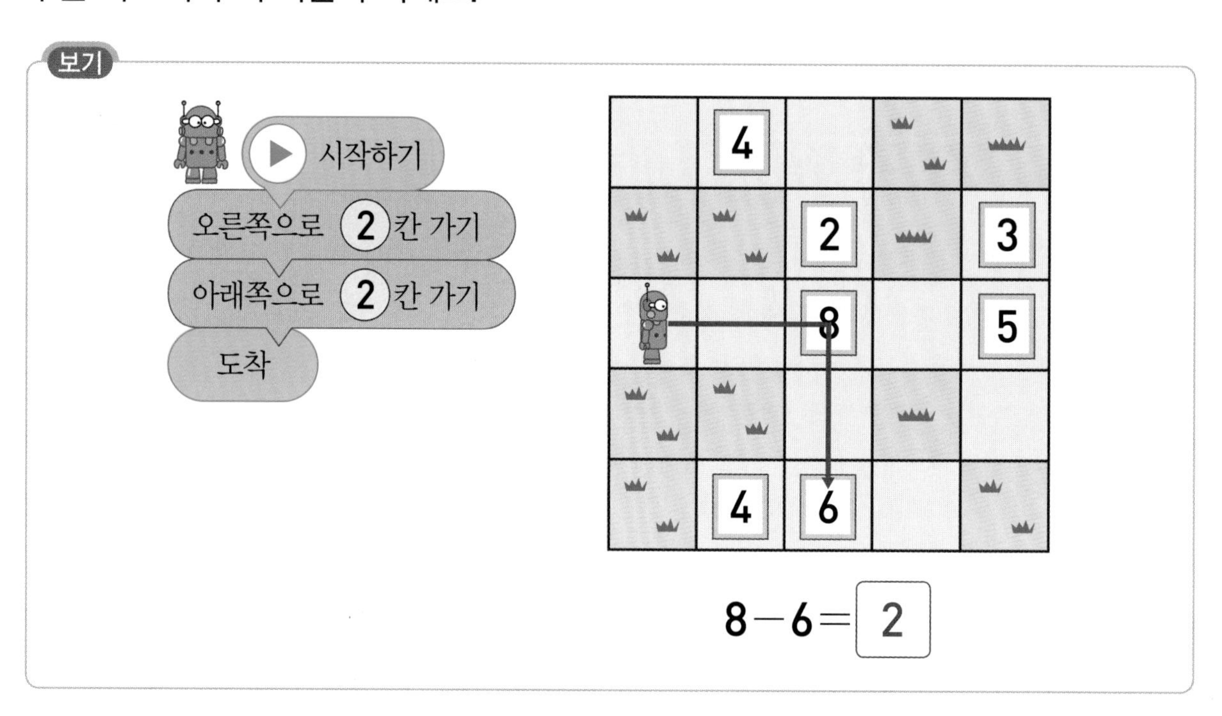


시작하기

위쪽으로 2 칸 가기

오른쪽으로 3 칸 가기

도착

| | | | | |
|---|---|---|---|---|
| | | | | 6 |
| 4 | | | | |
| | 3 | | | 2 |
| | | 1 | | |
| 9 | (로봇) | | 7 | |

$3-\square=\square$

▶정답 및 풀이 18쪽

**융합 8** 빵집에서 만든 빵이 다음과 같습니다. 소시지빵은 베이글보다 몇 개 더 많이 있는지 식을 쓰고 답을 구하세요.

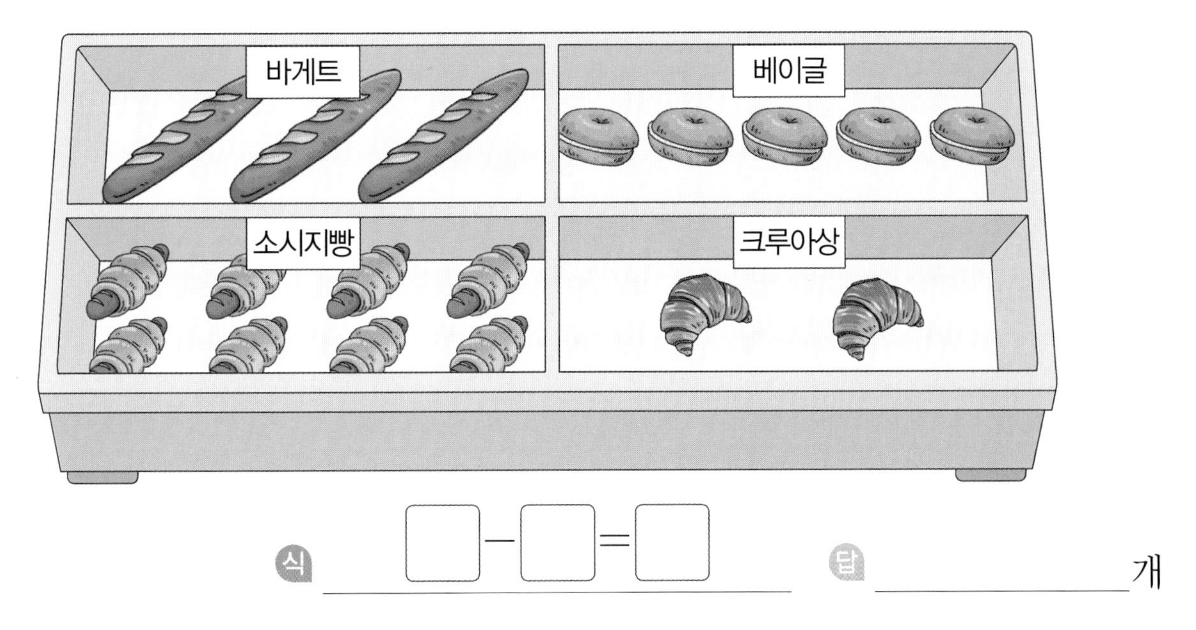


식 □－□＝□　　답 ______ 개



**융합 9** 체육대회에서 줄다리기를 하는 어린이를 응원하고 있습니다. 줄다리기를 하고 있는 어린이는 응원하고 있는 어린이보다 몇 명 더 많을까요?

답 ______ 명

4
주

# 50까지의 수

만든 송편을 이제
쪄 볼까요?

1, 2, 3 ……
모두 9개인데
1개 더 넣을 수
있겠어.

그럼 내 거
하나 넣을래!
그래~

후훗…
저 안에는 엄청
매운 고추장을
넣었지롱……

그럼 모두
10개가 되었구나.

앞으로 더 쪄야 할
송편이 꽤 많네.
우리 그럼 이거
10개씩 그릇에
담아 놓을까?

앗, 담고 나니
남는 게 있어.
낱개
낱개 3개가 남았군.
이처럼 10개씩
묶음 1개와 낱개 3개를
13이라고 해.
1
2
3
4
5
6
7
8
9
10
11
12
13
아하! 그래서
송편은 모두
13개야.

# 이번에 배울 내용을 알아볼까요?

- 1일 9 다음의 수 알아보기, 10을 모으기와 가르기, 십몇 알아보기
- 2일 모으기와 가르기
- 3일 10개씩 묶어 세기, 50까지의 수 세기
- 4일 수의 순서 알아보기
- 5일 수의 크기 비교하기

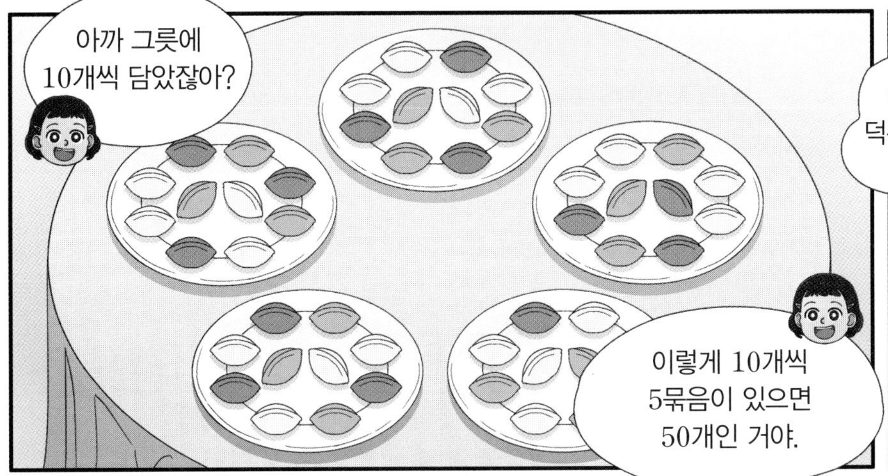

# 9 다음의 수 알아보기, 10을 모으기와 가르기

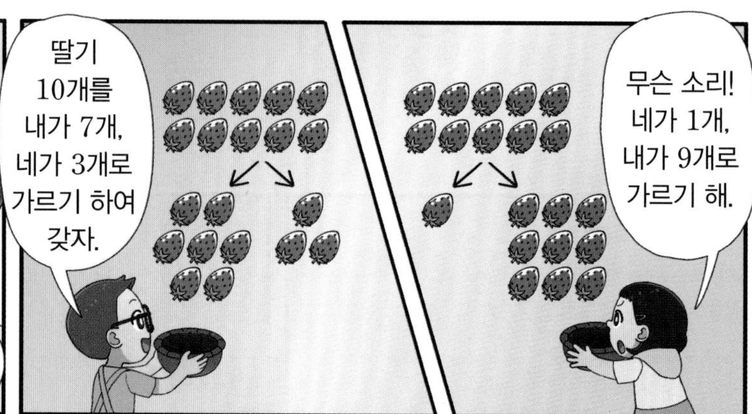

## 똑똑한 하루 계산법

• **10 알아보기**

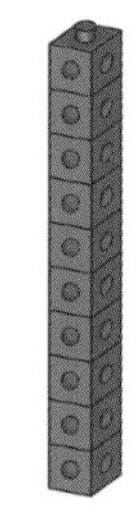

10

**십**, 열

**9보다 1만큼 더 큰 수**를 10이라고 합니다.

10은 8보다 2만큼 더 큰 수, 7보다 3만큼 더 큰 수 등과 같이 나타낼 수도 있습니다.

• **10 모으기**

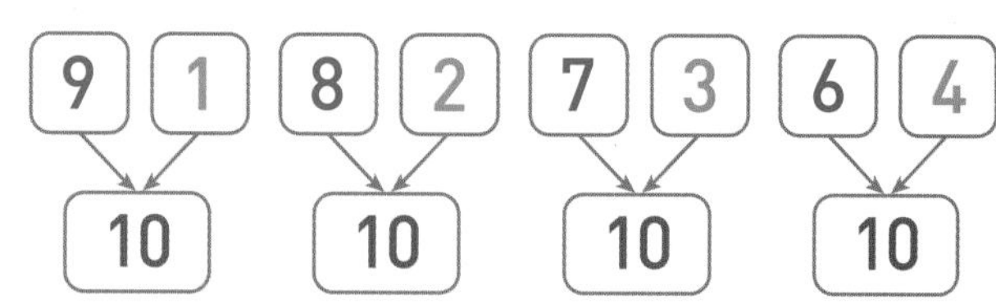


• **10 가르기**

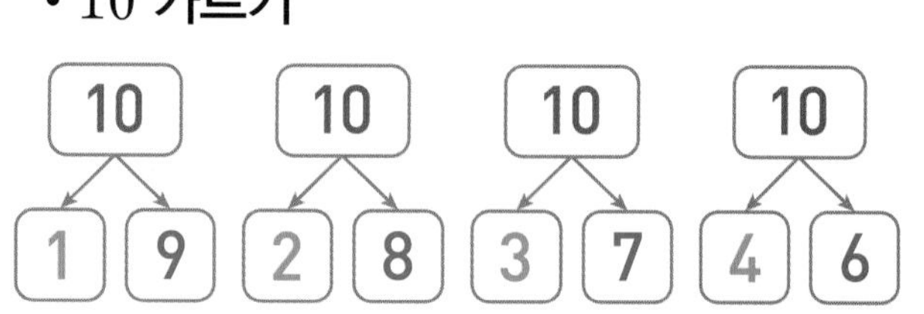


10을 모으기와 가르기 하는 방법은 여러 가지가 있습니다.

# 똑똑한 계산 연습

제한 시간 3분

그림의 수가 10인 것을 찾아 ○표 하세요.

1 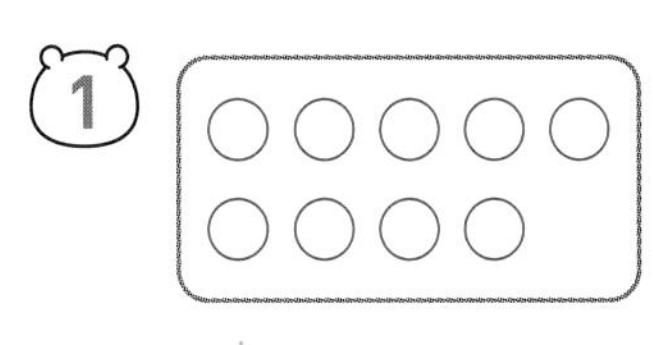 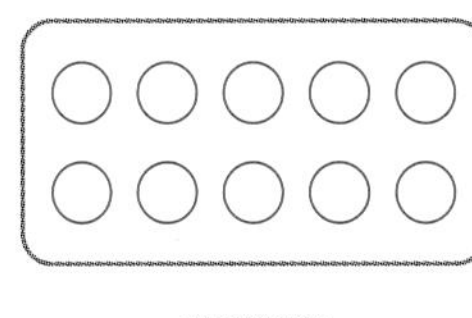

2 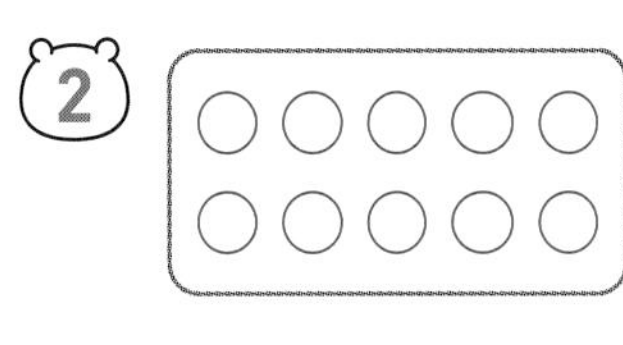 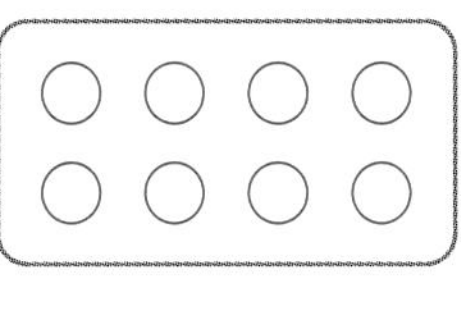

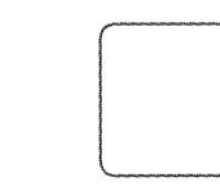 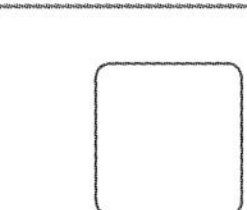

3 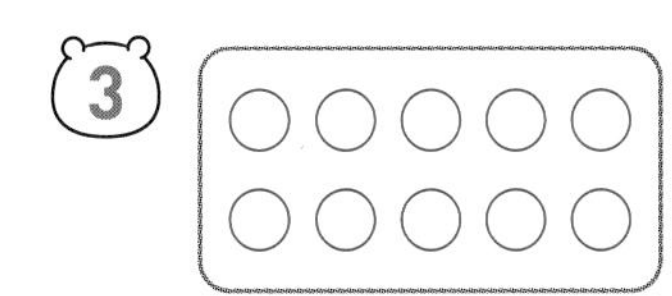 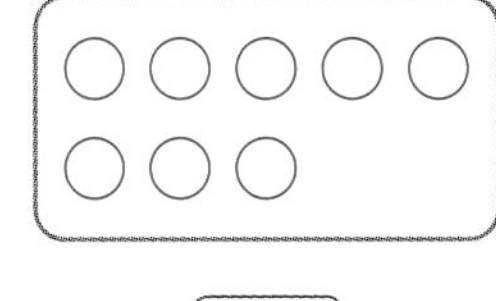

4 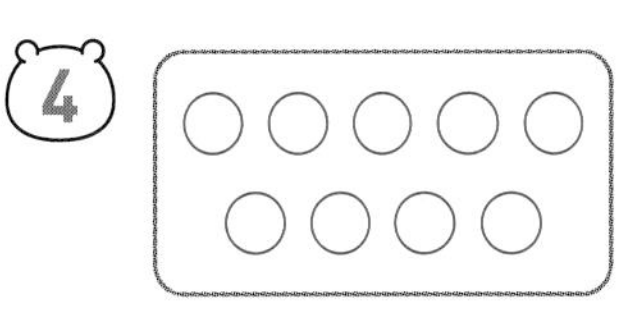 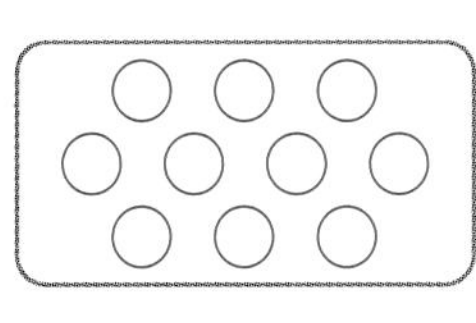

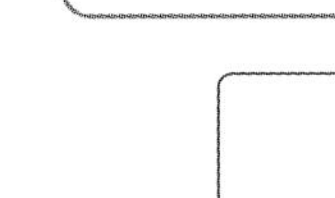 

그림을 보고 모으기와 가르기를 해 보세요.

5 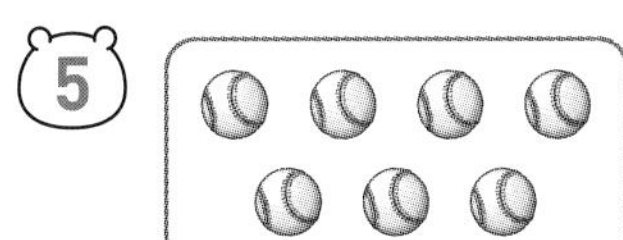 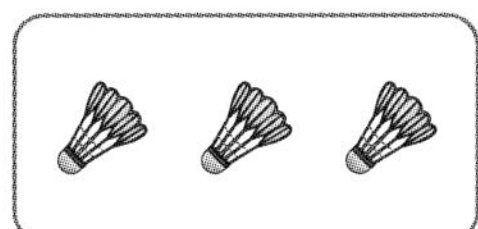

7 3

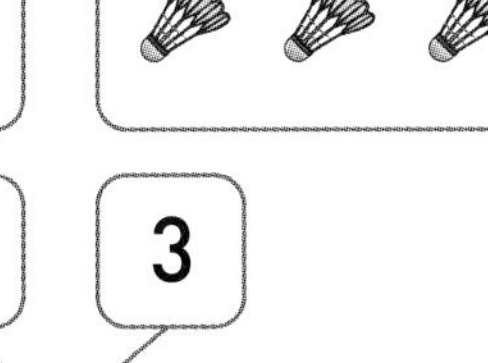

6  

4 6

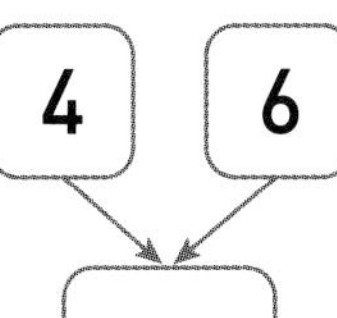

7 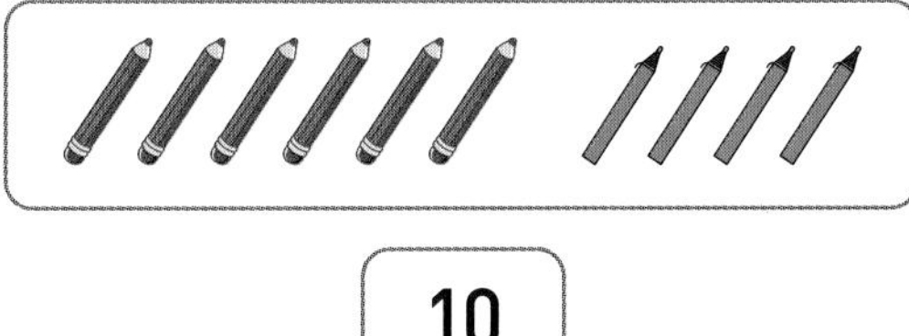

10

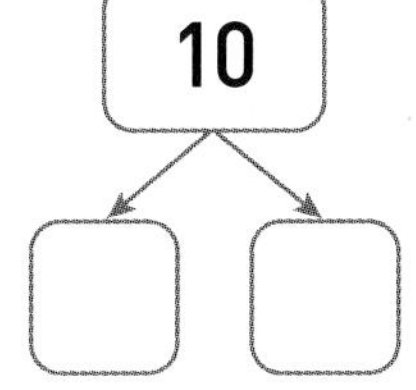

8 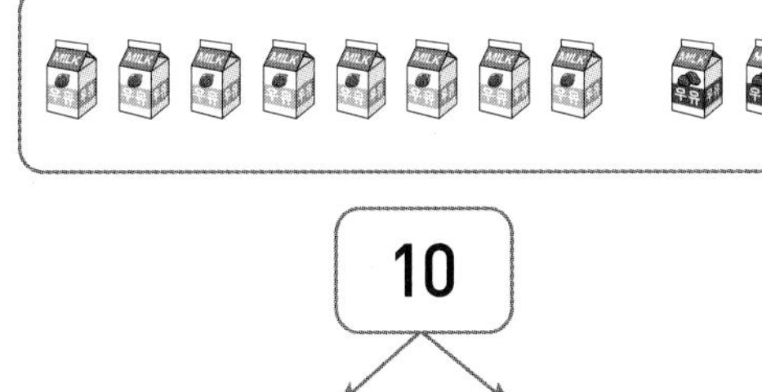

10

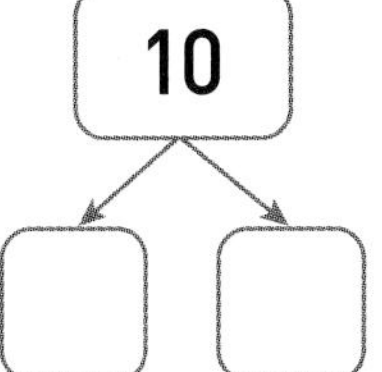

# 십몇 알아보기

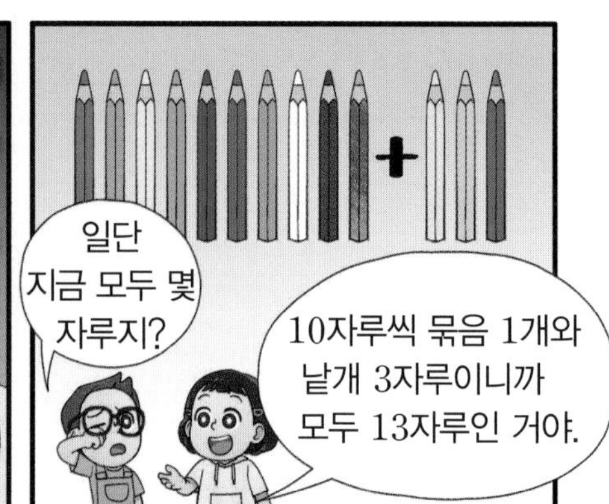

## 똑똑한 하루 계산법

- **십몇 알아보기**

㉮ 13 알아보기

13

**십삼, 열셋**

**10개씩 묶음 1개와 낱개 3개를 13이라고 합니다.**

| 11 | 십일, 열하나 | 12 | 십이, 열둘 | 13 | 십삼, 열셋 |
|---|---|---|---|---|---|
| 14 | 십사, 열넷 | 15 | 십오, 열다섯 | 16 | 십육, 열여섯 |
| 17 | 십칠, 열일곱 | 18 | 십팔, 열여덟 | 19 | 십구, 열아홉 |

## ○× 퀴즈

설명이 옳으면 ○에, 틀리면 ×에 ○표 하세요.

❶ 10개씩 묶음 1개와 낱개 5개를 12라고 합니다.

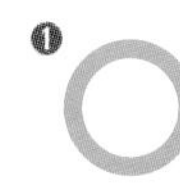 

❷ 10개씩 묶음 1개와 낱개 8개를 18이라고 합니다.

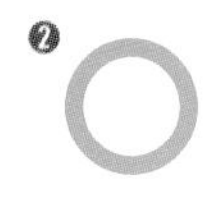 

정답 ❶ ×에 ○표 ❷ ○에 ○표

# 똑똑한 계산 연습

▶정답 및 풀이 19쪽

제한 시간 3분

10개씩 묶고 수로 나타내어 보세요.

1

2
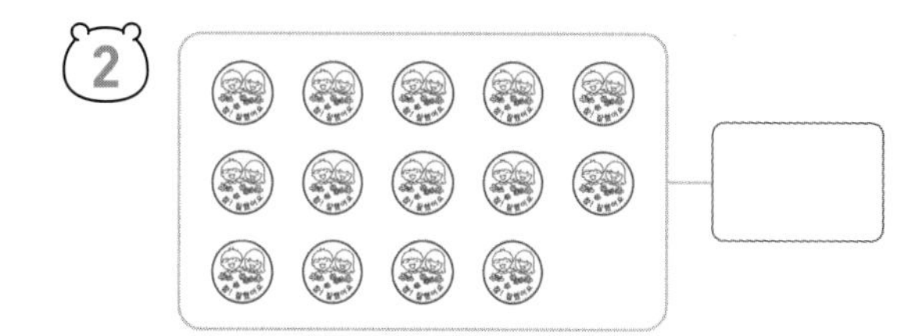

3

4
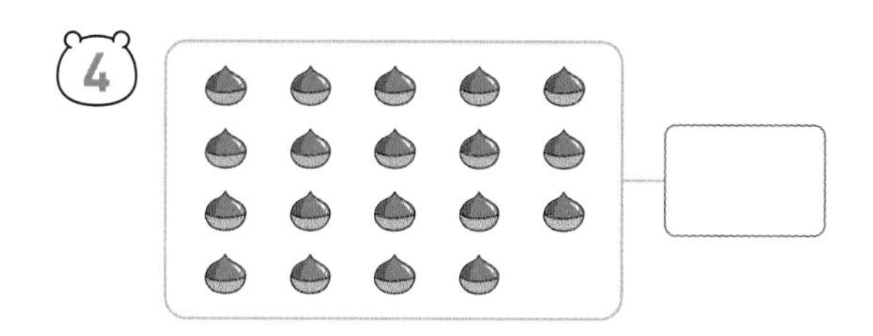

수를 2가지 방법으로 읽어 보세요.

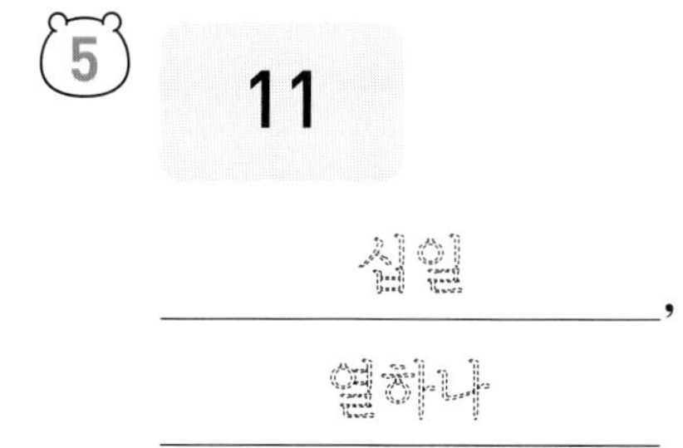

5 11

십일, 열하나

6 12

______, ______

7 13

______, ______

8 14

______, ______

9 15

______, ______

10 16

______, ______

11 17

______, ______

12 18

______, ______

13 19

______, ______

# 기초 집중 연습

모으기와 가르기를 해 보세요.

**1-1** 2, 8 → (  )

**1-2** 5, 5 → (  )

**1-3** 10 → (  ), 3

**1-4** 10 → 6, (  )

보기 와 같이 주어진 개수가 되도록 ◯를 더 그려 넣으세요.

보기

10

| ◯ | ◯ | ◯ | ◯ | ◯ |
|---|---|---|---|---|
| ◯ | ◯ | ◯ | ◯ | ◯ |

**2-1** 10

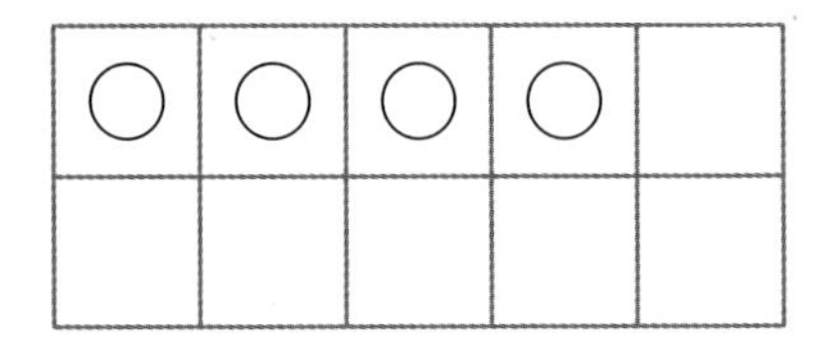

**2-2** 12

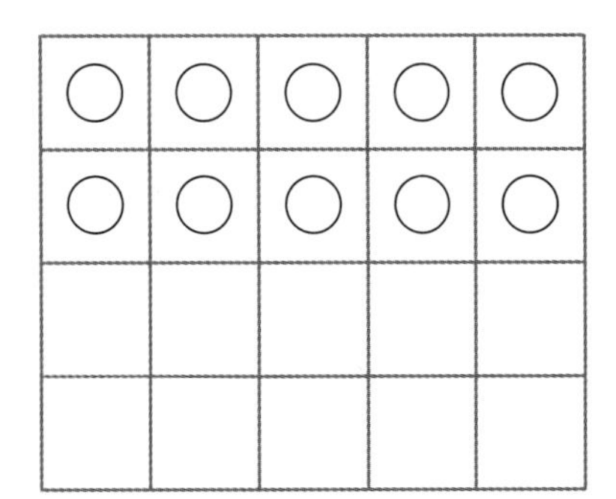

**2-3** 16

| ◯ | ◯ | ◯ | ◯ | ◯ |
|---|---|---|---|---|
| ◯ | ◯ | ◯ | ◯ | ◯ |
| ◯ |  |  |  |  |
|  |  |  |  |  |

▶정답 및 풀이 19쪽

제한 시간 9분

## 생활 속 문제

수를 어떻게 읽어야 하는지 알맞은 말에 ○표 하세요.

**3-1**

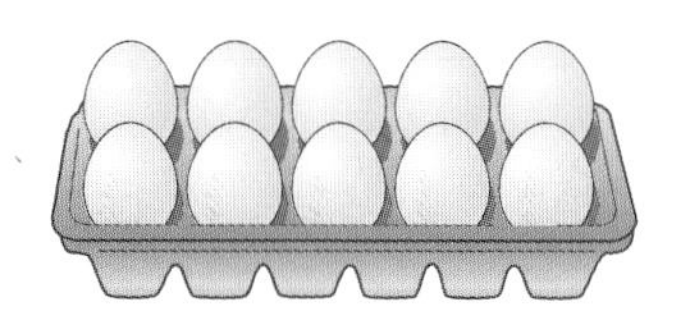

달걀 ( 열 , 십 ) 개가 있습니다.

**3-2**

동전은 ( 열 , 십 ) 원짜리입니다.

**3-3**

우리 집은 ( 열셋 , 십삼 ) 층입니다.

**3-4**

클립은 ( 열일곱 , 십칠 ) 개입니다.

## 문장 읽고 문제 해결하기

**4-1** 9보다 1만큼 더 큰 수는?

답 ________

**4-2** 8보다 2만큼 더 큰 수는?

답 ________

**4-3** 10개씩 묶음 1개와 낱개 4개는?

답 ________

**4-4** 10개씩 묶음 1개와 낱개 9개는?

답 ________

# 모으기

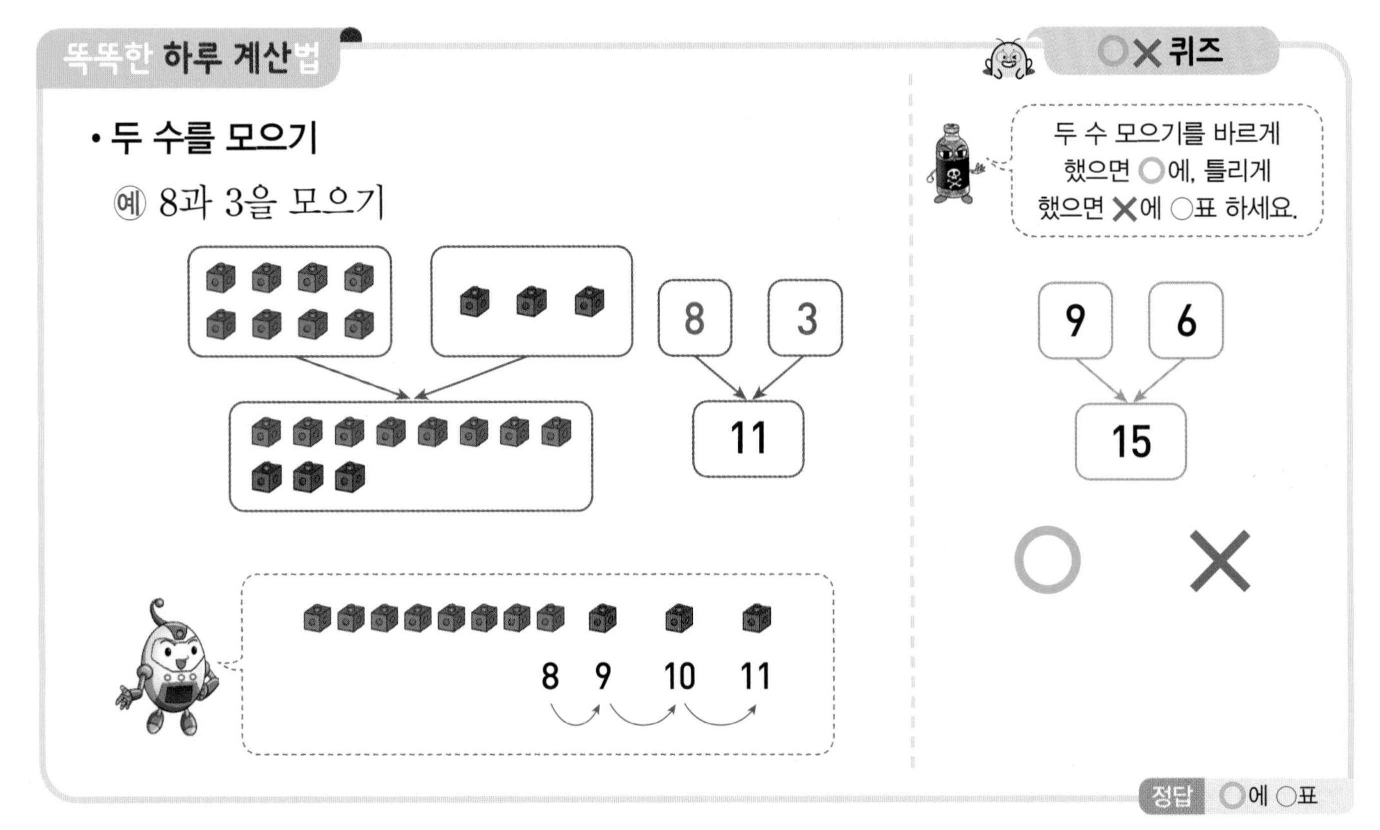

## 똑똑한 하루 계산법

• **두 수를 모으기**

예 8과 3을 모으기

8, 3 → 11

8 9 10 11

## ○✕ 퀴즈

두 수 모으기를 바르게 했으면 ○에, 틀리게 했으면 ✕에 ○표 하세요.

9, 6 → 15

○ ✕

정답 ○에 ○표

# 똑똑한 계산 연습

제한 시간 3분

모으기를 해 보세요.

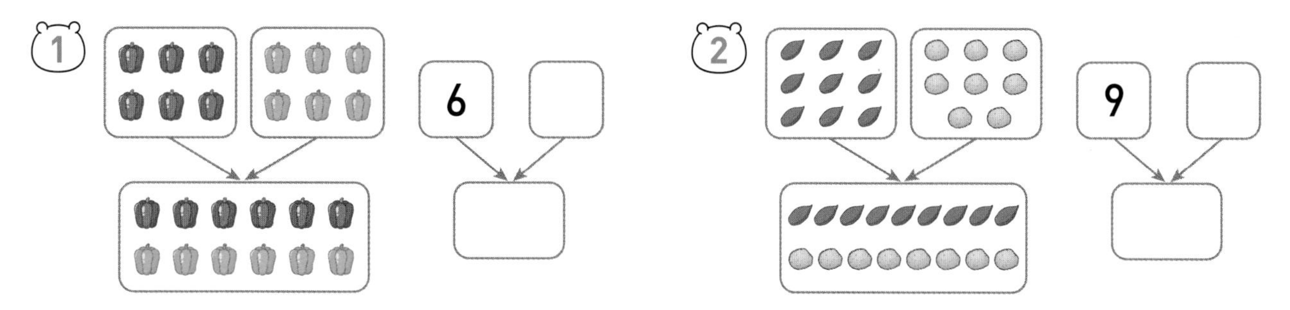


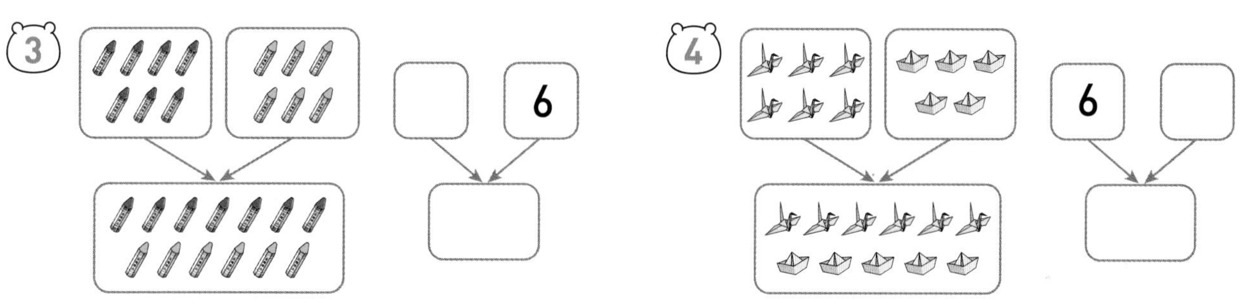

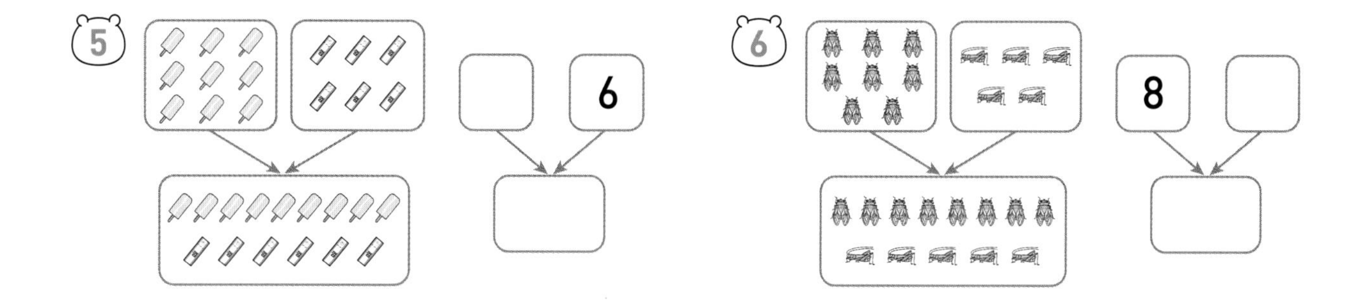

# 가르기

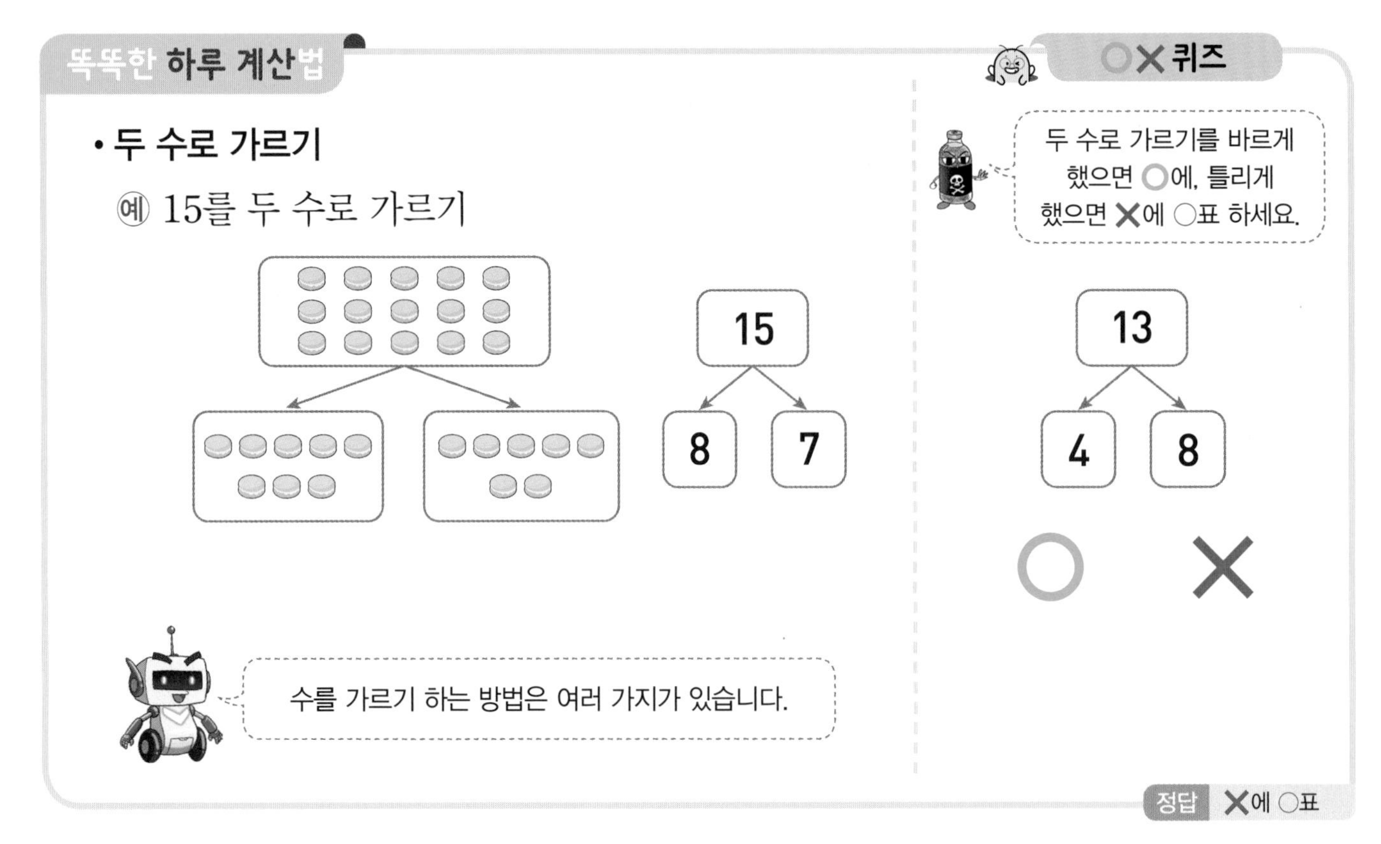

## 똑똑한 하루 계산법

- **두 수로 가르기**

㉮ 15를 두 수로 가르기

15 → 8, 7

수를 가르기 하는 방법은 여러 가지가 있습니다.

## ○× 퀴즈

두 수로 가르기를 바르게 했으면 ○에, 틀리게 했으면 ×에 ○표 하세요.

13 → 4, 8

○ ×

정답 ×에 ○표

▶정답 및 풀이 20쪽

제한 시간 3분

가르기를 해 보세요.

1

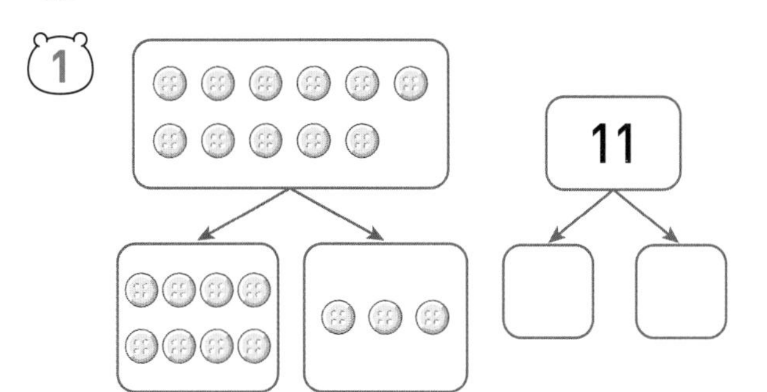


2

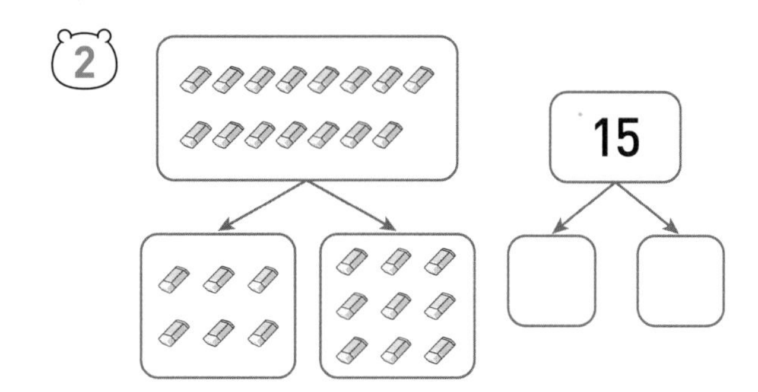


3

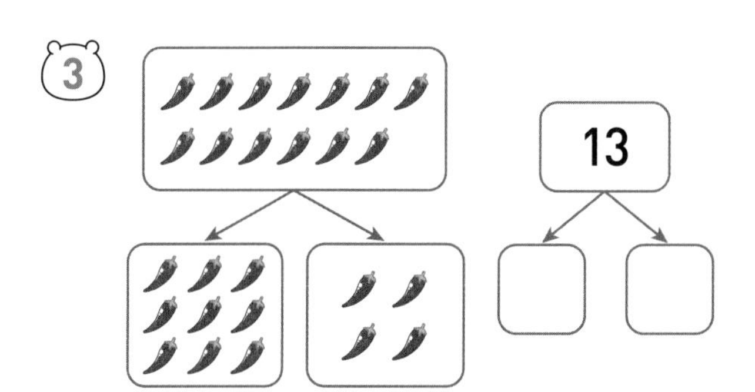


4

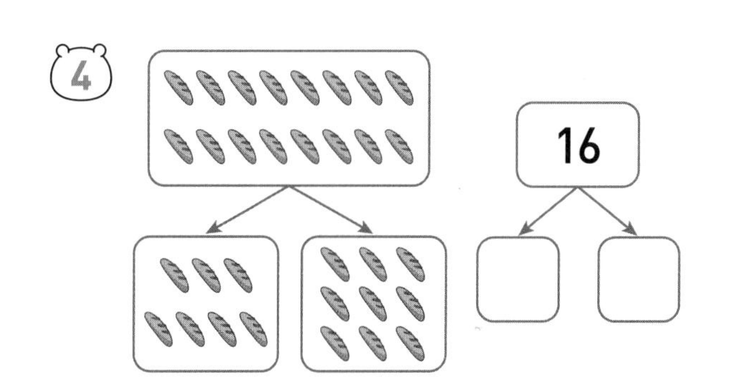


5 6

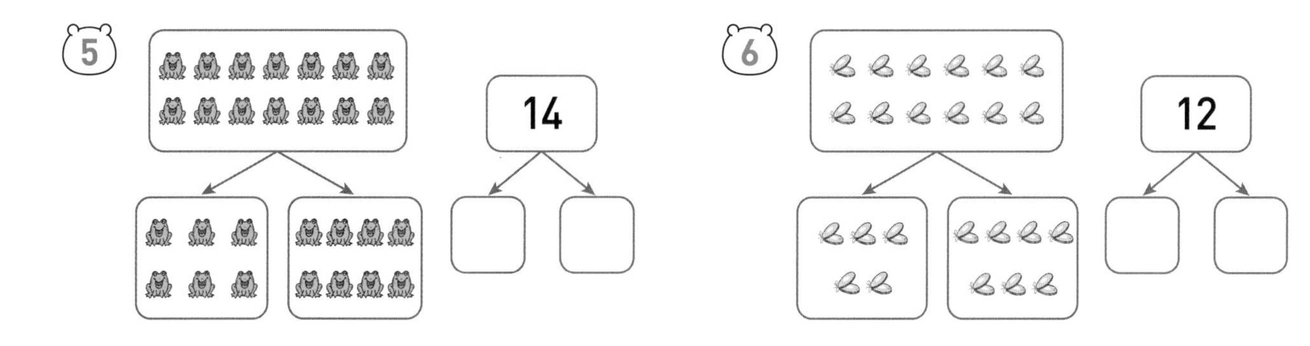

# 2일 기초 집중 연습

모으기와 가르기를 해 보세요.

1-1

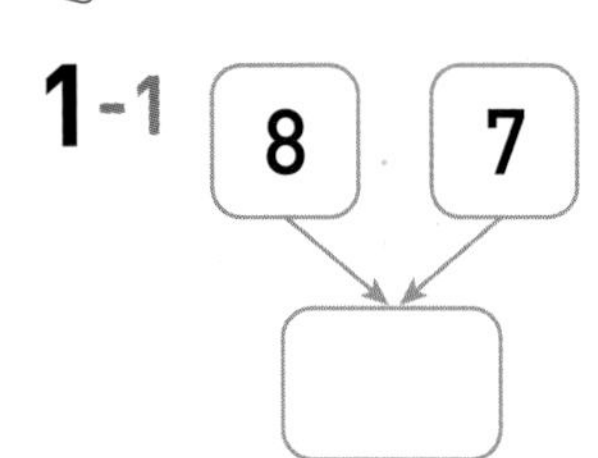


1-2

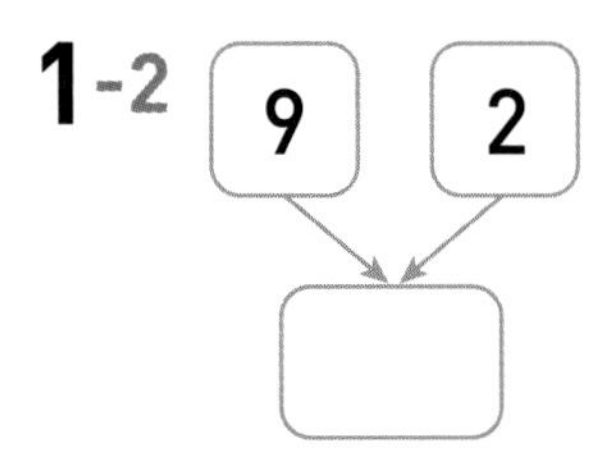


1-3

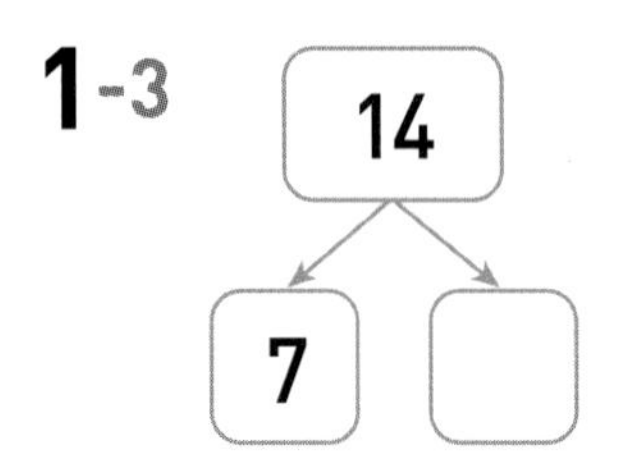


1-4

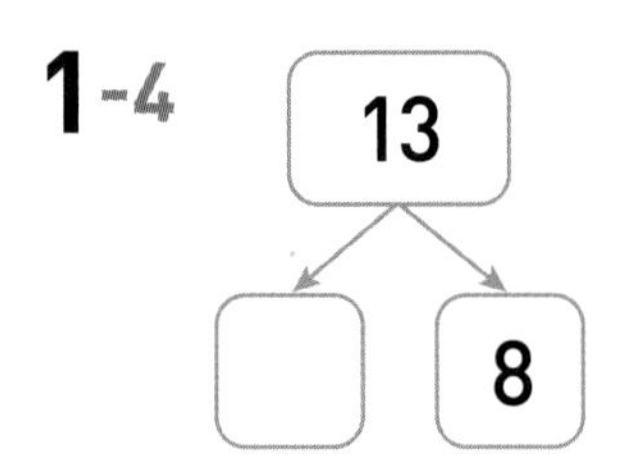


보기 와 같이 모으면 ◯ 안의 주어진 수가 되는 두 수를 찾아 ◯표 하세요.

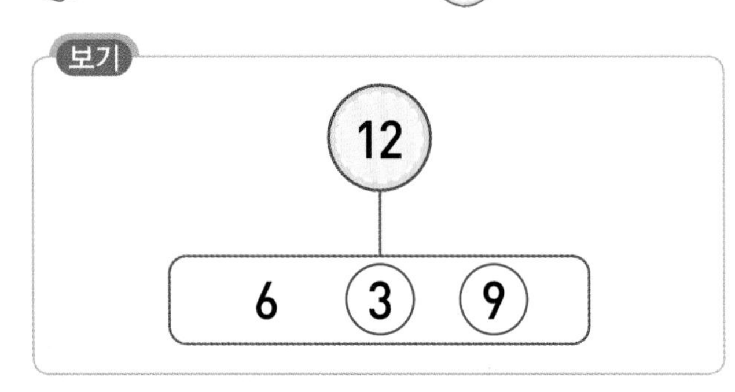


2-1

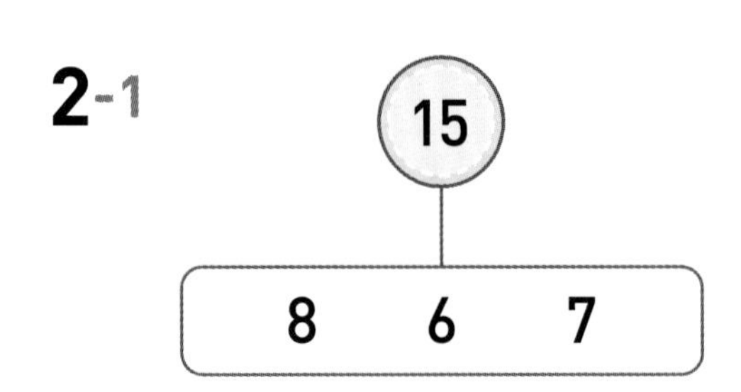


2-2

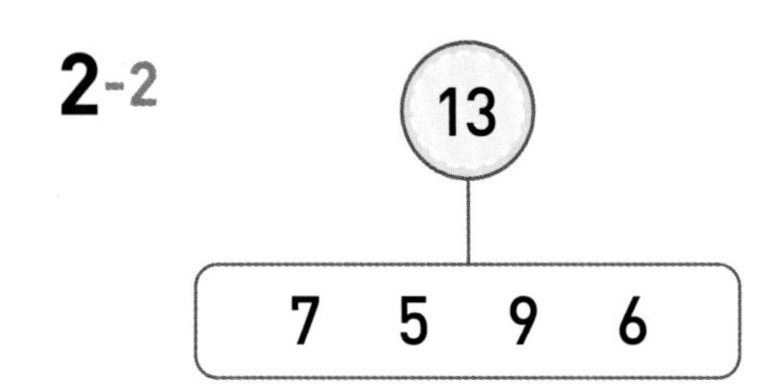


2-3

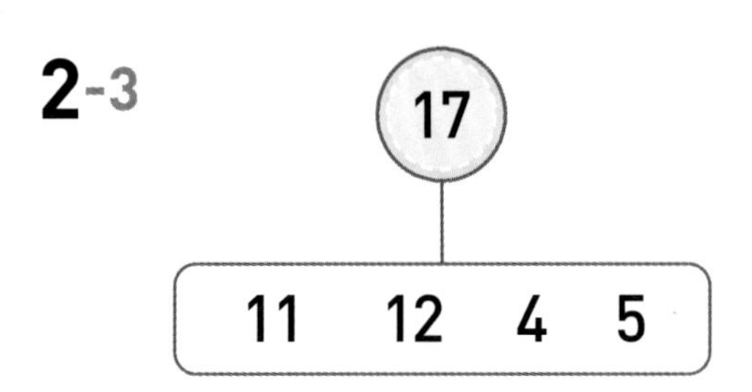

제한 시간 9분

## 생활 속 문제

모으기와 가르기를 하여 빈 곳에 ○를 그리고 □ 안에 알맞은 수를 써넣으세요.

**3-1** (연필 7자루, 연필 4자루 → 빈 곳) 7, 4 → □

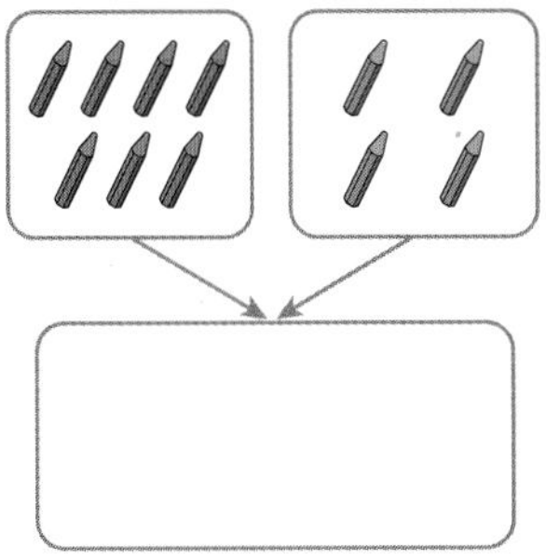

**3-2** (5개, 8개 → 빈 곳) 5, 8 → □

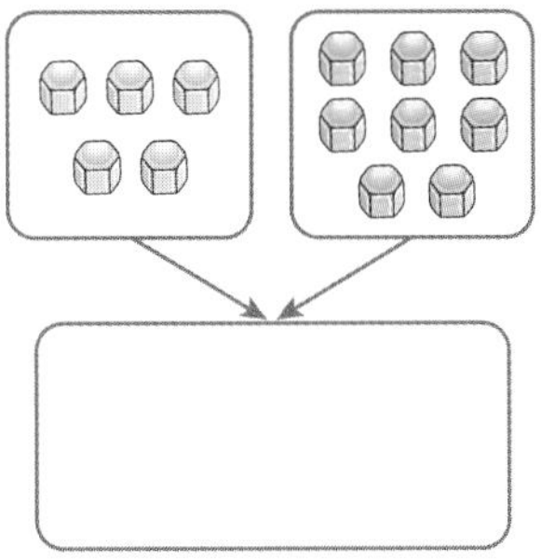

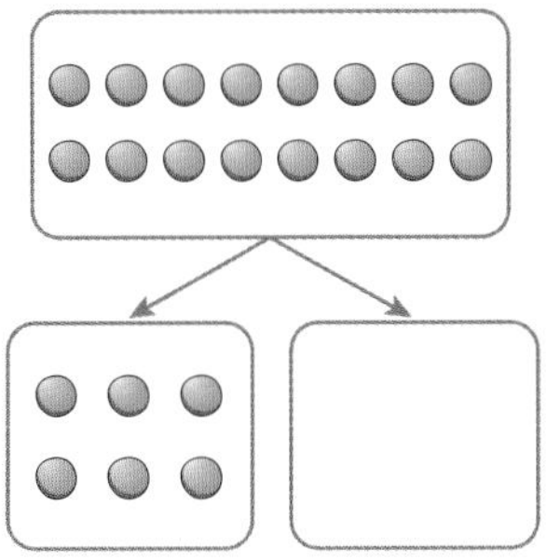

**3-3** (16개 → 6개, 빈 곳) 16 → 6, □

**3-4** (15개 → 8개, 빈 곳) 15 → 8, □

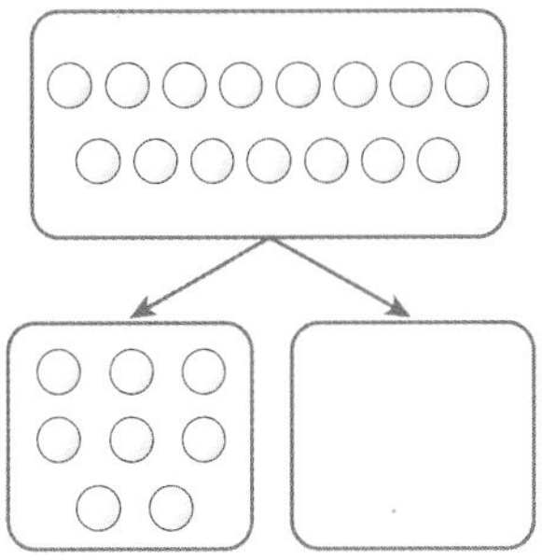

## 문장 읽고 문제 해결하기

**4-1** 6과 7을 모으기 하면?

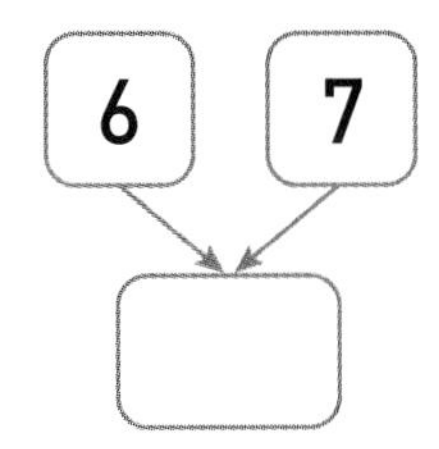


**4-2** 11을 3과 어떤 수로 가르기 하면?

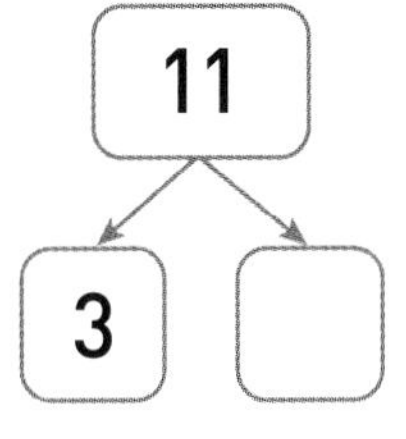

# 10개씩 묶어 세기

## 똑똑한 하루 계산법

- 10개씩 묶어 세기

㉵ 40 알아보기

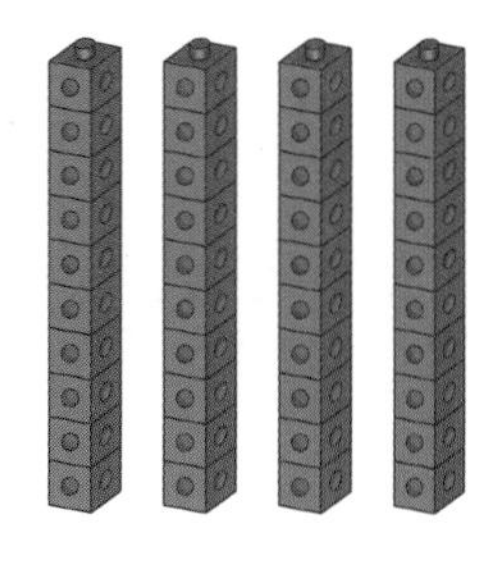

40

사십, 마흔

10개씩 묶음 4개를 40이라고 합니다.

| 20 | 이십, 스물 | 30 | 삼십, 서른 |
|---|---|---|---|
| 40 | 사십, 마흔 | 50 | 오십, 쉰 |

## OX 퀴즈

설명이 옳으면 ○에, 틀리면 ✕에 ○표 하세요.

10개씩 묶음 5개를 15라고 합니다.

❶  

10개씩 묶음 2개를 20이라고 합니다.

❷  

정답 ❶ ✕에 ○표 ❷ ○에 ○표

# 똑똑한 계산 연습

▶정답 및 풀이 21쪽

제한 시간 3분

수를 세어 ▢ 안에 써넣으세요.

①

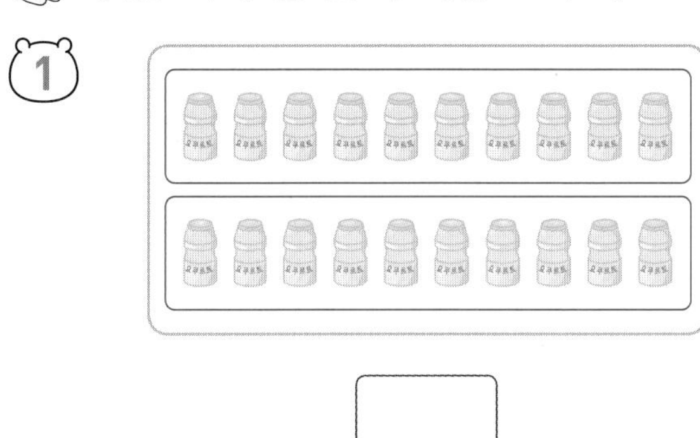

②

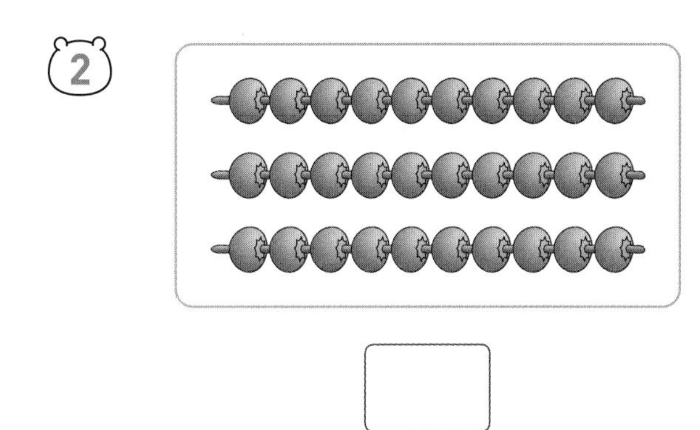

③

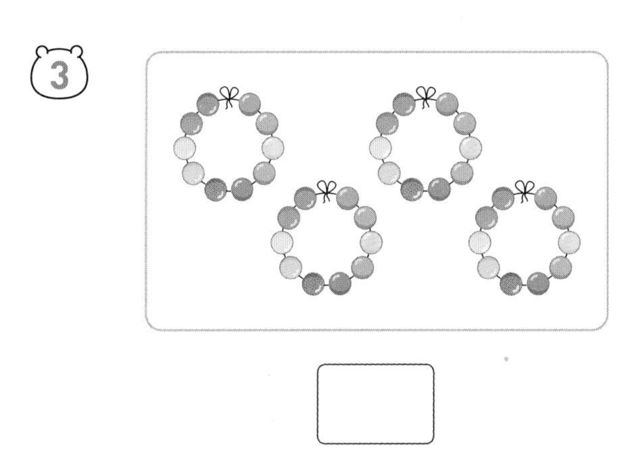

④

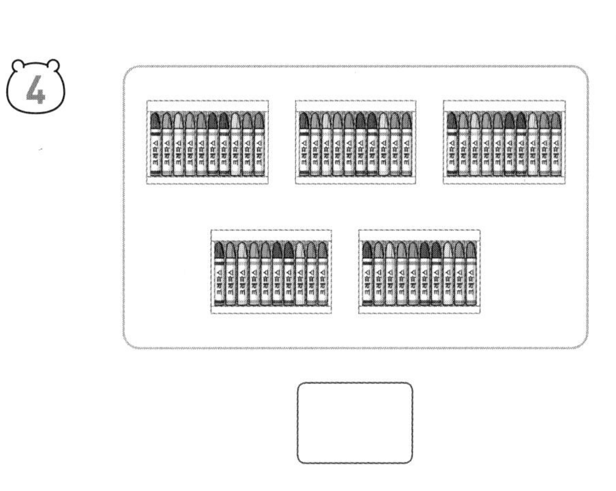

수를 2가지 방법으로 읽어 보세요.

⑤ 20

________________,
________________

⑥ 30

________________,
________________

⑦ 40

________________,
________________

⑧ 50

________________,
________________

# 50까지의 수 세기

## 똑똑한 하루 계산법

• **50까지의 수 세기**

㉱ 34 알아보기

34

**삼십사, 서른넷**

10개씩 묶음 3개와 낱개 4개를 34라고 합니다.

10개씩 묶음 ■개와 낱개 ▲개는 ■▲입니다.

## ○✕ 퀴즈

설명이 옳으면 ○에, 틀리면 ✕에 ○표 하세요.

10개씩 묶음 4개와 낱개 5개를 45라고 합니다.

❶ 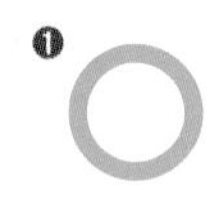 

10개씩 묶음 2개와 낱개 3개를 32라고 합니다.

❷  

정답 ❶ ○에 ○표 ❷ ✕에 ○표

# 똑똑한 계산 연습

▶정답 및 풀이 21쪽

제한 시간 3분

수를 세어 ▢ 안에 써넣으세요.

① 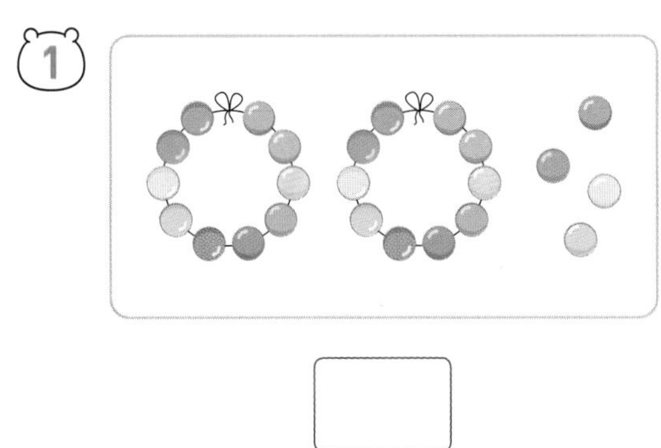

② 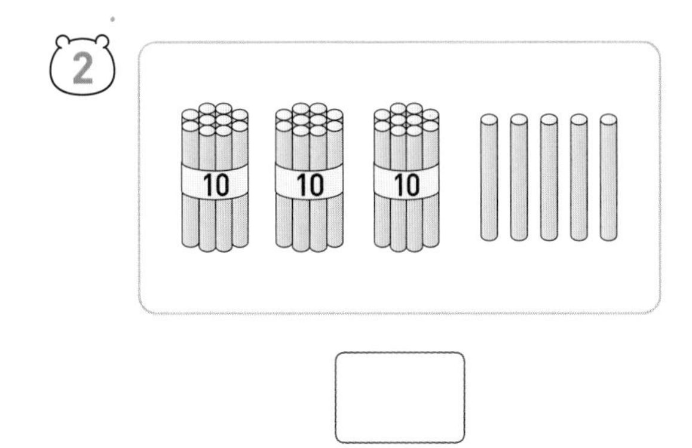


③ 

④ 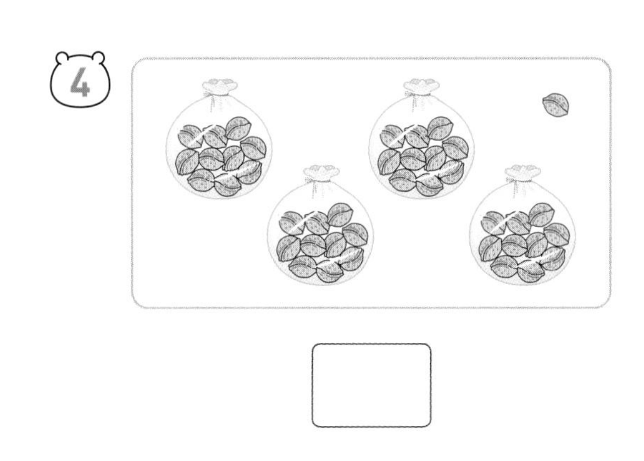

수를 2가지 방법으로 읽어 보세요.

⑤ 23

______________________, ______________________

⑥ 31

______________________, ______________________

⑦ 42

______________________, ______________________

⑧ 48

______________________, ______________________

⑨ 33

______________________, ______________________

⑩ 26

______________________, ______________________

# 3일 기초 집중 연습

수를 2가지 방법으로 읽어 보세요.

**1**-1

20

**1**-2 30

**1**-3 40

**1**-4

39

**1**-5 46

**1**-6 27

보기 와 같이 빈칸에 알맞은 수를 써넣으세요.

보기

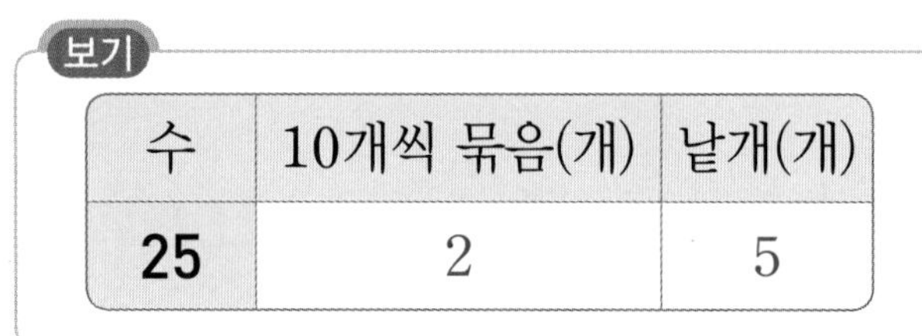

| 수 | 10개씩 묶음(개) | 낱개(개) |
|---|---|---|
| 25 | 2 | 5 |

**2**-1

| 수 | 10개씩 묶음(개) | 낱개(개) |
|---|---|---|
| 41 | | |

**2**-2

| 수 | 10개씩 묶음(개) | 낱개(개) |
|---|---|---|
| 38 | | |

**2**-3

| 수 | 10개씩 묶음(개) | 낱개(개) |
|---|---|---|
| 26 | | |

제한 시간 9분

## 생활 속 문제

모두 얼마인지 ▢ 안에 써넣으세요.

**3-1**

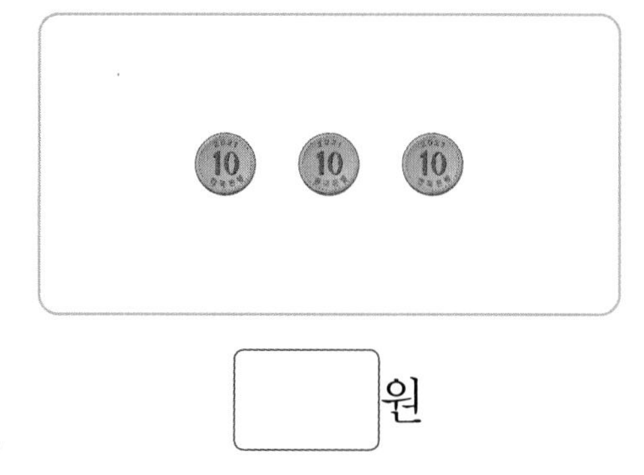

▢원

**3-2**

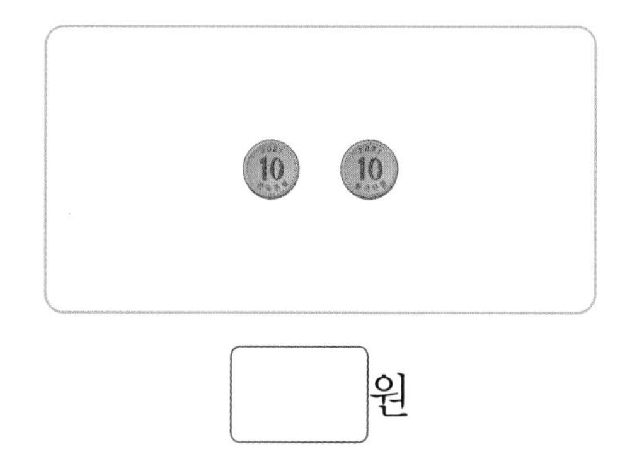

▢원

**3-3**

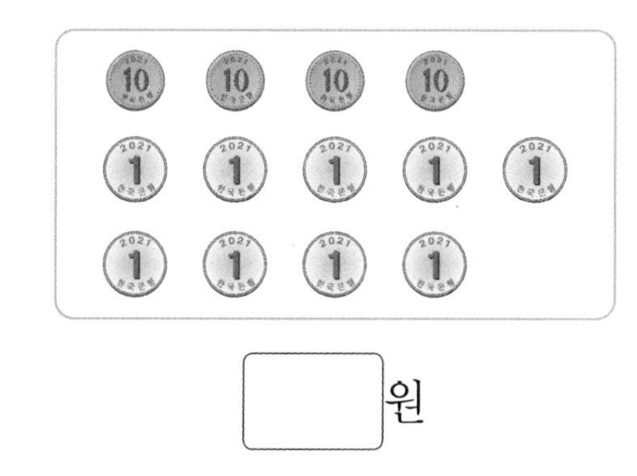

▢원

**3-4**

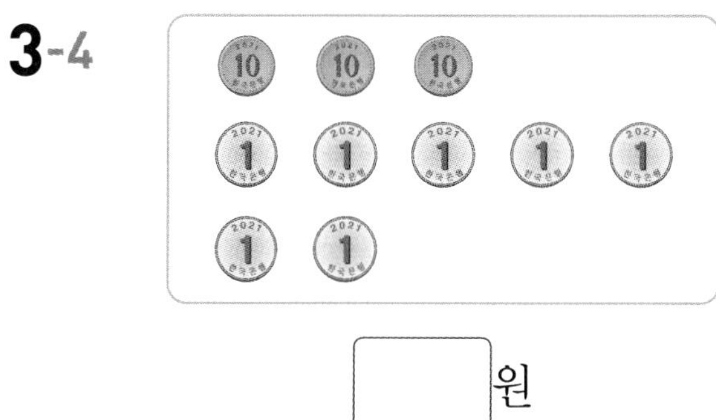

▢원



## 문장 읽고 문제 해결하기

**4-1** 10개씩 묶음 4개는?

답 ______

**4-2** 10개씩 묶음 5개는?

답 ______

**4-3** 10개씩 묶음 2개와 낱개 8개는?

답 ______

**4-4** 10개씩 묶음 3개와 낱개 6개는?

답 ______

# 수의 순서 알아보기 ①

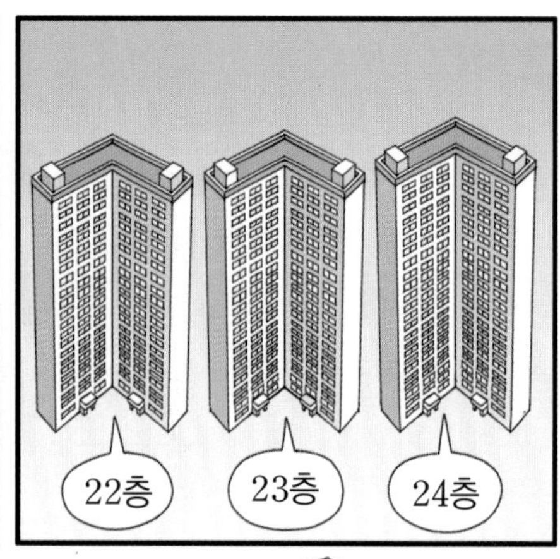

## 똑똑한 하루 계산법

• 1만큼 더 작은 수 알아보기

37 — 38

1만큼 더 작은 수

• 1만큼 더 큰 수 알아보기

44 — 45

1만큼 더 큰 수

• 1만큼 더 작은 수, 1만큼 더 큰 수 알아보기

## OX 퀴즈

1만큼 더 작은 수와 1만큼 더 큰 수가 바르면 ○에, 틀리면 ✕에 ○표 하세요.

19 — 20 — 22

1만큼 더 작은 수 / 1만큼 더 큰 수

○ 

정답 ✕에 ○표

# 똑똑한 계산 연습

▶정답 및 풀이 22쪽

제한 시간 3분

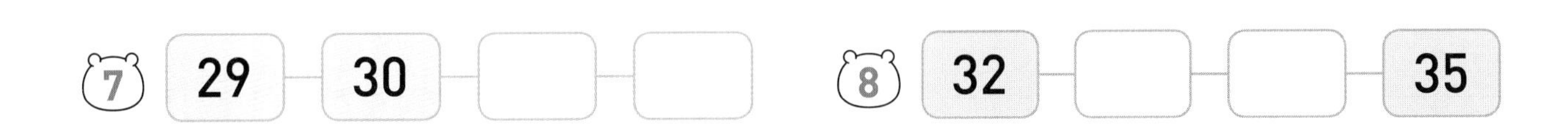

4주 4일

# 수의 순서 알아보기 ②

## 똑똑한 하루 계산법

• 수직선에서 수의 순서 알아보기

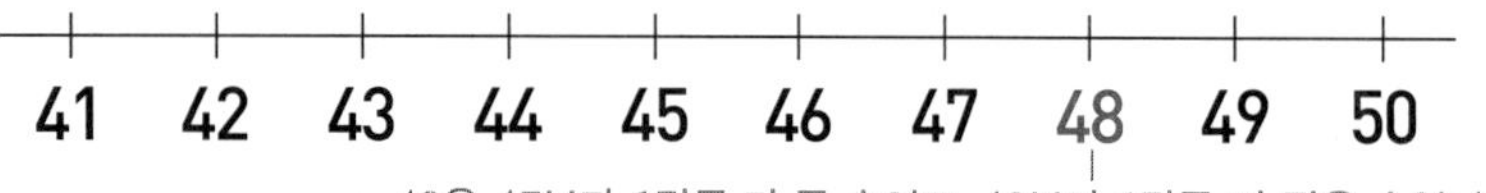


48은 47보다 1만큼 더 큰 수이고, 49보다 1만큼 더 작은 수입니다.

• 수 배열표에서 수의 순서 알아보기

| 1 | 2 | 3 | 4 | 5 | 6 | 7 | 8 | 9 | 10 |
|---|---|---|---|---|---|---|---|---|---|
| 11 | 12 | 13 | 14 | 15 | 16 | 17 | 18 | 19 | 20 |
| 21 | 22 | 23 | 24 | 25 | 26 | 27 | 28 | 29 | 30 |
| 31 | 32 | 33 | 34 | 35 | 36 | 37 | 38 | 39 | 40 |
| 41 | 42 | 43 | 44 | 45 | 46 | 47 | 48 | 49 | 50 |

정답 ❶ ○에 ○표 ❷ ✕에 ○표

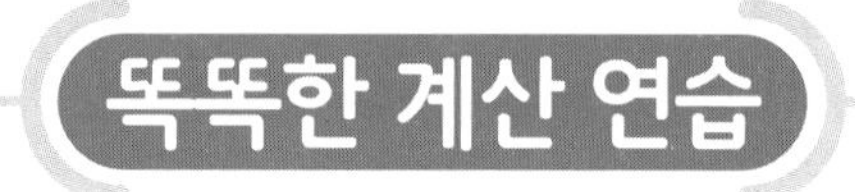


▶정답 및 풀이 22쪽

제한 시간 3분

수의 순서에 맞게 빈 곳에 알맞은 수를 써넣으세요.

①

| 1 | 2 | 3 |  |  |  | 7 |  | 9 |  |
|---|---|---|---|---|---|---|---|---|---|

②

| 21 | 22 |  |  |  | 26 |  | 28 |  |  |
|---|---|---|---|---|---|---|---|---|---|

③

| 32 | 33 |  |  |  | 37 |  |  |  | 41 |
|---|---|---|---|---|---|---|---|---|---|

④

| 41 |  |  | 44 | 45 |  |  | 48 |  |  |
|---|---|---|---|---|---|---|---|---|---|

⑤

| 1 | 2 | 3 | 4 | 5 | 6 | 7 |  |  | 10 |
|---|---|---|---|---|---|---|---|---|---|
| 11 | 12 |  | 14 | 15 |  | 17 | 18 | 19 | 20 |
| 21 |  | 23 | 24 | 25 | 26 |  |  | 29 |  |
|  | 32 | 33 |  | 35 |  | 37 |  | 39 | 40 |
| 41 | 42 |  | 44 |  | 46 | 47 | 48 |  |  |

아래로 1칸 내려갈 때마다 10씩 커집니다.

⑥

| 1 | 2 |  | 4 | 5 |  | 7 | 8 | 9 |  |
|---|---|---|---|---|---|---|---|---|---|
| 11 |  | 13 | 14 |  | 16 | 17 |  |  | 20 |
|  | 22 |  |  | 25 | 26 | 27 |  |  | 30 |
| 31 |  | 33 | 34 |  | 36 |  | 38 | 39 |  |
|  | 42 | 43 | 44 |  |  | 47 |  | 49 | 50 |

# 기초 집중 연습

순서에 맞게 빈 곳에 알맞은 수를 써넣으세요.

**1**-1

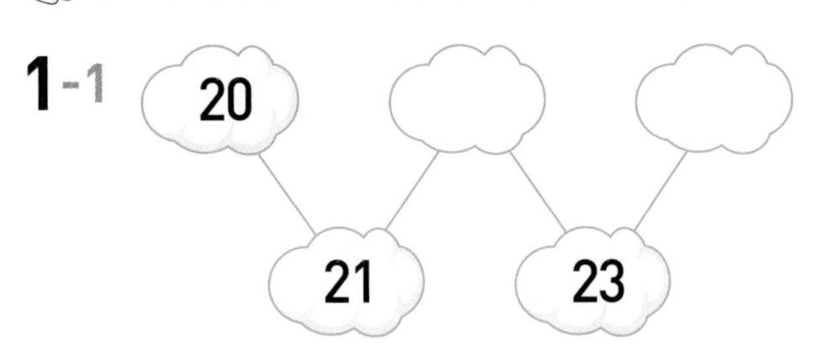


**1**-2

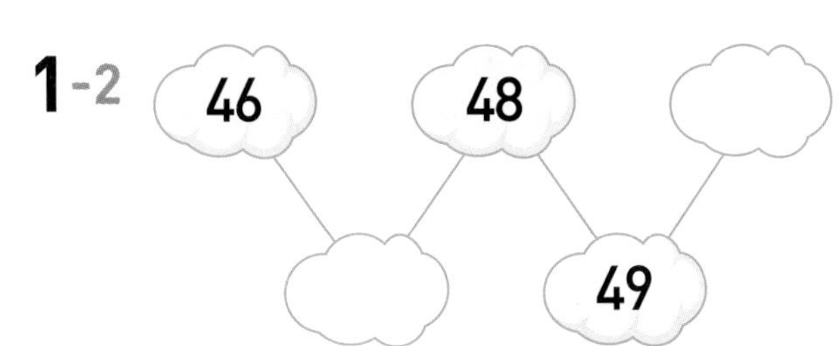


보기 와 같이 주어진 수의 순서대로 선을 그어 보세요.

보기

22부터 29까지

| 22 | 21 | 34 | 35 | 36 |
|---|---|---|---|---|
| 23 | 20 | 33 | 32 | 31 |
| 24 | 25 | 26 | 27 | 30 |
| 39 | 38 | 37 | 28 | 29 |

**2**-1

30부터 37까지

| 30 | 31 | 32 | 25 | 26 |
|---|---|---|---|---|
| 29 | 28 | 33 | 24 | 27 |
| 42 | 41 | 34 | 35 | 36 |
| 43 | 40 | 39 | 38 | 37 |

**2**-2

36부터 48까지

| 36 | 37 | 33 | 31 | 32 |
|---|---|---|---|---|
| 35 | 38 | 34 | 46 | 47 |
| 40 | 39 | 44 | 45 | 48 |
| 41 | 42 | 43 | 50 | 49 |

**2**-3

38부터 50까지

| 38 | 39 | 40 | 32 | 33 |
|---|---|---|---|---|
| 37 | 42 | 41 | 50 | 49 |
| 36 | 43 | 34 | 47 | 48 |
| 35 | 44 | 45 | 46 | 31 |

제한 시간 9분

생활 속 문제

수가 적힌 카드를 1만큼 더 큰 순서대로 놓았습니다. 잘못 놓인 카드에 ×표 하세요.

**3-1** 20 21 22 23 25

**3-2** 32 23 34 35 36

**3-3** 27 28 29 20 31

**3-4** 45 47 48 49 50



문장 읽고 문제 해결하기

**4-1** 49보다 1만큼 더 큰 수는?

49 — □ (1만큼 더 큰 수)

**4-2** 30보다 1만큼 더 작은 수는?

□ (1만큼 더 작은 수) — 30

**4-3** 21보다 1만큼 더 작은 수는?

□ (1만큼 더 작은 수) — 21

**4-4** 44보다 1만큼 더 큰 수는?

44 — □ (1만큼 더 큰 수)

# 두 수의 크기 비교하기

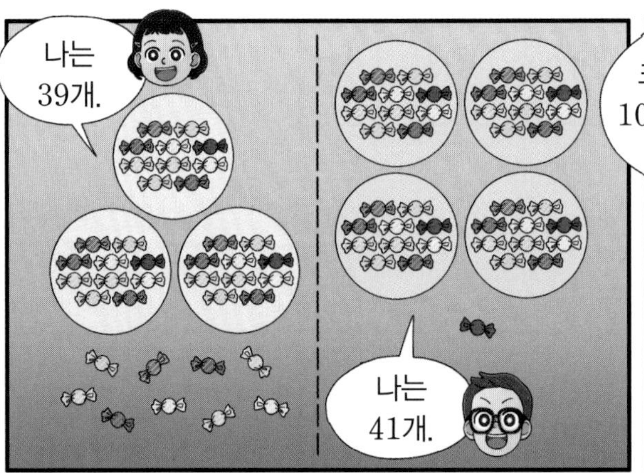

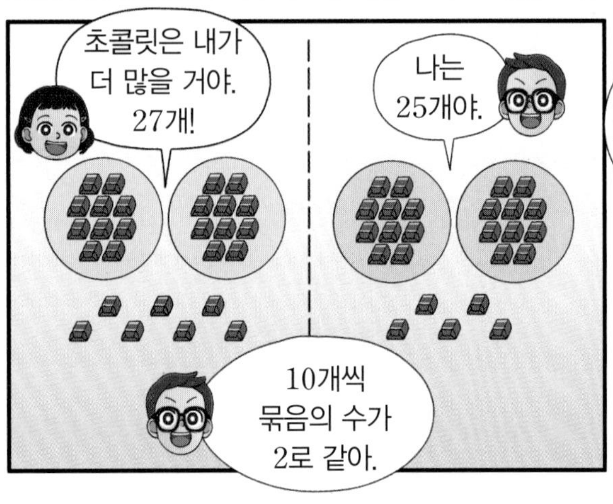

## 똑똑한 하루 계산법

### • 두 수의 크기 비교하기

(1) 10개씩 묶음의 수가 다른 경우

예 39와 41의 크기 비교

| 수 | 10개씩 묶음(개) | 낱개(개) |
|---|---|---|
| **39** | 3 | 9 |
| **41** | 4 | 1 |

39는 41보다 작습니다.
41은 39보다 큽니다.

(2) 10개씩 묶음의 수가 같은 경우

예 27과 25의 크기 비교

| 수 | 10개씩 묶음(개) | 낱개(개) |
|---|---|---|
| **27** | 2 | 7 |
| **25** | 2 | 5 |

27은 25보다 큽니다.
25는 27보다 작습니다.

두 수의 크기 비교를 할 때에는 10개씩 묶음의 수를 먼저 비교하고,
10개씩 묶음의 수가 같으면 낱개의 수를 비교합니다.

## 똑똑한 계산 연습

▶정답 및 풀이 22쪽

제한 시간 3분

더 큰 수에 ○표 하세요.

① | 21 | 15 |
|---|---|

② | 30 | 28 |
|---|---|

③ | 13 | 19 |
|---|---|

④ | 45 | 29 |
|---|---|

⑤ | 17 | 23 |
|---|---|

⑥ | 26 | 22 |
|---|---|

더 작은 수에 △표 하세요.

⑦ | 14 | 18 |
|---|---|

⑧ | 20 | 23 |
|---|---|

⑨ | 16 | 45 |
|---|---|

⑩ | 27 | 33 |
|---|---|

⑪ | 37 | 40 |
|---|---|

⑫ | 25 | 28 |
|---|---|

# 5일 세 수의 크기 비교하기

## 똑똑한 하루 계산법

- **세 수의 크기 비교하기**

㉮ 28, 38, 43의 크기 비교

**방법 1** 두 수씩 묶어서 비교하기

① 28과 38 중에서 38이 더 큽니다.

② 38과 43 중에서 43이 더 큽니다.

⇨ 28이 가장 작고 43이 가장 큽니다.

**방법 2** 세 수를 동시에 비교하기

① 10개씩 묶음의 수를 한꺼번에 비교하면 2가 가장 작고 4가 가장 큽니다.

**28, 38, 43**

② 10개씩 묶음의 수가 가장 많은 수가 가장 크므로 43이 가장 크고 28이 가장 작습니다.

## O✕ 퀴즈

설명이 옳으면 O에, 틀리면 ✕에 ○표 하세요.

21, 30, 17 중 가장 큰 수는 17입니다.

❶  

46, 40, 49 중 가장 작은 수는 40입니다.

❷  

정답 ❶ ✕에 ○표 ❷ O에 ○표

# 똑똑한 계산 연습

▶정답 및 풀이 23쪽

제한 시간 3분

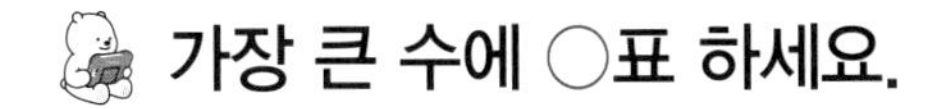

가장 큰 수에 ○표 하세요.

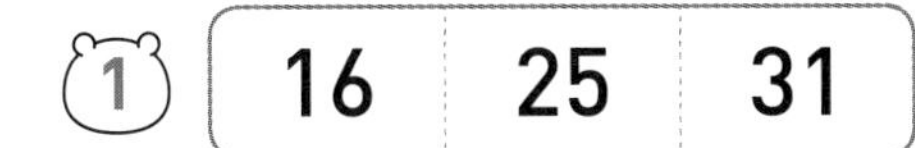

① 16 25 31

② 28 44 35

③ 24 15 32

④ 40 35 17

⑤ 36 23 45

⑥ 19 27 21

가장 작은 수에 △표 하세요.

⑦ 12 19 17

⑧ 34 48 27

⑨ 25 21 29

⑩ 18 39 30

⑪ 49 41 36

⑫ 28 32 14

# 기초 집중 연습

빈 곳에 알맞은 수를 써넣으세요.

**1-1**

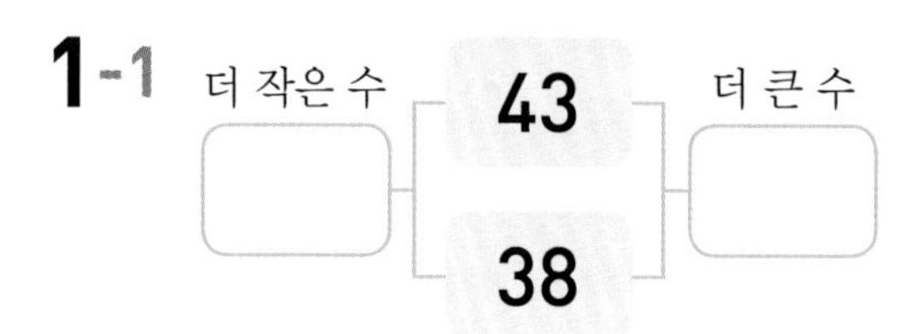


**1-2**

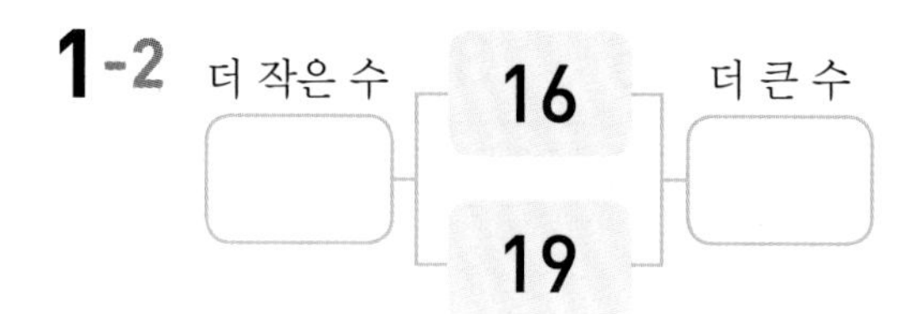


**1-3**

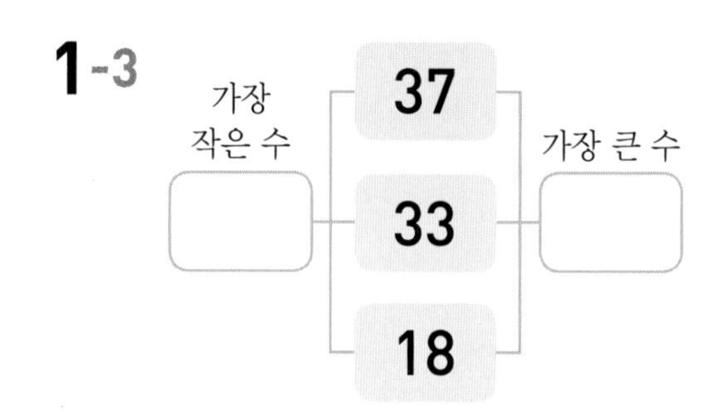


**1-4**

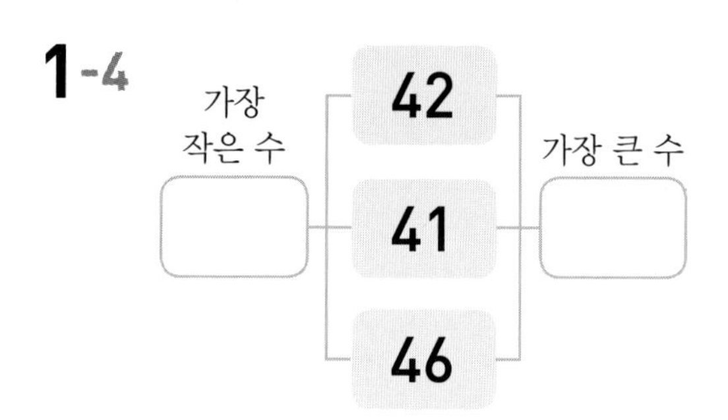


보기 와 같이 주어진 수를 ▢ 안에 알맞게 써넣으세요.

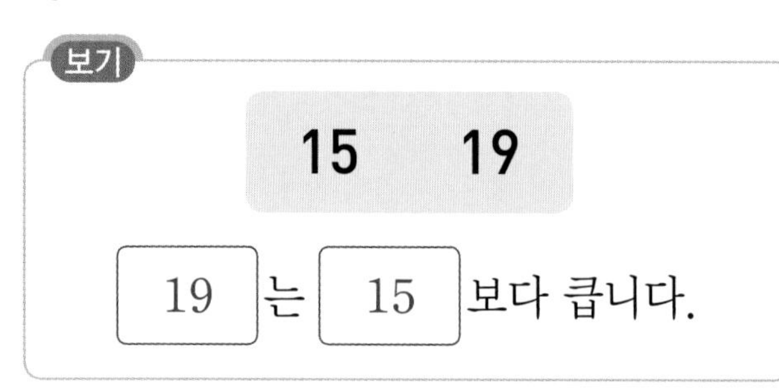


**2-1** 26 31

▢ 은/는 ▢ 보다 큽니다.

**2-2** 50 45

▢ 은/는 ▢ 보다 작습니다.

**2-3**

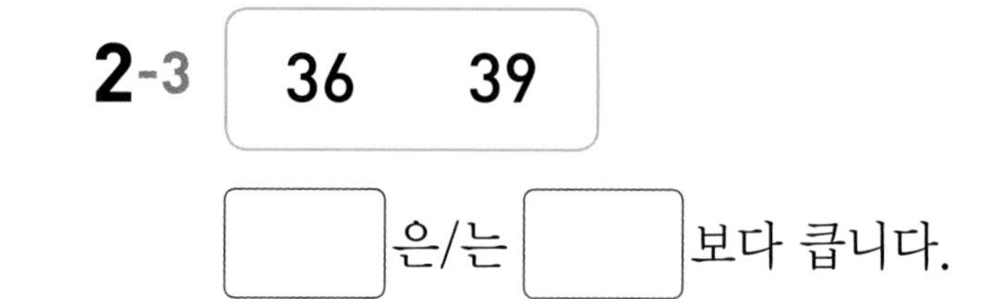

제한 시간 9분

생활 속 문제

그림을 보고 ▢ 안에 알맞은 수를 써넣으세요.

**3-1**

▢ 은/는 ▢ 보다 큽니다.

**3-2**

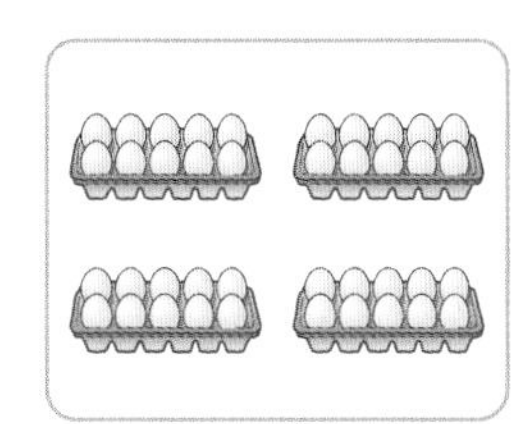

▢ 은/는 ▢ 보다 작습니다.

**3-3**

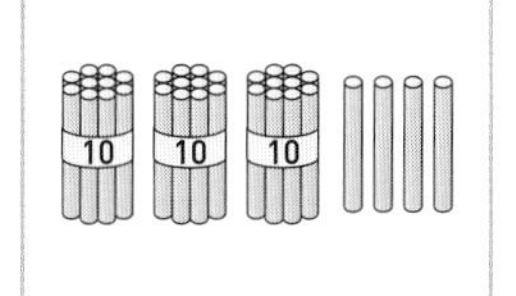


▢ 은/는 ▢ 보다 큽니다.

**3-4**

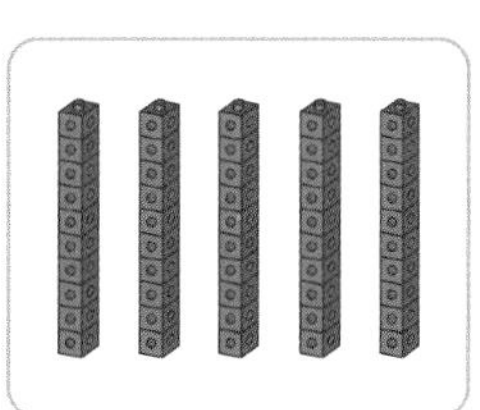

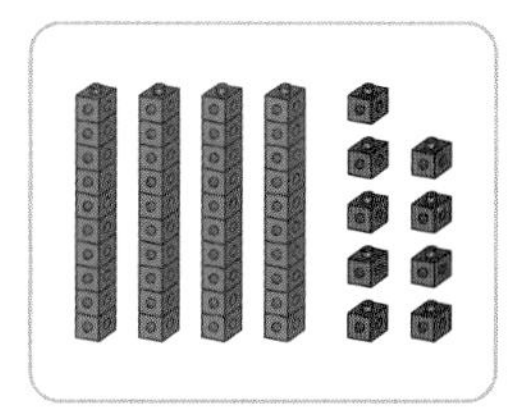

▢ 은/는 ▢ 보다 작습니다.

문장 읽고 문제 해결하기

**4-1** 47, 32, 23 중 가장 작은 수는?

답 ______________

**4-2** 25, 27, 26 중 가장 큰 수는?

답 ______________

# 누구나 100점 맞는 TEST

**1** 주어진 개수가 되도록 ○를 더 그려 넣으세요.

(1) 14

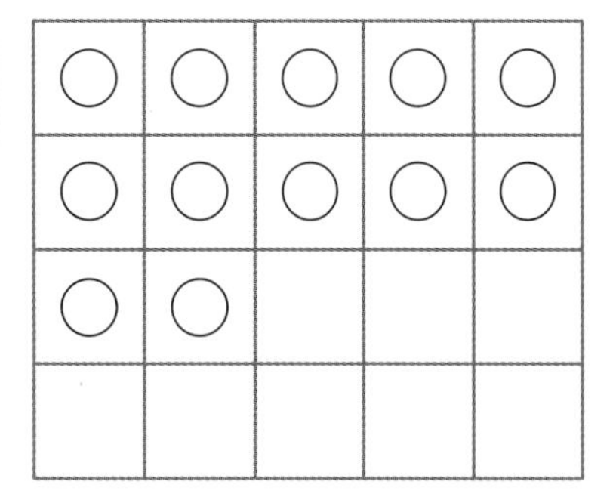

(2) 17

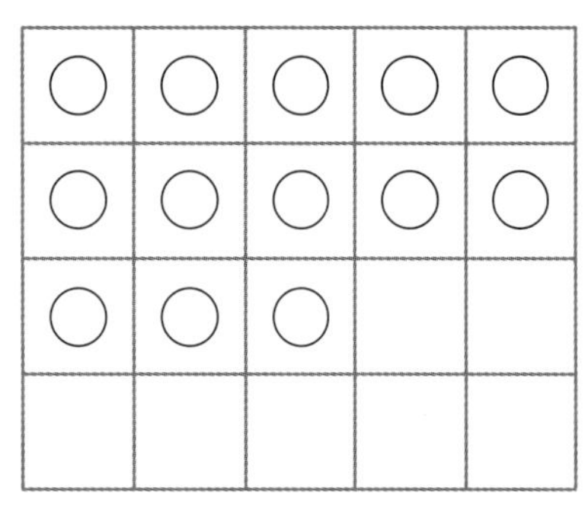

**2** 수를 2가지 방법으로 읽어 보세요.

(1)

| 50 | |
|---|---|
| | |

(2)

| 38 | |
|---|---|
| | |

**3** 빈칸에 알맞은 수를 써넣으세요.

| 수 | 10개씩 묶음(개) | 낱개(개) |
|---|---|---|
| 43 | | |

**4** 가르기를 해 보세요.

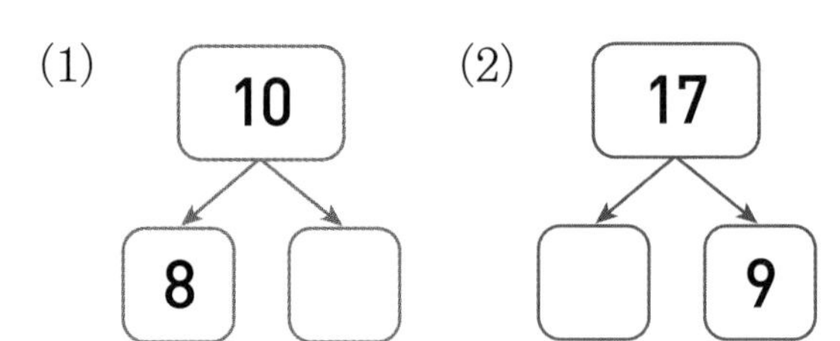


**5** 모으기를 해 보세요.

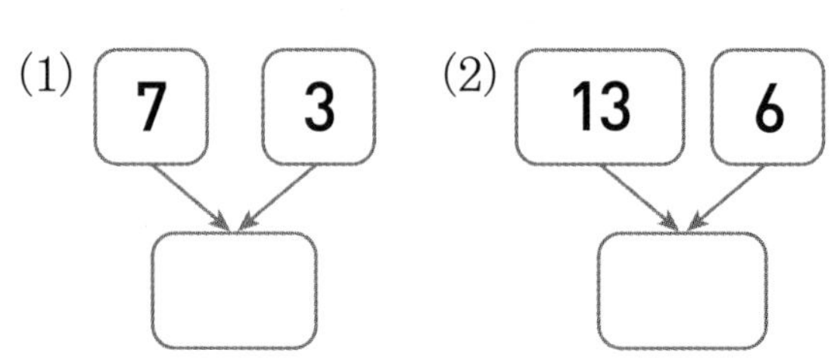

**6** 빈 곳에 알맞은 수를 써넣으세요.

**7** 수의 순서에 맞게 빈 곳에 알맞은 수를 써넣으세요.

**8** 수가 적힌 카드를 1만큼 더 큰 순서대로 놓았습니다. 잘못 놓인 카드에 ×표 하세요.

**9** 주어진 수를 ▢ 안에 알맞게 써넣으세요.

(1) 17 23

▢은/는 ▢보다 작습니다.

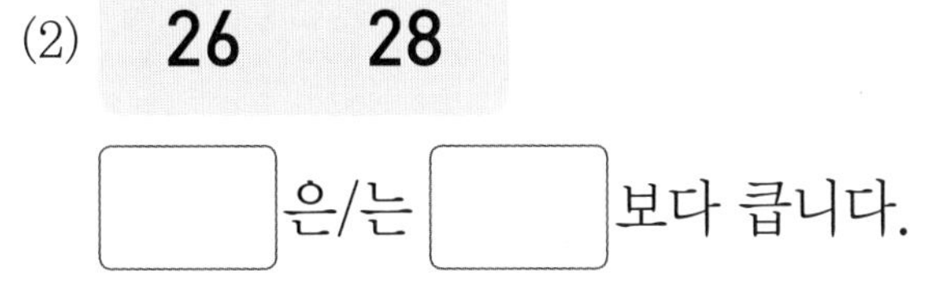

(2) 26 28

▢은/는 ▢보다 큽니다.

**10** 가장 큰 수에 ○표, 가장 작은 수에 △표 하세요.

(1)

| 40 | 34 | 28 |
|---|---|---|

(2)

| 21 | 19 | 22 |
|---|---|---|

## 창의 · 융합 · 코딩

# 블록으로 알파벳을 만들어 보자!

3명의 어린이가 블록으로 각각 모양을 만들었습니다. 만드는 데 사용한 블록의 수를 구하세요.

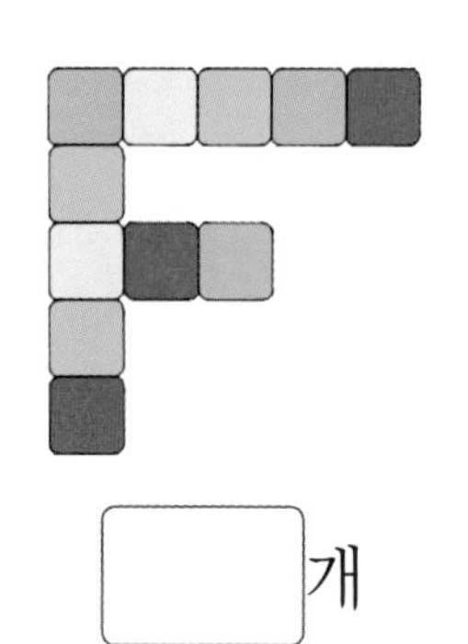

☐개

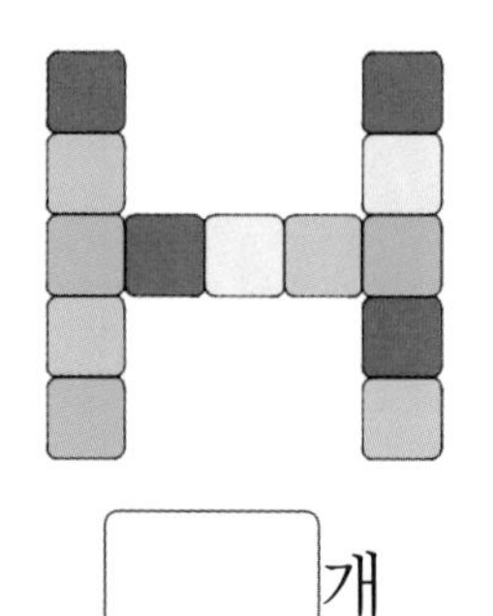

☐개

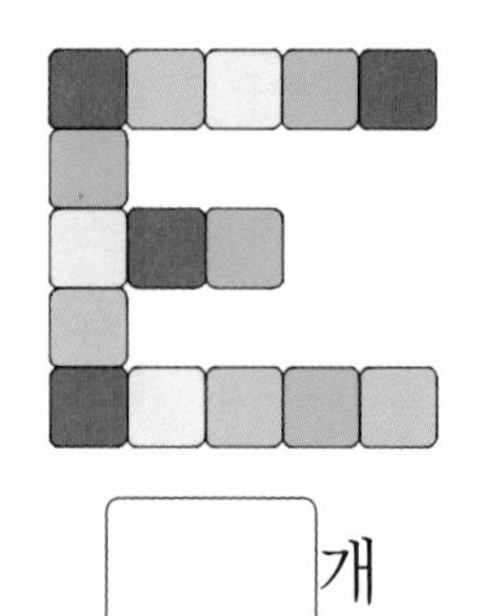

☐개

▶정답 및 풀이 24쪽

# 과녁을 향해 화살을 쏴라!

정현이와 연수가 과녁 맞히기 놀이를 하고 있습니다. 얻은 점수는 각각 몇 점인지 알아보세요.

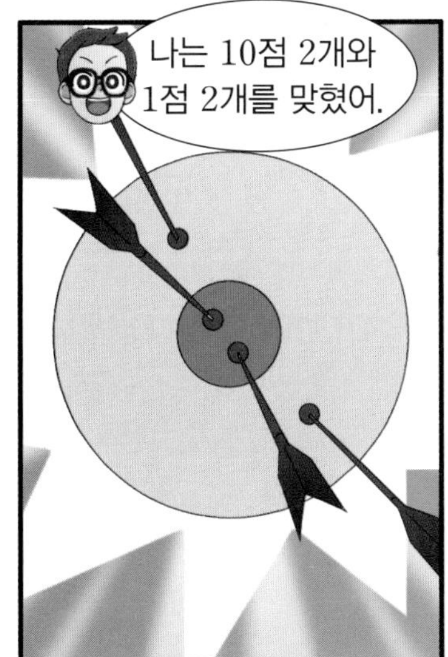

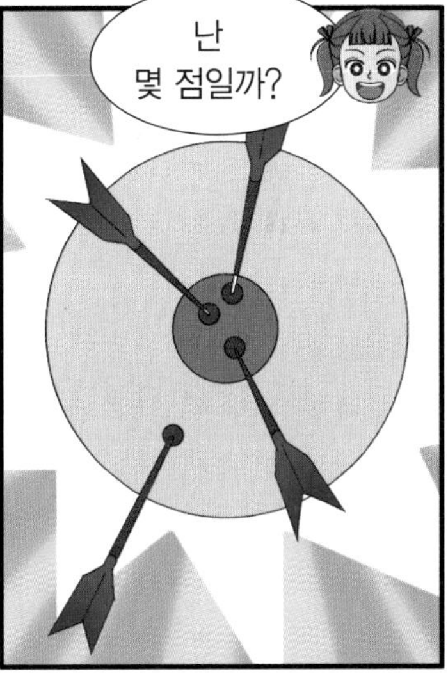

정현이의 점수는 10점 ☐개와 1점 ☐개로 ☐점입니다.

연수의 점수는 10점 ☐개와 1점 ☐개로 ☐점입니다.

# 창의 · 융합 · 코딩

비행기 좌석을 나타낸 것입니다. 아라의 자리는 어디인지 찾아 ○표 하세요.

내 자리 번호는
10개씩 묶음 4개와
낱개 2개인 수야.

아라

주훈이 엄마의 생일 케이크가 다음과 같고 아빠는 엄마보다 1살 더 많을 때 아빠의 생일 케이크에 초를 그려 넣으세요.

엄마

아빠

생일 케이크에서
긴 초는 10살, 짧은
초는 1살을 나타내~.

▶정답 및 풀이 24쪽

**융합 5** 민호네 반 학생들이 앞에서부터 번호 순서대로 서 있습니다. 준희의 번호는 23번일 때 민호와 준희 사이에 서 있는 학생은 몇 명인지 구하세요.

답 ______________ 명



**창의 6** 정우는 민하를 만나러 가려고 합니다. 주어진 2장의 수 카드를 모으기 하여 10이 되는 곳을 따라가면 만날 수 있습니다. 길을 찾아 선으로 이어 보세요.

# 특강 창의 · 융합 · 코딩

두 수의 크기를 비교하여 더 큰 수를 ▢ 안에 써넣고, 가장 큰 수가 쓰여 있는 로봇에 ◯표 하세요.

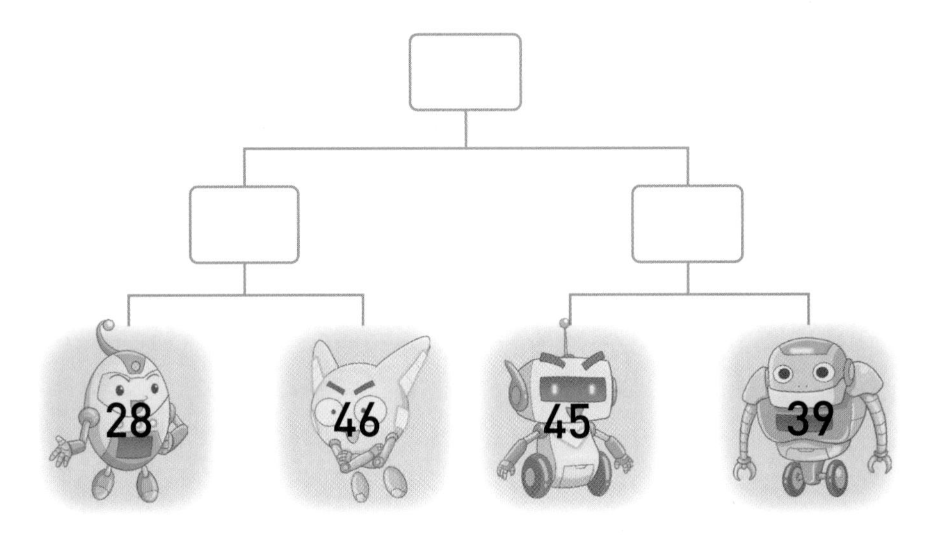


창의 8 강아지 로봇이 모든 칸을 한 번씩 지나 주인을 찾아 갈 수 있도록 수를 순서대로 써넣고 선으로 연결해 보세요.

|  |  |  |  |
|---|---|---|---|
|  | 29 |  | 39 |
| 27 | 28 |  |  |
|  |  | 32 |  |
|  | 34 |  | 36 |

▶정답 및 풀이 24쪽

**코딩 9** 다음과 같이 두 로봇이 명령에 따라 이동했을 때 두 로봇이 도착한 칸이 나타내는 수의 크기를 비교하려고 합니다. 물음에 답하세요.

(1) ㉡ 로봇의 명령어를 보고 ㉡ 로봇이 도착한 곳을 색칠해 보세요.

(2) ㉠ 로봇과 ㉡ 로봇 중 어떤 로봇이 도착한 칸의 수가 더 클까요?

답 ____________ 로봇

**초등 수학 기초 학습 능력 강화 교재**

2021 신간

하루하루 쌓이는 수학 자신감!

# 똑똑한 하루 수학 시리즈

### 초등 수학 첫 걸음

수학 공부, 절대 지루하면 안 되니까~
하루 10분 학습 커리큘럼으로
쉽고 재미있게 수학과 친해지기!

### 학습 영양 밸런스

〈수학〉은 물론 〈계산〉, 〈도형〉, 〈사고력〉편까지
초등 수학 전 영역을 커버하는 맞춤형 교재로
편식은 NO! 완벽한 수학 영양 밸런스!

### 창의·사고력 확장

초등학생에게 꼭 필요한 수학 지식과
창의·융합·사고력 확장을 위한
재미있는 문제 구성으로 힘찬 워밍업!

**우리 아이 공부 습관 프로젝트!**

똑똑한

# 하루

시/리/즈

### 쉽다!

10분이면 하루 치 공부를 마칠 수 있는 커리큘럼으로,
아이들이 초등 학습에 쉽고 재미있게 접근할 수 있도록 구성하였습니다.

### 재미있다!

교과서는 물론 생활 속에서 쉽게 접할 수 있는 다양한 소재와
재미있는 게임 형식의 문제로 흥미로운 학습이 가능합니다.

### 똑똑하다!

초등학생에게 꼭 필요한 학습 지식 습득은 물론
창의력 확장까지 가능한 교재로 올바른 공부습관을 가지는 데 도움을 줍니다.

# 정답 및 풀이

똑 똑 한
# 하루 계산

초등 수학 1A
1학년 수준

천재교육

# 정답 및 풀이
# 포인트 3가지

- 혼자서도 이해할 수 있는 문제 풀이
- 자세한 풀이 제시
- 참고·주의 등 풍부한 보충 설명

# 정답 및 풀이

## 1주 • 9까지의 수

### 7쪽 똑똑한 계산 연습

| | |
|---|---|
| ① 2에 ○표 | ② 4에 ○표 |
| ③ 3에 ○표 | ④ 5에 ○표 |
| ⑤ 둘에 ○표 | ⑥ 다섯에 ○표 |
| ⑦ 하나에 ○표 | ⑧ 셋에 ○표 |
| ⑨ 넷에 ○표 | ⑩ 다섯에 ○표 |

② 무는 하나, 둘, 셋, 넷이므로 4입니다.

③ 가지는 하나, 둘, 셋이므로 3입니다.

④ 옥수수는 하나, 둘, 셋, 넷, 다섯이므로 5입니다.

⑨ 사자는 하나, 둘, 셋, 넷입니다.

⑩ 상어는 하나, 둘, 셋, 넷, 다섯입니다.

### 9쪽 똑똑한 계산 연습

① | 1 | 1 | 1 | 1 |

② | 3 | 3 | 3 | 3 |

③ | 5 | 5 | 5 | 5 |

④ | 2 | 2 | 2 | 2 |

⑤ | 4 | 4 | 4 | 4 |

| | |
|---|---|
| ⑥ 5 | ⑦ 2 |
| ⑧ 1 | ⑨ 4 |
| ⑩ 3 | ⑪ 5 |

⑨ 오렌지는 하나, 둘, 셋, 넷이므로 4입니다.

⑩ 복숭아는 하나, 둘, 셋이므로 3입니다.

⑪ 바나나는 하나, 둘, 셋, 넷, 다섯이므로 5입니다.

### 10~11쪽 기초 집중 연습

| | |
|---|---|
| **1-1** 이 | **1-2** 다섯 |
| **1-3** 하나 | **1-4** 삼 |

**2-1** 예

| ○ | ○ | ○ | ○ | |
|---|---|---|---|---|
| | | | | |

; 4

**2-2** 예

| ○ | ○ | ○ | | |
|---|---|---|---|---|
| | | | | |

; 3

**2-3** 예

| ○ | ○ | ○ | ○ | ○ |
|---|---|---|---|---|
| | | | | |

; 5

**2-4** 예

| ○ | ○ | | | |
|---|---|---|---|---|
| | | | | |

; 2

| | |
|---|---|
| **3-1** 5 | **3-2** 2 |
| **3-3** 3 | **3-4** 4 |
| **3-5** 4 | **3-6** 1 |
| **4-1** 넷, 사 | **4-2** 둘, 이 |
| **4-3** 셋, 삼 | **4-4** 다섯, 오 |

**2-1** ☆을 세어 보면 하나, 둘, 셋, 넷이므로 ○를 4개 그리고, 4라고 씁니다.

**2-3** ☆을 세어 보면 하나, 둘, 셋, 넷, 다섯이므로 ○를 5개 그리고, 5라고 씁니다.

**3-1** 감자를 세어 보면 하나, 둘, 셋, 넷, 다섯이므로 5입니다.

**3-4** 양파를 세어 보면 하나, 둘, 셋, 넷이므로 4입니다.

### 13쪽 똑똑한 계산 연습

| | |
|---|---|
| ① 6에 ○표 | ② 9에 ○표 |
| ③ 7에 ○표 | ④ 8에 ○표 |
| ⑤ 여덟에 ○표 | ⑥ 여섯에 ○표 |
| ⑦ 아홉에 ○표 | ⑧ 일곱에 ○표 |

② 야구공을 세어 보면 아홉이므로 9입니다.

③ 농구공을 세어 보면 일곱이므로 7입니다.

④ 배구공을 세어 보면 여덟이므로 8입니다.

## 15쪽 똑똑한 계산 연습

① 9 9 9 9
② 7 7 7 7
③ 6 6 6 6
④ 8 8 8 8
⑤ 7 ⑥ 9
⑦ 6 ⑧ 8
⑨ 9 ⑩ 6

⑧ 캐스터네츠를 세어 보면 여덟이므로 8입니다.

⑨ 트라이앵글을 세어 보면 아홉이므로 9입니다.

⑩ 바이올린을 세어 보면 여섯이므로 6입니다.

## 16~17쪽 기초 집중 연습

1-1 육 1-2 아홉
1-3 팔 1-4 일곱
2-1 예 ○○○○○ / ○ ; 6
2-2 예 ○○○○○ / ○○○ ; 8
2-3 예 ○○○○○ / ○○○○ ; 9
2-4 예 ○○○○○ / ○○ ; 7
3-1 6 3-2 6
3-3 9 3-4 8
3-5 9 3-6 7
4-1 여덟, 팔 4-2 여섯, 육
4-3 아홉, 구 4-4 일곱, 칠

2-1 ♡를 세어 보면 여섯이므로 ○를 6개 그리고, 6이라고 씁니다.

2-3 ♡를 세어 보면 아홉이므로 ○를 9개 그리고, 9라고 씁니다.

2-4 ♡를 세어 보면 일곱이므로 ○를 7개 그리고, 7이라고 씁니다.

3-1 수첩을 세어 보면 여섯이므로 6입니다.

3-2 동화책을 세어 보면 여섯이므로 6입니다.

3-3 물감을 세어 보면 아홉이므로 9입니다.

3-4 크레파스를 세어 보면 여덟이므로 8입니다.

3-5 공책을 세어 보면 아홉이므로 9입니다.

3-6 필통을 세어 보면 일곱이므로 7입니다.

## 19쪽 똑똑한 계산 연습

① 넷째, 여덟째
② 여섯째, 아홉째
③ 셋째, 일곱째
④ (위에서부터) 아홉째, 다섯째
⑤ (위에서부터) 넷째, 여덟째

## 21쪽 똑똑한 계산 연습

① 3, 6, 7, 9 ② 2, 4, 6, 8
③ 1, 4, 5, 8, 9 ④ 6, 7
⑤ 8, 9 ⑥ 3, 5, 6
⑦ 4, 6, 8

③ 2 앞에는 1이므로 수를 순서대로 쓰면 1, 2, 3, 4, 5, 6, 7, 8, 9입니다.

⑥ 2 다음에는 3, 4 다음에는 5, 5 다음에는 6입니다.

⑦ 5 앞에는 4, 5 다음에는 6, 7 다음에는 8입니다.

## 22~23쪽 기초 집중 연습

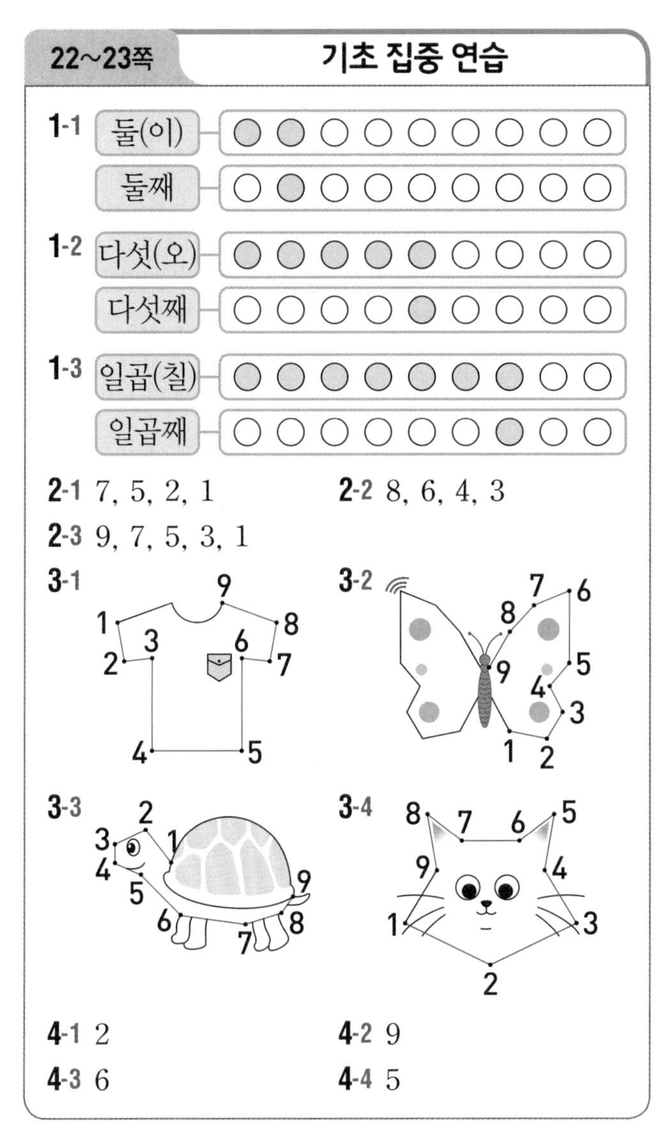


**2-1** 7, 5, 2, 1 **2-2** 8, 6, 4, 3

**2-3** 9, 7, 5, 3, 1

**3-1** **3-2** **3-3** **3-4**

**4-1** 2 **4-2** 9

**4-3** 6 **4-4** 5

**1-3** 일곱(칠)은 수를 나타내므로 7개를 색칠하고 일곱째는 순서를 나타내므로 일곱째에 있는 1개만 색칠합니다.

**4-4** 수를 순서대로 쓰면 3, 4, 5이므로 4 다음에는 5입니다.

## 25쪽 똑똑한 계산 연습

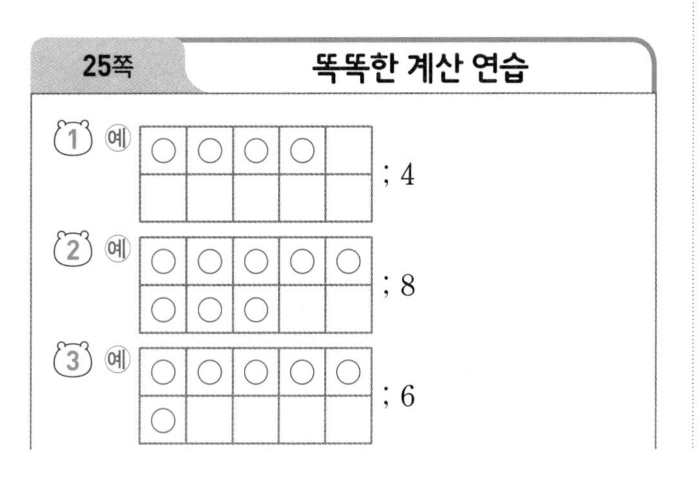


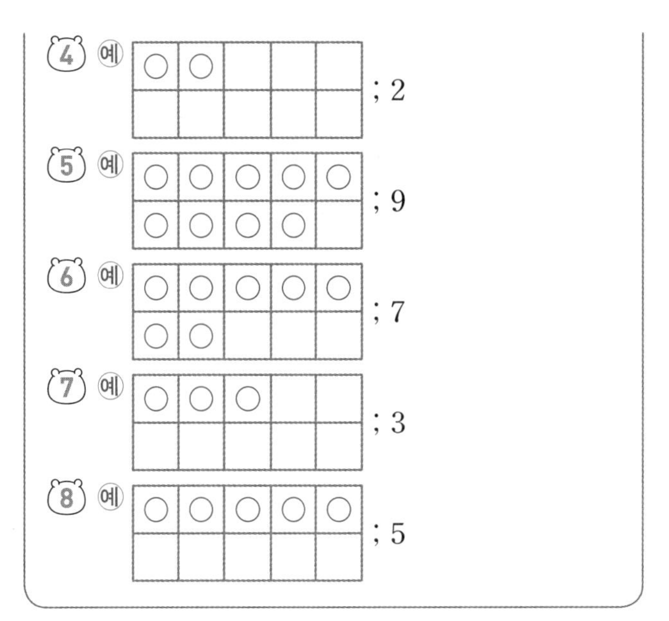


② 7보다 1만큼 더 큰 수는 8이므로 ○를 8개 그립니다.

③ 5보다 1만큼 더 큰 수는 6이므로 ○를 6개 그립니다.

## 27쪽 똑똑한 계산 연습

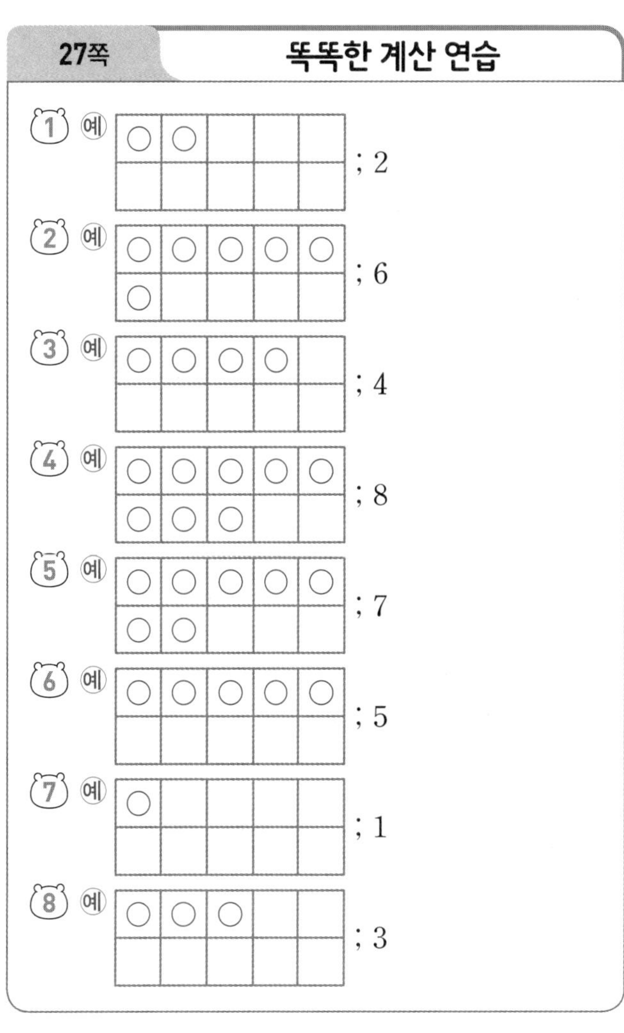

② 7보다 1만큼 더 작은 수는 6이므로 ○를 6개 그립니다.

③ 5보다 1만큼 더 작은 수는 4이므로 ○를 4개 그립니다.

④ 9보다 1만큼 더 작은 수는 8이므로 ○를 8개 그립니다.

⑦ 2보다 1만큼 더 작은 수는 1이므로 ○를 1개 그립니다.

⑧ 4보다 1만큼 더 작은 수는 3이므로 ○를 3개 그립니다.

**28~29쪽 기초 집중 연습**

| | |
|---|---|
| **1-1** 4에 ○표 | **1-2** 9에 ○표 |
| **1-3** 7에 ○표 | **1-4** 6에 ○표 |
| **2-1** 2, 4 | **2-2** 7, 9 |
| **2-3** 5, 7 | **2-4** 0, 2 |
| **3-1** 5 | **3-2** 8 |
| **3-3** 2 | **3-4** 4 |
| **3-5** 7 | **3-6** 3 |
| **4-1** 6 | **4-2** 9 |
| **4-3** 0 | **4-4** 8 |

**1-1** 공책을 세어 보면 셋이므로 3입니다.
3보다 1만큼 더 큰 수는 4입니다.

**1-2** 필통을 세어 보면 여덟이므로 8입니다.
8보다 1만큼 더 큰 수는 9입니다.

**1-3** 가위를 세어 보면 여섯이므로 6입니다.
6보다 1만큼 더 큰 수는 7입니다.

**1-4** 색연필을 세어 보면 다섯이므로 5입니다.
5보다 1만큼 더 큰 수는 6입니다.

**2-4** 1보다 1만큼 더 작은 수는 0, 1만큼 더 큰 수는 2입니다.

**3-1** 머핀을 세어 보면 6입니다. 6보다 1만큼 더 작은 수는 5입니다.

**3-2** 쿠키를 세어 보면 9입니다. 9보다 1만큼 더 작은 수는 8입니다.

**3-3** 소시지빵을 세어 보면 3입니다. 3보다 1만큼 더 작은 수는 2입니다.

**3-4** 베이글을 세어 보면 5입니다. 5보다 1만큼 더 작은 수는 4입니다.

**3-5** 크루아상을 세어 보면 8입니다. 8보다 1만큼 더 작은 수는 7입니다.

**3-6** 크림빵을 세어 보면 4입니다. 4보다 1만큼 더 작은 수는 3입니다.

**4-1** 5보다 1만큼 더 큰 수는 5 다음 수인 6입니다.

**4-2** 8보다 1만큼 더 큰 수는 8 다음 수인 9입니다.

**4-3** 1보다 1만큼 더 작은 수는 0입니다.

**4-4** 9보다 1만큼 더 작은 수는 9 바로 앞의 수인 8입니다.

**31쪽 똑똑한 계산 연습**

| | |
|---|---|
| ① 4에 ○표 | ② 7에 ○표 |
| ③ 6에 ○표 | ④ 5에 ○표 |
| ⑤ 9에 ○표 | ⑥ 8에 ○표 |
| ⑦ 6에 △표 | ⑧ 2에 △표 |
| ⑨ 5에 △표 | ⑩ 3에 △표 |
| ⑪ 4에 △표 | ⑫ 8에 △표 |

② 1 2 3 4 5 6 ⑦ ⇨ 7은 3보다 큽니다.

④ 1 2 3 4 ⑤ ⇨ 5는 4보다 큽니다.

⑤ 1 2 3 4 5 6 7 8 ⑨ ⇨ 9는 6보다 큽니다.

⑥ 1 2 3 4 5 6 7 ⑧ ⇨ 8은 4보다 큽니다.

⑦ 1 2 3 4 5 △6 7 8 ⇨ 6은 8보다 작습니다.

⑧ 1 △2 3 4 5 6 ⇨ 2는 6보다 작습니다.

⑩ 1 2 △3 4 5 ⇨ 3은 5보다 작습니다.

⑪ 1 2 3 △4 5 6 7 ⇨ 4는 7보다 작습니다.

## 33쪽 똑똑한 계산 연습

| | |
|---|---|
| ① 5에 ○표 | ② 9에 ○표 |
| ③ 6에 ○표 | ④ 8에 ○표 |
| ⑤ 9에 ○표 | ⑥ 7에 ○표 |
| ⑦ 2에 △표 | ⑧ 5에 △표 |
| ⑨ 1에 △표 | ⑩ 3에 △표 |
| ⑪ 2에 △표 | ⑫ 1에 △표 |

① 작은 수부터 차례로 쓰면 1, 3, 5이므로 가장 큰 수는 5입니다.

② 작은 수부터 차례로 쓰면 3, 7, 9이므로 가장 큰 수는 9입니다.

③ 작은 수부터 차례로 쓰면 1, 4, 6이므로 가장 큰 수는 6입니다.

④ 작은 수부터 차례로 쓰면 2, 5, 8이므로 가장 큰 수는 8입니다.

⑤ 작은 수부터 차례로 쓰면 4, 8, 9이므로 가장 큰 수는 9입니다.

⑥ 작은 수부터 차례로 쓰면 2, 4, 7이므로 가장 큰 수는 7입니다.

⑦ 작은 수부터 차례로 쓰면 2, 3, 4이므로 가장 작은 수는 2입니다.

⑧ 작은 수부터 차례로 쓰면 5, 8, 9이므로 가장 작은 수는 5입니다.

⑨ 작은 수부터 차례로 쓰면 1, 6, 8이므로 가장 작은 수는 1입니다.

⑩ 작은 수부터 차례로 쓰면 3, 6, 7이므로 가장 작은 수는 3입니다.

⑪ 작은 수부터 차례로 쓰면 2, 7, 9이므로 가장 작은 수는 2입니다.

⑫ 작은 수부터 차례로 쓰면 1, 4, 5이므로 가장 작은 수는 1입니다.

## 34~35쪽 기초 집중 연습

**1-1** 2에 △표 **1-2** 5에 △표

**1-3** 4에 △표 **1-4** 2에 △표

**2-1**

| | | |
|---|---|---|
| ⑧ | △4 | 5 |

**2-2**

| | | |
|---|---|---|
| 6 | △5 | ⑦ |

**2-3**

| | | |
|---|---|---|
| △3 | 6 | ⑧ |

**2-4**

| | | |
|---|---|---|
| △4 | ⑨ | 6 |

**3-1** 4 ; 6, 4 **3-2** 7, 4 ; 7, 4

**3-3** 0, 5 ; 0, 5 **3-4** 9, 6 ; 6, 9

**4-1** 5 **4-2** 7

**4-3** 8 **4-4** 4

**1-3** 작은 수부터 차례로 썼을 때 5보다 앞의 수가 5보다 작은 수입니다. ⇨ △4 ⑤ 7

**1-4** 작은 수부터 차례로 썼을 때 4보다 앞의 수가 4보다 작은 수입니다. ⇨ △2 ④ 8

**2-2** 작은 수부터 차례로 쓰면 5, 6, 7이므로 가장 큰 수는 7, 가장 작은 수는 5입니다.

**2-3** 작은 수부터 차례로 쓰면 3, 6, 8이므로 가장 큰 수는 8, 가장 작은 수는 3입니다.

**2-4** 작은 수부터 차례로 쓰면 4, 6, 9이므로 가장 큰 수는 9, 가장 작은 수는 4입니다.

**4-3** 작은 수부터 차례로 쓰면 5, 6, 8이므로 가장 큰 수는 8입니다.

**4-4** 작은 수부터 차례로 쓰면 4, 5, 7이므로 가장 작은 수는 4입니다.

## 36~37쪽 누구나 100점 맞는 TEST

1 (1) 3에 ○표 (2) 8에 ○표
2 (1) 넷, 사 (2) 일곱, 칠
3 (1) 5 (2) 9
4 8에 ○표
5 7
6 여덟(팔) ●●●●●●●●○
여덟째 ○○○○○○○●○
7 4, 6
8 (1) 7, 6, 3, 1 (2) 6, 5, 4, 3
9 (1) 4, 5, 6 (2) 6, 8, 9
10 △3, ○8, 5

1 (1) 케이크를 세어 보면 하나, 둘, 셋이므로 3입니다.
(2) 색연필을 세어 보면 여덟이므로 8입니다.

3 (1) 야구 글러브를 세어 보면 다섯이므로 5입니다.
(2) 야구 방망이를 세어 보면 아홉이므로 9입니다.

4 1 2 3 4 5 6 7 ⑧ ⇨ 8은 3보다 큽니다.

5 핫도그는 8개입니다. 8보다 1만큼 더 작은 수는 7입니다.

6 여덟(팔)은 수를 나타내므로 8개를 색칠하고 여덟째는 순서를 나타내므로 여덟째에 있는 1개만 색칠합니다.

7 5보다 1만큼 더 작은 수는 4, 1만큼 더 큰 수는 6입니다.

8 순서를 거꾸로 하여 수를 쓰면 9, 8, 7, 6, 5, 4, 3, 2, 1입니다.

9 (1) 3 다음에는 4, 4 다음에는 5, 5 다음에는 6입니다.
(2) 5 다음에는 6, 7 다음에는 8, 8 다음에는 9입니다.

10 작은 수부터 차례로 쓰면 3, 5, 8이므로 가장 큰 수는 8, 가장 작은 수는 3입니다.

## 38~43쪽 특강 창의 · 융합 · 코딩

창의 1 0, 4, 3
융합 2 9
코딩 3 7
창의 4 (1)

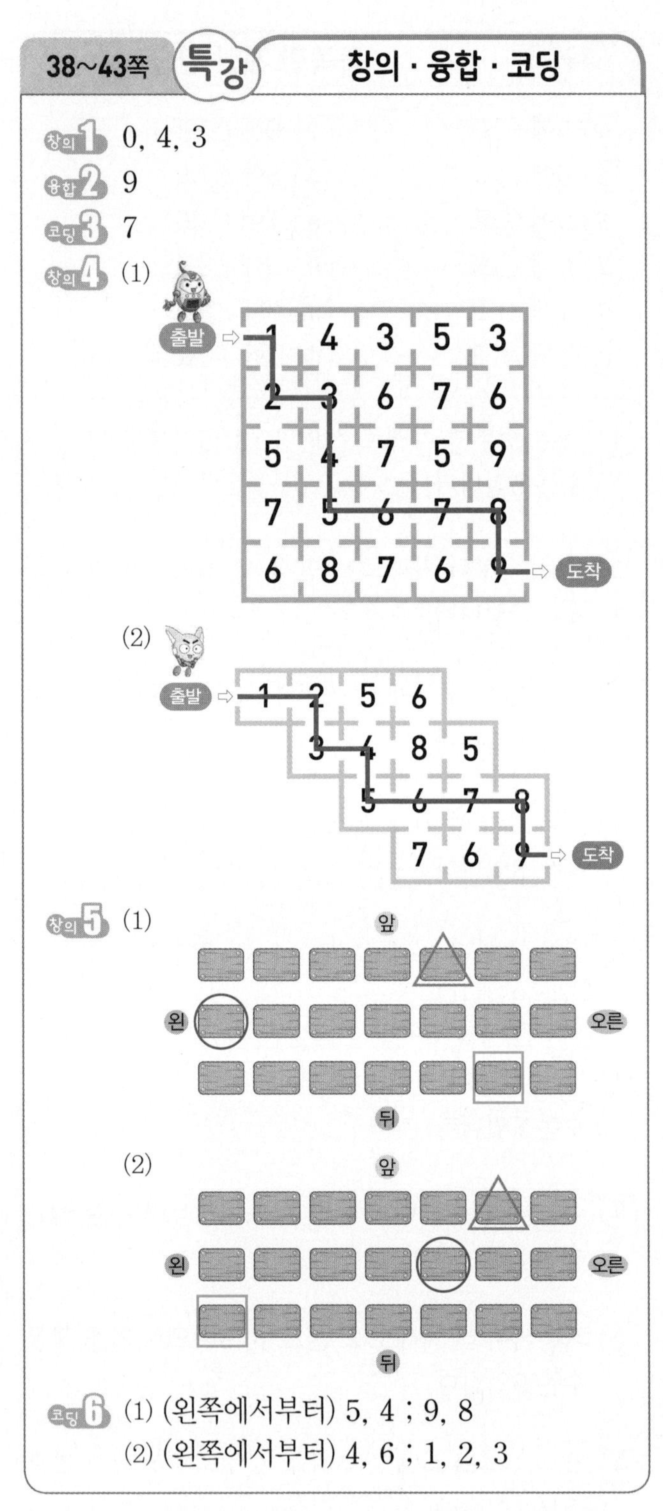


코딩 6 (1) (왼쪽에서부터) 5, 4 ; 9, 8
(2) (왼쪽에서부터) 4, 6 ; 1, 2, 3

융합 2 슬라이스 햄이 8장 필요합니다. 8보다 1만큼 더 큰 수는 9이므로 슬라이스 햄을 9장 준비했습니다.

코딩 3

## 2주 덧셈과 뺄셈 (1)

### 47쪽 똑똑한 계산 연습

| | | |
|---|---|---|
| ① 2 | ② 4 | ③ 3 |
| ④ 5 | ⑤ 3 | ⑥ 5 |
| ⑦ 4 | ⑧ 5 | ⑨ 4 |
| ⑩ 5 | | |

① 곰 인형 1개와 1개를 모으기 하면 곰 인형 2개가 됩니다.

② 머핀 2개와 2개를 모으기 하면 머핀 4개가 됩니다.

③ 도넛 2개와 1개를 모으기 하면 도넛 3개가 됩니다.

④ 사탕 3개와 2개를 모으기 하면 사탕 5개가 됩니다.

⑤ 1과 2를 모으기 하면 3이 됩니다.

⑥ 4와 1을 모으기 하면 5가 됩니다.

⑦ 3과 1을 모으기 하면 4가 됩니다.

⑧ 2와 3을 모으기 하면 5가 됩니다.

⑨ 1과 3을 모으기 하면 4가 됩니다.

⑩ 1과 4를 모으기 하면 5가 됩니다.

### 49쪽 똑똑한 계산 연습

| | | |
|---|---|---|
| ① 1 | ② 2 | ③ 3 |
| ④ 1 | ⑤ 1 | ⑥ 2 |
| ⑦ 3 | ⑧ 1 | ⑨ 3 |
| ⑩ 4 | | |

① 풍선 2개는 1개와 1개로 가르기 할 수 있습니다.

② 모자 3개는 1개와 2개로 가르기 할 수 있습니다.

③ 크레파스 5자루는 3자루와 2자루로 가르기 할 수 있습니다.

④ 가위 4개는 1개와 3개로 가르기 할 수 있습니다.

⑤ 3은 2와 1로 가르기 할 수 있습니다.

⑥ 4는 2와 2로 가르기 할 수 있습니다.

⑦ 5는 2와 3으로 가르기 할 수 있습니다.

⑧ 5는 1과 4로 가르기 할 수 있습니다.

⑨ 4는 3과 1로 가르기 할 수 있습니다.

⑩ 5는 4와 1로 가르기 할 수 있습니다.

### 50~51쪽 기초 집중 연습

| | | |
|---|---|---|
| **1-1** 2 | **1-2** 3 | **1-3** 5 |
| **1-4** 4 | **1-5** 4 | **1-6** 5 |
| **2-1** 2, 1 | **2-2** 3, 2, 1 | |
| **3-1** ○○○○ | | **3-2** ○○○ |
| **3-3** ○○ | | **3-4** ○ |

**4-1** 1, 2 → 3

**4-2** 2, 3 → 5

**4-3** 4 → 1, 3

**4-4** 5 → 2, 3

**1-1** 1과 1을 모으기 하면 2가 됩니다.

**1-2** 2와 1을 모으기 하면 3이 됩니다.

**1-3** 3과 2를 모으기 하면 5가 됩니다.

**1-4** 2와 2를 모으기 하면 4가 됩니다.

**1-5** 3과 1을 모으기 하면 4가 됩니다.

**1-6** 4와 1을 모으기 하면 5가 됩니다.

**2-1** 3은 1과 2, 2와 1로 가르기 할 수 있습니다.

**2-2** 4는 1과 3, 2와 2, 3과 1로 가르기 할 수 있습니다.

**3-1~3-4** 사탕 5개는 1개와 4개, 2개와 3개, 3개와 2개, 4개와 1개로 가르기 할 수 있습니다.

**4-1** 귤 1개와 2개를 모으기 하면 귤 3개가 됩니다.

4-2 빵 2개와 3개를 모으기 하면 빵 5개가 됩니다.

4-3 공책 4권은 1권과 3권으로 가르기 할 수 있습니다.

4-4 연필 5자루는 2자루와 3자루로 가르기 할 수 있습니다.

**53쪽 똑똑한 계산 연습**

① 6 ② 8 ③ 7
④ 9 ⑤ 8 ⑥ 6
⑦ 9 ⑧ 7 ⑨ 9
⑩ 8

① 점 3개와 3개를 모으기 하면 점 6개가 됩니다.

② 점 3개와 5개를 모으기 하면 점 8개가 됩니다.

③ 점 4개와 3개를 모으기 하면 점 7개가 됩니다.

④ 점 4개와 5개를 모으기 하면 점 9개가 됩니다.

⑤ 4와 4를 모으기 하면 8이 됩니다.

⑥ 5와 1을 모으기 하면 6이 됩니다.

⑦ 2와 7을 모으기 하면 9가 됩니다.

⑧ 1과 6을 모으기 하면 7이 됩니다.

⑨ 6과 3을 모으기 하면 9가 됩니다.

⑩ 7과 1을 모으기 하면 8이 됩니다.

**55쪽 똑똑한 계산 연습**

① 2 ② 3 ③ 5
④ 3 ⑤ 6 ⑥ 4
⑦ 1 ⑧ 3 ⑨ 7
⑩ 2

① 풀 6개는 4개와 2개로 가르기 할 수 있습니다.

② 색연필 8자루는 5자루와 3자루로 가르기 할 수 있습니다.

③ 초콜릿 7개는 5개와 2개로 가르기 할 수 있습니다.

④ 단추 9개는 3개와 6개로 가르기 할 수 있습니다.

⑤ 7은 1과 6으로 가르기 할 수 있습니다.

⑥ 8은 4와 4로 가르기 할 수 있습니다.

⑦ 6은 5와 1로 가르기 할 수 있습니다.

⑧ 6은 3과 3으로 가르기 할 수 있습니다.

⑨ 9는 7과 2로 가르기 할 수 있습니다.

⑩ 8은 2와 6으로 가르기 할 수 있습니다.

**56~57쪽 기초 집중 연습**

1-1 6 1-2 8
1-3 9 1-4 7
2-1 (왼쪽에서부터) 5, 3, 1
2-2 (왼쪽에서부터) 5, 4, 1
2-3 (왼쪽에서부터) 7, 5, 4
2-4 (왼쪽에서부터) 7, 4, 1
3-1 6 3-2 6
3-3 2 3-4 4
4-1 5, 2 → 7
4-2 3, 3 → 6
4-3 8 → 3, 5
4-4 9 → 6, 3

1-1 1과 5를 모으기 하면 6이 됩니다.

1-2 2와 6을 모으기 하면 8이 됩니다.

1-3 5와 4를 모으기 하면 9가 됩니다.

1-4 3과 4를 모으기 하면 7이 됩니다.

2-1 6은 1과 5, 3과 3, 5와 1로 가르기 할 수 있습니다.

2-2 7은 2와 5, 3과 4, 6과 1로 가르기 할 수 있습니다.

**2-3** 8은 1과 7, 5와 3, 4와 4로 가르기 할 수 있습니다.

**2-4** 9는 2와 7, 4와 5, 8과 1로 가르기 할 수 있습니다.

**3-1** 구슬 7개는 1개와 6개로 가르기 할 수 있습니다.

> **참고**
> 구슬 7개를 양손에 나누어 가진 것은 7을 두 수로 가르기 하여 구할 수 있습니다.

**3-2** 구슬 8개는 2개와 6개로 가르기 할 수 있습니다.

**3-3** 구슬 6개는 4개와 2개로 가르기 할 수 있습니다.

**3-4** 구슬 9개는 5개와 4개로 가르기 할 수 있습니다.

**4-1** 공깃돌 5개와 2개를 모으기 하면 공깃돌 7개가 됩니다.

**4-2** 사탕 3개와 3개를 모으기 하면 사탕 6개가 됩니다.

**4-3** 지우개 8개는 3개와 5개로 가르기 할 수 있습니다.

**4-4** 꽃 9송이는 6송이와 3송이로 가르기 할 수 있습니다.

## 59쪽 똑똑한 계산 연습

| | | |
|---|---|---|
| ① 3 | ② 4 | ③ 5, 8 |
| ④ 4, 6 | ⑤ 2, 7 | ⑥ 3, 6 |
| ⑦ 2, 8 | ⑧ 5, 9 | |

① 배추 1포기와 2포기를 더하면 모두 3포기입니다.

② 바나나 2개와 2개를 더하면 모두 4개입니다.

③ 토마토 3개와 5개를 더하면 모두 8개입니다.

④ 가지 2개와 4개를 더하면 모두 6개입니다.

⑤ 사과 5개와 2개를 더하면 모두 7개입니다.

⑥ 당근 3개와 3개를 더하면 모두 6개입니다.

⑦ 귤 6개와 2개를 더하면 모두 8개입니다.

⑧ 감자 4개와 5개를 더하면 모두 9개입니다.

## 61쪽 똑똑한 계산 연습

| | | |
|---|---|---|
| ① 4, 1 | ② 5, 7 | ③ 1, 5, 5 |
| ④ 3, 5, 8 | ⑤ 2, 8, 8 | ⑥ 9, 8, 9 |
| ⑦ 더하기, 6, 1 | ⑧ 3, 합, 7 | |

①~⑧

●＋▲＝■ ⇨ ● 더하기 ▲는 ■와 같습니다.
　　　　　　●와 ▲의 합은 ■입니다.

## 62~63쪽 기초 집중 연습

**1** 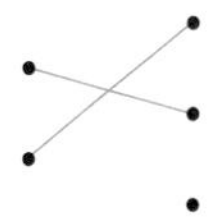

**2-1** 3, 2, 3　**2-2** 3, 7, 3, 7
**2-3** 7, 9, 7, 9　**2-4** 1, 6, 1, 6
**3-1** 5　**3-2** 4, 5, 9
**3-3** 3, 4, 7　**3-4** 2, 5, 7　**4-1** 1, 5
**4-2** 2, 4, 6

**1** • 햄버거 3개와 1개를 더하면 모두 4개입니다.
⇨ 3＋1＝4
• 콜라 2병과 2병을 더하면 모두 4병입니다.
⇨ 2＋2＝4

**2-1** 점 1개와 2개를 더하면 모두 3개입니다.

**2-2** 점 4개와 3개를 더하면 모두 7개입니다.

**2-3** 점 7개와 2개를 더하면 모두 9개입니다.

**2-4** 점 5개와 1개를 더하면 모두 6개입니다.

**3-1** 칭찬 붙임 딱지 2장과 3장을 더하면 모두 5장입니다.

**3-2** 칭찬 붙임 딱지 4장과 5장을 더하면 모두 9장입니다.

**3-3** 칭찬 붙임 딱지 3장과 4장을 더하면 모두 7장입니다.

**3-4** 칭찬 붙임 딱지 2장과 5장을 더하면 모두 7장입니다.

**4-1** ● 더하기 ▲는 ■와 같습니다. ⇨ ●＋▲＝■

**4-2** ●와 ▲의 합은 ■입니다. ⇨ ●＋▲＝■

## 65쪽 똑똑한 계산 연습

① 4

| ○ | ○ | ○ | ○ |  |
|---|---|---|---|---|
|  |  |  |  |  |

② 6

| ○ | ○ | ○ | ○ | ○ |
|---|---|---|---|---|
| ○ |  |  |  |  |

③ 7

| ○ | ○ | ○ | ○ | ○ |
|---|---|---|---|---|
| ○ | ○ |  |  |  |

④ 4

| ○ | ○ | ○ | ○ |  |
|---|---|---|---|---|
|  |  |  |  |  |

⑤ 8

| ○ | ○ | ○ | ○ | ○ |
|---|---|---|---|---|
| ○ | ○ | ○ |  |  |

⑥ 9

| ○ | ○ | ○ | ○ | ○ |
|---|---|---|---|---|
| ○ | ○ | ○ | ○ |  |

⑦ 8

| ○ | ○ | ○ | ○ | ○ |
|---|---|---|---|---|
| ○ | ○ | ○ |  |  |

⑧ 9

| ○ | ○ | ○ | ○ | ○ |
|---|---|---|---|---|
| ○ | ○ | ○ | ○ |  |

① ○ 3개에 이어서 ○ 1개를 더 그리면 모두 4개입니다. ⇨ 3+1=4

② ○ 4개에 이어서 ○ 2개를 더 그리면 모두 6개입니다. ⇨ 4+2=6

③ ○ 4개에 이어서 ○ 3개를 더 그리면 모두 7개입니다. ⇨ 4+3=7

④ ○ 2개에 이어서 ○ 2개를 더 그리면 모두 4개입니다. ⇨ 2+2=4

⑤ ○ 6개에 이어서 ○ 2개를 더 그리면 모두 8개입니다. ⇨ 6+2=8

⑥ ○ 8개에 이어서 ○ 1개를 더 그리면 모두 9개입니다. ⇨ 8+1=9

⑦ ○ 5개에 이어서 ○ 3개를 더 그리면 모두 8개입니다. ⇨ 5+3=8

⑧ ○ 7개에 이어서 ○ 2개를 더 그리면 모두 9개입니다. ⇨ 7+2=9

## 67쪽 똑똑한 계산 연습

① 3, 3 ② 5, 5 ③ 6, 6
④ 7, 7 ⑤ 8, 8 ⑥ 8, 8
⑦ 9, 9 ⑧ 6, 6

① 2와 1을 모으기 하면 3이 됩니다. ⇨ 2+1=3

② 3과 2를 모으기 하면 5가 됩니다. ⇨ 3+2=5

③ 5와 1을 모으기 하면 6이 됩니다. ⇨ 5+1=6

④ 2와 5를 모으기 하면 7이 됩니다. ⇨ 2+5=7

⑤ 4와 4를 모으기 하면 8이 됩니다. ⇨ 4+4=8

⑥ 7과 1을 모으기 하면 8이 됩니다. ⇨ 7+1=8

⑦ 5와 4를 모으기 하면 9가 됩니다. ⇨ 5+4=9

⑧ 3과 3을 모으기 하면 6이 됩니다. ⇨ 3+3=6

## 68~69쪽 기초 집중 연습

**1-1** 8 ; 5, 8 **1-2** 9 ; 2, 9
**1-3** 6 ; 2, 4, 6 (또는 4+2=6)
**1-4** 9 ; 8, 1, 9 (또는 1+8=9)
**2-1** 5
**2-2** (위에서부터) ○○○○ ; ○○○ ; 7
**2-3** (위에서부터) ○○○○○○ ; ○○ ; 8
**2-4** (위에서부터) ○○○○○ ; ○○○○ ; 9
**3-1** 6 **3-2** 2, 7
**3-3** 2, 6, 8 (또는 6+2=8)
**3-4** 4, 5, 9 (또는 5+4=9)
**4-1** 1, 3 **4-2** 4, 2, 6 (또는 2+4=6(개))
**4-3** 2, 3, 5 (또는 3+2=5(자루))
**4-4** 5, 1, 6 (또는 1+5=6(송이))

**1-1** 3과 5를 모으기 하면 8이 됩니다. ⇨ 3+5=8

**1-2** 7과 2를 모으기 하면 9가 됩니다. ⇨ 7+2=9

**1-3** 2와 4를 모으기 하면 6이 됩니다. ⇨ 2+4=6

**1-4** 8과 1을 모으기 하면 9가 됩니다. ⇨ 8+1=9

**2-1** ○ 3개와 ○ 2개를 더하면 모두 5개입니다.
⇨ 3+2=5

2-2 ○ 4개와 ○ 3개를 더하면 모두 7개입니다.
⇨ $4+3=7$

2-3 ○ 6개와 ○ 2개를 더하면 모두 8개입니다.
⇨ $6+2=8$

2-4 ○ 5개와 ○ 4개를 더하면 모두 9개입니다.
⇨ $5+4=9$

4-1 딱지 2장과 1장을 모으기 하면 모두 3장입니다.
⇨ $2+1=3$(장)

4-2 사탕 4개와 2개를 모으기 하면 모두 6개입니다.
⇨ $4+2=6$(개)

4-3 (처음에 들어 있던 연필의 수)+(더 넣은 연필의 수)$=2+3=5$(자루)

4-4 (처음에 꽂혀 있던 꽃의 수)+(더 꽂은 꽃의 수) $=5+1=6$(송이)

**71쪽 똑똑한 계산 연습**

| | | |
|---|---|---|
| ① 5 | ② 5 | ③ 4 |
| ④ 7 | ⑤ 8 | ⑥ 7 |
| ⑦ 9 | ⑧ 6 | ⑨ 8 |
| ⑩ 9 | ⑪ 9 | ⑫ 8 |

**73쪽 똑똑한 계산 연습**

① 0, 4　② 6, 6
③ 0, 3, 3 (또는 $3+0=3$)
④ 5, 0, 5 (또는 $0+5=5$)
⑤ 2　⑥ 1　⑦ 8
⑧ 4　⑨ 7　⑩ 9

① 왼쪽 접시에는 케이크가 4조각 있고, 오른쪽 접시는 비어 있으므로 $4+0=4$입니다.

② 왼쪽 접시는 비어 있고, 오른쪽 접시에는 만두가 6개 있으므로 $0+6=6$입니다.

③ 왼쪽 바구니는 비어 있고, 오른쪽 바구니에는 옥수수가 3개 있으므로 $0+3=3$입니다.

④ 왼쪽 바구니에는 고구마가 5개 있고, 오른쪽 바구니는 비어 있으므로 $5+0=5$입니다.

⑤~⑩ 0+(어떤 수)=(어떤 수),
(어떤 수)+0=(어떤 수)

**74~75쪽 기초 집중 연습**

1-1 7　1-2 3　1-3 9
1-4 6　2-1 (　)(　)(×)
2-2 (　)(×)(　)　2-3 (×)(　)(　)
3-1 0, 5　3-2 5, 2, 7 (또는 $2+5=7$(점))
3-3 6, 3, 9 (또는 $3+6=9$(점))
3-4 7, 0, 7 (또는 $0+7=7$(점))
4-1 2, 5　4-2 5, 4, 9
4-3 2, 5, 7 (또는 $5+2=7$(장))
4-4 5, 3, 8 (또는 $3+5=8$(명))

2-1 $5+1=6$, $3+3=6$, $7+0=7$

2-2 $2+3=5$, $4+2=6$, $0+5=5$

2-3 $9+0=9$, $4+4=8$, $7+1=8$

4-1 3보다 2만큼 더 큰 수 ⇨ $3+2=5$

참고
■보다 ▲만큼 더 큰 수 ⇨ ■+▲

4-2 5보다 4만큼 더 큰 수 ⇨ $5+4=9$

4-3 (노란 색종이의 수)+(빨간 색종이의 수)
$=2+5=7$(장)

4-4 (남학생의 수)+(여학생의 수)$=5+3=8$(명)

**76~77쪽 누구나 100점 맞는 TEST**

| | | |
|---|---|---|
| ❶ 3 | ❷ 1 | ❸ 5 |
| ❹ 2 | ❺ 8 | ❻ 1 |
| ❼ 7 | ❽ 7 | ❾ 5 |
| ❿ 5 | ⓫ 2 | ⓬ 3 |
| ⓭ 6 | ⓮ 3 | ⓯ 8 |
| ⓰ 5 | ⓱ 6 | ⓲ 7 |
| ⓳ 8 | ⓴ 9 | |

# 정답 및 풀이

❶ 2와 1을 모으기 하면 3이 됩니다.

❷ 2는 1과 1로 가르기 할 수 있습니다.

❸ 3과 2를 모으기 하면 5가 됩니다.

❹ 4는 2와 2로 가르기 할 수 있습니다.

❺ 4와 4를 모으기 하면 8이 됩니다.

❻ 6은 1과 5로 가르기 할 수 있습니다.

❼ 1과 6을 모으기 하면 7이 됩니다.

❽ 9는 7과 2로 가르기 할 수 있습니다.

⓫ 0+(어떤 수)=(어떤 수)

⓮ (어떤 수)+0=(어떤 수)

## 78~83쪽 특강 창의 · 융합 · 코딩

창의 1 2, 5 ; 5, 1, 6 ; 5, 6

창의 2 3, 6, 8 ; 루, 유, 팡

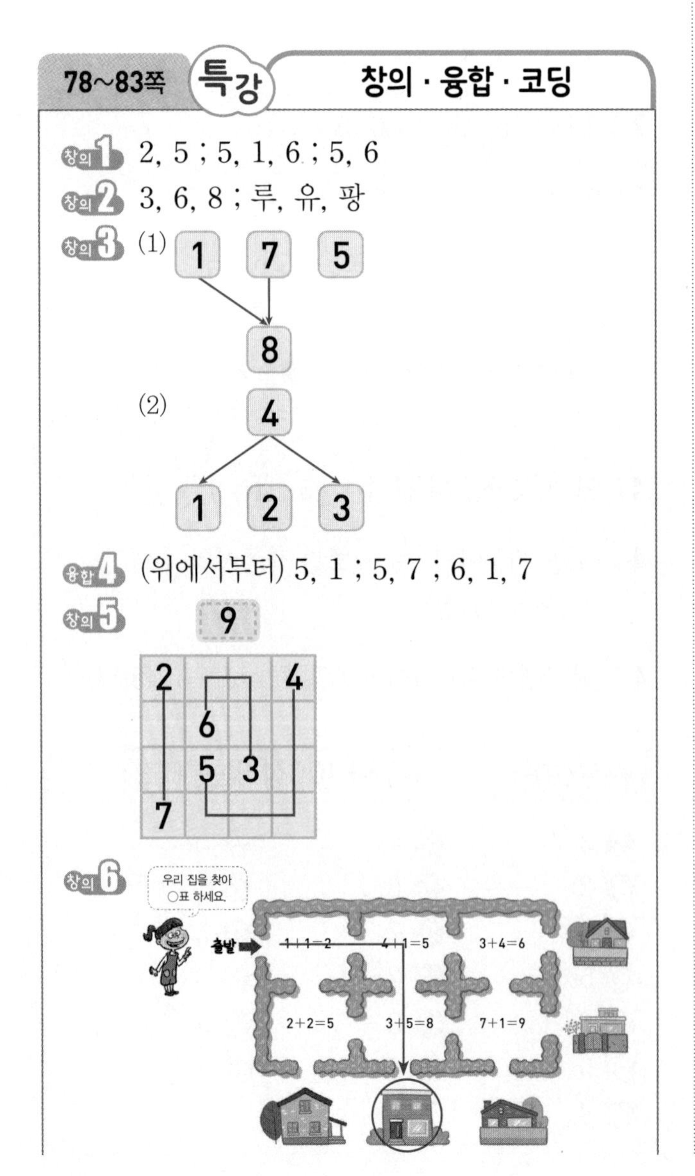


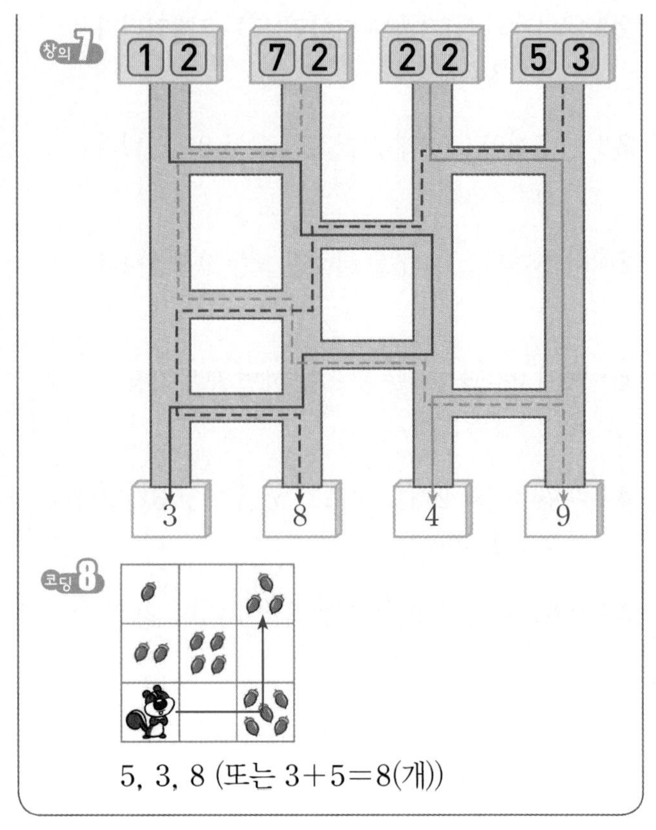


5, 3, 8 (또는 3+5=8(개))

창의 3 (1) 1과 7을 모으기 하면 8이 됩니다.
(2) 4는 1과 3으로 가르기 할 수 있습니다.

창의 5 2+7=9, 6+3=9, 5+4=9

주의

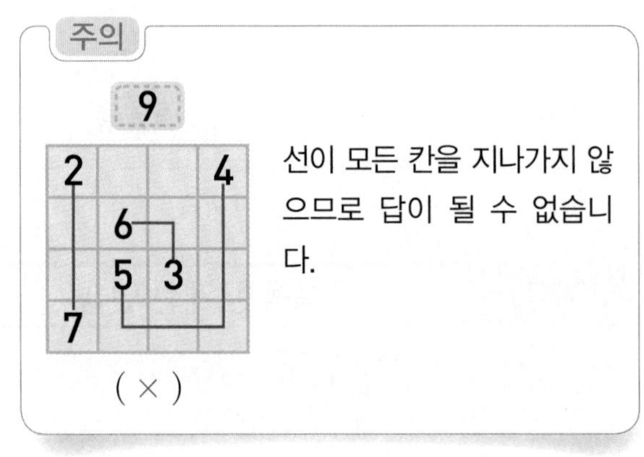


선이 모든 칸을 지나가지 않으므로 답이 될 수 없습니다.

창의 6 3+4=7, 2+2=4, 7+1=8

창의 7 • 1과 2를 모으기 하면 3이 됩니다.
• 7과 2를 모으기 하면 9가 됩니다.
• 2와 2를 모으기 하면 4가 됩니다.
• 5와 3을 모으기 하면 8이 됩니다.

코딩 8 다람쥐가 지나간 길에 있는 도토리의 개수:
5개, 3개
⇨ 5+3=8(개)

# 3주 덧셈과 뺄셈 (2)

## 87쪽 똑똑한 계산 연습

| | |
|---|---|
| ① 2 | ② 1 |
| ③ 3 | ④ 2 |
| ⑤ 5 | ⑥ 0 |
| ⑦ 4 | ⑧ 6 |

① 상자에 보이지 않는 사과의 수가 몇 개인지 생각해 봅니다.

② 상자에 보이지 않는 감의 수가 몇 개인지 생각해 봅니다.

⑥ 감의 수가 4로 같으므로 상자에 들어 있는 감의 수는 0입니다.

## 89쪽 똑똑한 계산 연습

| | |
|---|---|
| ① 1 | ② 2 |
| ③ 4 | ④ 6 |
| ⑤ 5 | ⑥ 7 |
| ⑦ 0 | ⑧ 2 |

① 통에 보이지 않는 사탕의 수가 몇 개인지 생각해 봅니다.

⑦ 빨간색 사탕의 수가 5로 같으므로 통에 보이지 않는 사탕의 수는 0입니다.

## 90~91쪽 기초 집중 연습

| | |
|---|---|
| **1-1** 3 | **1-2** 2 |
| **1-3** 5 | **1-4** 2 |
| **2-1** 2 ; 3 | **2-2** 1 ; 0 |
| **2-3** 3 ; 6 | **2-4** 5 ; 3 |
| **3-1** 2 | **3-2** 1 |
| **3-3** 5 | **3-4** 4 |
| **4-1** 7 ; 6 | **4-2** 6 ; 4 |

**1-1** $4+\square=7$에서 $4+3=7$이므로 $\square=3$입니다.

**1-2** $6+\square=8$에서 $6+2=8$이므로 $\square=2$입니다.

**1-3** $\square+1=6$에서 $5+1=6$이므로 $\square=5$입니다.

**1-4** $\square+2=4$에서 $2+2=4$이므로 $\square=2$입니다.

**2-1** 합이 같을 때 더하는 수를 알아봅니다.

**2-2** 합이 같을 때 더해지는 수를 알아봅니다.

**3-1** 색연필이 3자루에서 5자루가 되었으므로 필통에 들어 있는 색연필은 2자루입니다.

**3-4** 필통에 들어 있는 지우개에 5개를 더했더니 9개가 되었으므로 필통에 들어 있는 지우개는 4개입니다.

**4-1** (처음에 있던 오리 수)+(더 온 오리 수)
=(전체 오리 수)
⇨ $1+\square=7$에서 $1+6=7$이므로 $\square=6$입니다.

**4-2** (문어 수)+(오징어 수)=(문어와 오징어 수)
⇨ $\square+2=6$에서 $4+2=6$이므로 $\square=4$입니다.

## 93쪽 똑똑한 계산 연습

| | |
|---|---|
| ① 2 | ② 5 |
| ③ 2, 2 | ④ 4, 3 |
| ⑤ 5 | ⑥ 1 |
| ⑦ 2, 5 | ⑧ 5, 4 |

① 아이스크림 5개에서 3개를 덜어 내면 2개가 남습니다.

② 캔 음료 6개에서 1개를 덜어 내면 5개가 남습니다.

⑤ 파란색 구슬 8개와 분홍색 구슬 3개를 비교하면 파란색 구슬이 5개 더 많습니다.

⑥ 사탕 5개와 쿠키 4개를 비교하면 사탕이 1개 더 많습니다.

| 95쪽 | 똑똑한 계산 연습 |
|---|---|
| ① 2 ; 2 | ② 3 ; 4 |
| ③ 8, 1 ; 7, 1 | ④ 6, 3 ; 9, 3 |
| ⑤ 빼기, 5 ; 6, 5 | ⑥ 2, 3 ; 차, 3 |
| ⑦ 7, 2 ; 7, 차, 2 | ⑧ 빼기, 1 ; 3, 1 |

①~⑧ ■−▲=●

⇨ ■ 빼기 ▲는 ●와 같습니다.
   ■와 ▲의 차는 ●입니다.

| 96~97쪽 | 기초 집중 연습 |
|---|---|
| 1-1 쓰기 4 읽기 1, 4 | 1-2 쓰기 3, 3 읽기 3, 3 |
| 1-3 쓰기 5 읽기 7, 5 | 1-4 쓰기 4 읽기 8, 차, 4 |
| 2 (선 잇기) | 3-1 4 3-2 7, 2 |
| | 3-3 3 3-4 6, 1 |
| 4-1 2, 4 | 4-2 9, 5, 4 |

1-1 비스킷 5개에서 1개를 덜어 내면 4개가 남습니다.

1-2 머핀 6개에서 3개를 덜어 내면 3개가 남습니다.

1-3 흰 바둑돌 7개와 검은 바둑돌 2개를 비교하면 흰 바둑돌이 5개 더 많습니다.

2 • 새 8마리 중 3마리가 날아가고 5마리가 남았습니다. ⇨ 8−3=5
• 새 6마리 중 2마리가 날아가고 4마리가 남았습니다. ⇨ 6−2=4

3-1 주차장에 있는 차 5대 중 1대가 나가서 4대가 남았습니다. ⇨ 5−1=4

3-2 주차장에 있는 차 7대 중 5대가 나가서 2대가 남았습니다. ⇨ 7−5=2

3-3 주차장에 승용차는 4대, 트럭은 1대 있으므로 승용차는 트럭보다 3대 더 많습니다. ⇨ 4−1=3

3-4 주차장에 승용차는 6대, 트럭은 5대 있으므로 승용차는 트럭보다 1대 더 많습니다. ⇨ 6−5=1

4-1 ■ 빼기 ▲는 ●와 같습니다. ⇨ ■−▲=●

4-2 ■와 ▲의 차는 ●입니다. ⇨ ■−▲=●

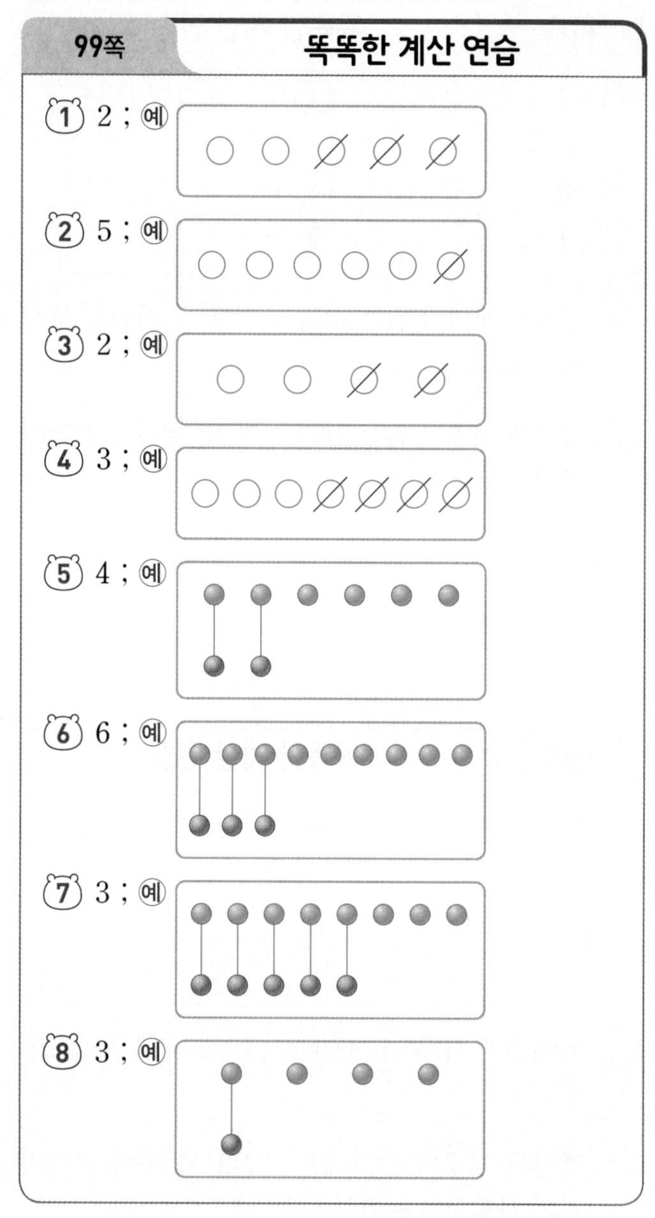


① ○를 5개 그리고 /으로 3개 지우면 ○는 2개가 남습니다. ⇨ 5−3=2

② ○를 6개 그리고 /으로 1개 지우면 ○는 5개가 남습니다. ⇨ 6−1=5

⑤ 초록색 구슬 6개와 주황색 구슬 2개를 하나씩 연결해 보면 초록색 구슬 4개가 남습니다.
⇨ 6−2=4

⑥ 초록색 구슬 9개와 주황색 구슬 3개를 하나씩 연결해 보면 초록색 구슬 6개가 남습니다.
⇨ 9−3=6

| 101쪽 | 똑똑한 계산 연습 |
|---|---|
| ① 2 ; 2 | ② 4 ; 4 |
| ③ 3 ; 3 | ④ 1 ; 1 |
| ⑤ 7 ; 7 | ⑥ 4 ; 4 |
| ⑦ 4 ; 4 | ⑧ 2 ; 2 |

① 4는 2와 2로 가르기 할 수 있으므로 $4-2=2$입니다.

② 5는 1과 4로 가르기 할 수 있으므로 $5-1=4$입니다.

③ 8은 5와 3으로 가르기 할 수 있으므로 $8-5=3$입니다.

④ 3은 2와 1로 가르기 할 수 있으므로 $3-2=1$입니다.

| 102~103쪽 | 기초 집중 연습 |
|---|---|
| **1-1** 3 ; 3 | **1-2** 6 ; 7, 6 |
| **1-3** 3 ; 3 | **1-4** 6 ; 9, 6 |
| **2-1** 2 | **2-2** 4 |
| **2-3** 4 | **2-4** 1 |
| **3-1** 2, 5 | **3-2** 5, 3 |
| **3-3** 3 | **3-4** 1 |
| **4-1** 4, 3 | **4-2** 9, 3 |
| **4-3** 4, 2, 2 | **4-4** 6, 1, 5 |

**1-1** 6은 3과 3으로 가르기 할 수 있으므로 $6-3=3$입니다.

**1-2** 7은 1과 6으로 가르기 할 수 있으므로 $7-1=6$입니다.

**1-4** 9는 6과 3으로 가르기 할 수 있으므로 $9-6=3$입니다.

**3-1** 흰 우유 ○○○○○○○
바나나 맛 우유 ○○
⇨ $7-2=5$(개)

**3-2** 초콜릿 맛 우유 ○○○○○○○○
딸기 맛 우유 ○○○○○
⇨ $8-5=3$(개)

**3-3** 딸기 맛 우유 ○○○○○
바나나 맛 우유 ○○
⇨ $5-2=3$(개)

**3-4** 초콜릿 맛 우유 ○○○○○○○○
흰 우유 ○○○○○○○
⇨ $8-7=1$(개)

**4-1** (남은 쿠키의 수)
=(처음에 있던 쿠키의 수)−(먹은 쿠키의 수)
$=7-4=3$(개)

**4-2** (남은 주스의 수)
=(처음에 있던 주스의 수)−(먹은 주스의 수)
$=9-6=3$(컵)

**4-3** (남은 개구리의 수)
=(처음에 있던 개구리의 수)−(나간 개구리의 수)
$=4-2=2$(마리)

**4-4** (남은 꽃의 수)
=(처음에 있던 꽃의 수)−(떨어진 꽃의 수)
$=6-1=5$(송이)

| 105쪽 | 똑똑한 계산 연습 | |
|---|---|---|
| ① 1 | ② 4 | ③ 2 |
| ④ 2 | ⑤ 3 | ⑥ 3 |
| ⑦ 1 | ⑧ 2 | ⑨ 4 |
| ⑩ 1 | ⑪ 2 | ⑫ 5 |

| 107쪽 | 똑똑한 계산 연습 |
|---|---|
| ① 3 | ② 0 |
| ③ 0, 6 | ④ 7, 0 |
| ⑤ 2 | ⑥ 0 |
| ⑦ 0 | ⑧ 8 |
| ⑨ 5 | ⑩ 0 |

① 도넛 3개 중 한 개도 먹지 않아 그대로 3개가 남았습니다. ⇨ $3-0=3$

② 바나나 2개 중 2개를 모두 먹어서 남은 것이 없습니다. ⇨ $2-2=0$

③ 귤 6개 중 한 개도 먹지 않아 그대로 6개가 남았습니다. ⇨ $6-0=6$

④ 사탕 7개 중 7개를 모두 먹어서 남은 것이 없습니다. ⇨ $7-7=0$

⑤~⑩ • (어떤 수)−0=(어떤 수)
• (어떤 수)−(어떤 수)=0

## 108~109쪽 기초 집중 연습

**1-1** 6−5, 7−4 (색칠), 9−8

**1-2** 5−3 (색칠), 4−0, 6−2

**1-3** 7−2, 9−4, 6−3 (색칠)

**1-4** 2−2, 3−3, 5−0 (색칠)

**2-1** 5　**2-2** 0
**2-3** 1　**2-4** 6
**3-1** ㉮ 6, 2, 4 ; 6, 3, 3
**3-2** ㉮ 8, 5, 3 ; 5, 3, 2
**4-1** 2, 6　**4-2** 0, 7
**4-3** 5, 5, 0　**4-4** 9, 1, 8

**1-1** $6-5=1$, $7-4=3$, $9-8=1$
⇨ $7-4$에 색칠합니다.

**1-2** $5-3=2$, $4-0=4$, $6-2=4$
⇨ $5-3$에 색칠합니다.

**1-3** $7-2=5$, $9-4=5$, $6-3=3$
⇨ $6-3$에 색칠합니다.

**1-4** $2-2=0$, $3-3=0$, $5-0=5$
⇨ $5-0$에 색칠합니다.

**3-1** • 어린이 6명 중 그네를 타고 있는 어린이는 2명이므로 그네를 타고 있지 않은 어린이는 4명입니다. ⇨ $6-2=4$
• 어린이 6명 중 여자 어린이는 3명이므로 남자 어린이는 3명입니다. ⇨ $6-3=3$

**3-2** • 어린이 8명 중 정글짐에 올라간 어린이는 5명이므로 정글짐에 올라가지 않은 어린이는 3명입니다. ⇨ $8-5=3$
• 정글짐에 올라간 어린이는 5명, 올라가지 않은 어린이는 3명이므로 정글짐에 올라간 어린이는 올라가지 않은 어린이보다 2명 더 많습니다.
⇨ $5-3=2$

**4-1** 풍선 8개 중 2개가 날아갔으므로 남은 풍선은 6개입니다. ⇨ $8-2=6$(개)

**4-2** 딸기 7개 중 먹은 개수는 0이므로 7개가 남았습니다. ⇨ $7-0=7$(개)

**4-3** 구슬 5개 중 5개를 모두 주었으므로 남은 구슬은 없습니다. ⇨ $5-5=0$(개)

**4-4** 병아리는 9마리이고 닭은 1마리이므로 병아리는 닭보다 8마리 더 많습니다. ⇨ $9-1=8$(마리)

## 111쪽 똑똑한 계산 연습

① 7　② 6
③ 4　④ 7
⑤ 9　⑥ 3
⑦ 2　⑧ 5

① 물고기 2마리를 빼내어 5마리가 남았으므로 처음 어항에 있던 물고기는 7마리입니다.

② 물고기 1마리를 빼내어 5마리가 남았으므로 처음 어항에 있던 물고기는 6마리입니다.

⑤ 물고기 3마리를 빼내어 6마리가 남았으므로 처음 어항에 있던 물고기는 9마리입니다.

⑥ 물고기 3마리를 빼내어 한 마리도 남지 않았으므로 처음 어항에 있던 물고기는 3마리입니다.

## 113쪽 똑똑한 계산 연습

| | |
|---|---|
| ① 2 | ② 3 |
| ③ 3 | ④ 5 |
| ⑤ 0 | ⑥ 4 |
| ⑦ 1 | ⑧ 4 |

① 달걀이 3개에서 1개가 남았으므로 깨진 달걀은 2개입니다.

② 달걀이 6개에서 3개가 남았으므로 깨진 달걀은 3개입니다.

⑤ 달걀이 2개에서 2개가 남았으므로 깨진 달걀은 0개입니다.

⑧ 달걀이 4개에서 하나도 안 남았으므로 깨진 달걀은 4개입니다.

## 114~115쪽 기초 집중 연습

| | | |
|---|---|---|
| **1**-1 6 | **1**-2 1 | **1**-3 9 |
| **1**-4 4 | **1**-5 8 | **1**-6 8 |
| **2**-1 5 | **2**-2 7 | |
| **2**-3 6 | **2**-4 3 | |
| **3**-1 4 | **3**-2 5 | |
| **3**-3 2 | **3**-4 3 | |
| **4**-1 3 ; 5 | **4**-2 7 ; 2 | |

**1**-1 □$-2=4$에서 $6-2=4$이므로 □$=6$입니다.

**1**-2 $5-$□$=4$에서 $5-1=4$이므로 □$=1$입니다.

**1**-3 □$-7=2$에서 $9-7=2$이므로 □$=9$입니다.

**1**-4 $7-$□$=3$에서 $7-4=3$이므로 □$=4$입니다.

**1**-5 □$-3=5$에서 $8-3=5$이므로 □$=8$입니다.

**1**-6 $9-$□$=1$에서 $9-8=1$이므로 □$=8$입니다.

**2**-1 □$-2=3$에서 $5-2=3$이므로 □$=5$입니다.

**2**-2 □$-1=6$에서 $7-1=6$이므로 □$=7$입니다.

**2**-3 $8-$□$=2$에서 $8-6=2$이므로 □$=6$입니다.

**2**-4 $4-$□$=1$에서 $4-3=1$이므로 □$=3$입니다.

**3**-1 볼링핀 3개가 쓰러져 볼링핀 1개가 남았으므로 처음 서 있던 볼링핀은 4개입니다.

**3**-2 볼링핀 1개가 쓰러져 볼링핀 4개가 남았으므로 처음 서 있던 볼링핀은 5개입니다.

**3**-3 서 있는 볼링핀 7개에서 5개가 남았으므로 쓰러진 볼링핀은 2개입니다.

**3**-4 서 있는 볼링핀 8개에서 5개가 남았으므로 쓰러진 볼링핀은 3개입니다.

**4**-1 (처음에 있던 주스의 수)−(마신 주스의 수)
=(남은 주스의 수)
⇨ □$-2=3$에서 $5-2=3$이므로 □$=5$입니다.

**4**-2 (처음에 있던 달걀의 수)−(사용한 달걀의 수)
=(남은 달걀의 수)
⇨ $9-$□$=7$에서 $9-2=7$이므로 □$=2$입니다.

정답
풀이

## 116~117쪽 누구나 100점 맞는 TEST

| | | |
|---|---|---|
| ❶ 2 | ❷ 7 | ❸ 5 |
| ❹ 4 | ❺ 2 | ❻ 2 |
| ❼ 3 | ❽ 0 | ❾ 0 |
| ❿ 4 | ⓫ 6 | ⓬ 1 |
| ⓭ 0 | ⓮ 8 | ⓯ 3 |
| ⓰ 8 | ⓱ 6 | ⓲ 7 |
| ⓳ 3 | ⓴ 5 | |

⓫ $2+$□$=8$에서 $2+6=8$이므로 □$=6$입니다.

⓬ □$+5=6$에서 $1+5=6$이므로 □$=1$입니다.

⓭ $3+$□$=3$에서 $3+0=3$이므로 □$=0$입니다.

⓮ □$+1=9$에서 $8+1=9$이므로 □$=8$입니다.

⓯ $7-$□$=4$에서 $7-3=4$이므로 □$=3$입니다.

⓰ □$-4=4$에서 $8-4=4$이므로 □$=8$입니다.

⓱ $6-$□$=0$에서 $6-6=0$이므로 □$=6$입니다.

⑱ □−5=2에서 7−5=2이므로 □=7입니다.

⑲ 4−□=1에서 4−3=1이므로 □=3입니다.

⑳ □−0=5에서 5−0=5이므로 □=5입니다.

**118~123쪽 특강 창의 · 융합 · 코딩**

융합 1 0, 5 ; 5, 0

융합 2 쓰기 5 읽기 예 8 빼기 3은 5와 같습니다.
쓰기 6, 3 읽기 예 9와 6의 차는 3입니다.

창의 3 5

융합 4 4 ; 7, 4

창의 5

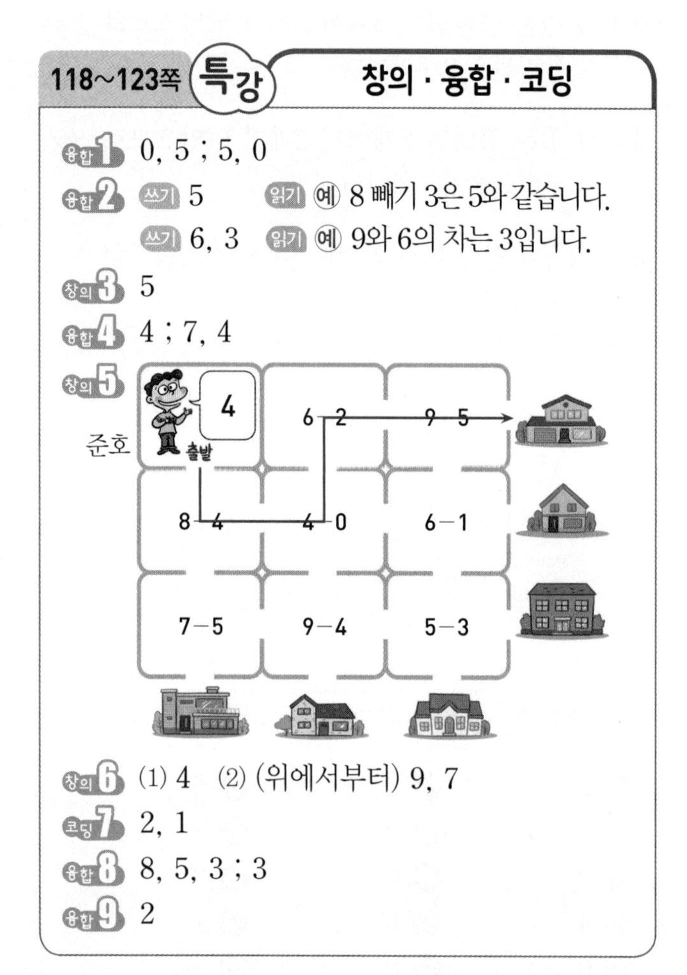


창의 6 (1) 4 (2) (위에서부터) 9, 7

코딩 7 2, 1

융합 8 8, 5, 3 ; 3

융합 9 2

융합 1 • 1층에서 5명이 탔고, 2층에서는 아무도 안 타고 내리지 않았으므로 2층에서 문이 열렸다 닫힌 후 엘리베이터에 타고 있는 사람은 5−0=5(명)입니다.
• 3층에서 아무도 안 타고 5명이 모두 내렸으므로 3층에서 문이 열렸다 닫힌 후 엘리베이터에 타고 있는 사람은 5−5=0(명)입니다.

융합 2 • 김: (처음에 있던 김의 수)
−(김밥을 만드는 데 사용한 김의 수)
=(남은 김의 수)
쓰기 8−3=5
읽기 8 빼기 3은 5와 같습니다. 또는 8과 3의 차는 5입니다.

• 햄: (처음에 있던 햄의 수)
−(김밥을 만드는 데 사용한 햄의 수)
=(남은 햄의 수)
쓰기 9−6=3
읽기 9 빼기 6은 3과 같습니다. 또는 9와 6의 차는 3입니다.

창의 3

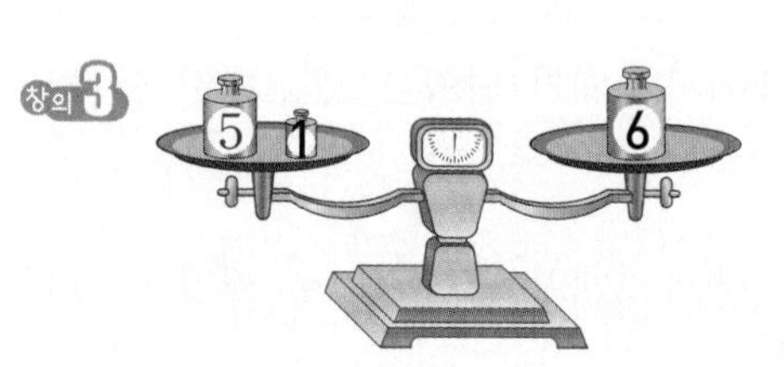


윗접시저울의 추의 무게의 합이 같아야 수평이 되므로 □+1=6이 되는 □를 구합니다.
⇨ 5와 1을 더해야 6이 되므로 □=5입니다.

융합 4 7은 3과 4로 가르기 할 수 있으므로
7−3=4입니다.
(3: 쓰러진 비석 수, 4: 쓰러지지 않은 비석 수)

창의 5 8−4=4, 7−5=2, 6−2=4, 4−0=4,
9−4=5, 9−5=4, 6−1=5, 5−3=2

창의 6 (1) 빨간색 막대: 9, 초록색 막대: 5
⇨ 보라색 막대: 9−□=5에서 9−4=5이므로 □=4입니다.
(2) 빨간색 막대: 9, 노란색 막대: 2
⇨ 파란색 막대: 9−2=□에서 9−2=7이므로 □=7입니다.

코딩 7

⇨ 로봇이 주운 카드는 3, 2이므로 3−2=1입니다.

융합 8 (소시지빵의 수)−(베이글의 수)
=8−5=3(개)

융합 9 줄다리기를 하고 있는 어린이 수: 8명
응원하고 있는 어린이 수: 6명
⇨ 8−6=2(명)

## 4주 50까지의 수

### 127쪽 똑똑한 계산 연습

① □ ○ ② ○ □
③ ○ □ ④ □ ○
⑤ 10 ⑥ 10
⑦ 6, 4 ⑧ 8, 2

⑤ 야구공 7개와 배드민턴공 3개를 모으기 하면 10개가 됩니다.

⑦ 색연필 10자루는 빨간색 색연필 6자루와 파란색 색연필 4자루로 가르기 할 수 있습니다.

### 129쪽 똑똑한 계산 연습

① 예 11
② 예 14
③ 예 16
④ 예 19

⑤ 십일, 열하나 ⑥ 십이, 열둘
⑦ 십삼, 열셋 ⑧ 십사, 열넷
⑨ 십오, 열다섯 ⑩ 십육, 열여섯
⑪ 십칠, 열일곱 ⑫ 십팔, 열여덟
⑬ 십구, 열아홉

① 10개씩 묶음 1개와 낱개 1개이므로 11입니다.

② 10개씩 묶음 1개와 낱개 4개이므로 14입니다.

③ 10마리씩 묶음 1개와 낱개 6마리이므로 16입니다.

④ 10개씩 묶음 1개와 낱개 9개이므로 19입니다.

### 130~131쪽 기초 집중 연습

**1-1** 10 **1-2** 10
**1-3** 7 **1-4** 4

**2-1**

| ○ | ○ | ○ | ○ | ○ |
|---|---|---|---|---|
| ○ | ○ | ○ | ○ | ○ |

**2-2**

| ○ | ○ | ○ | ○ | ○ |
|---|---|---|---|---|
| ○ | ○ | ○ | ○ | ○ |
| ○ | ○ | | | |
| | | | | |

**2-3**

| ○ | ○ | ○ | ○ | ○ |
|---|---|---|---|---|
| ○ | ○ | ○ | ○ | ○ |
| ○ | ○ | ○ | ○ | ○ |
| ○ | | | | |

**3-1** 열에 ○표 **3-2** 십에 ○표
**3-3** 십삼에 ○표 **3-4** 열일곱에 ○표
**4-1** 10 **4-2** 10
**4-3** 14 **4-4** 19

**1-1** 2와 8을 모으기 하면 10이 됩니다.

**1-2** 5와 5를 모으기 하면 10이 됩니다.

**1-3** 10은 7과 3으로 가르기 할 수 있습니다.

**1-4** 10은 6과 4로 가르기 할 수 있습니다.

## 133쪽 똑똑한 계산 연습

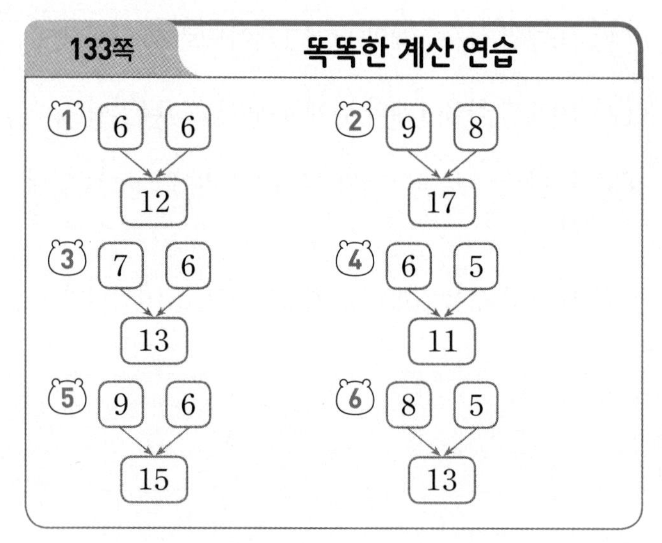


① 빨간색 피망 6개와 초록색 피망 6개를 모으기 하면 12개가 됩니다.

② 고구마 9개와 감자 8개를 모으기 하면 17개가 됩니다.

③ 빨간색 크레파스 7자루와 파란색 크레파스 6자루를 모으기 하면 13자루가 됩니다.

④ 종이학 6개와 종이배 5개를 모으기 하면 11개가 됩니다.

## 135쪽 똑똑한 계산 연습

① 단추 11개는 8개와 3개로 가르기 할 수 있습니다.

② 지우개 15개는 6개와 9개로 가르기 할 수 있습니다.

③ 고추 13개는 9개와 4개로 가르기 할 수 있습니다.

④ 빵 16개는 7개와 9개로 가르기 할 수 있습니다.

## 136~137쪽 기초 집중 연습

**1-1** 15 **1-2** 11

**1-3** 7 **1-4** 5

**2-1** 8과 7에 ○표 **2-2** 7과 6에 ○표

**2-3** 12와 5에 ○표

**3-1** 7, 4 → 11

**3-2** 5, 8 → 13

**3-3** 16 → 6, 10

**3-4** 15 → 8, 7

**4-1** 13 **4-2** 8

**1-1** 8과 7을 모으기 하면 15가 됩니다.

**1-2** 9와 2를 모으기 하면 11이 됩니다.

**1-3** 14는 7과 7로 가르기 할 수 있습니다.

**1-4** 13은 5와 8로 가르기 할 수 있습니다.

**2-1** 모으기 하여 15가 되는 두 수를 찾으면 8과 7입니다.

**2-2** 모으기 하여 13이 되는 두 수를 찾으면 7과 6입니다.

**2-3** 모으기 하여 17이 되는 두 수를 찾으면 12와 5입니다.

3-1 빨간색 색연필 7자루와 파란색 색연필 4자루를 모으기 하면 11자루가 됩니다.

3-2 노란색 공깃돌 5개와 초록색 공깃돌 8개를 모으기 하면 13개가 됩니다.

3-3 콩 16개는 6개와 10개로 가르기 할 수 있습니다.

3-4 탁구공 15개는 8개와 7개로 가르기 할 수 있습니다.

4-1 6과 7을 모으기 하면 13이 됩니다.

4-2 11은 3과 8로 가르기 할 수 있습니다.

**139쪽** **똑똑한 계산 연습**

| | |
|---|---|
| ① 20 | ② 30 |
| ③ 40 | ④ 50 |
| ⑤ 이십, 스물 | ⑥ 삼십, 서른 |
| ⑦ 사십, 마흔 | ⑧ 오십, 쉰 |

① 10개씩 묶음 2개이므로 20입니다.

② 10개씩 묶음 3개이므로 30입니다.

③ 10개씩 묶음 4개이므로 40입니다.

④ 10개씩 묶음 5개이므로 50입니다.

**141쪽** **똑똑한 계산 연습**

| | |
|---|---|
| ① 24 | ② 35 |
| ③ 32 | ④ 41 |
| ⑤ 이십삼, 스물셋 | ⑥ 삼십일, 서른하나 |
| ⑦ 사십이, 마흔둘 | ⑧ 사십팔, 마흔여덟 |
| ⑨ 삼십삼, 서른셋 | ⑩ 이십육, 스물여섯 |

① 10개씩 묶음 2개와 낱개 4개이므로 24입니다.

② 10개씩 묶음 3개와 낱개 5개이므로 35입니다.

③ 10송이씩 묶음 3개와 낱개 2송이이므로 32입니다.

④ 10개씩 묶음 4개와 낱개 1개이므로 41입니다.

**142~143쪽** **기초 집중 연습**

| | |
|---|---|
| 1-1 이십, 스물 | 1-2 삼십, 서른 |
| 1-3 사십, 마흔 | 1-4 삼십구, 서른아홉 |
| 1-5 사십육, 마흔여섯 | 1-6 이십칠, 스물일곱 |
| 2-1 4, 1 | 2-2 3, 8 |
| 2-3 2, 6 | |
| 3-1 30 | 3-2 20 |
| 3-3 49 | 3-4 37 |
| 4-1 40 | 4-2 50 |
| 4-3 28 | 4-4 36 |

1-1 20은 이십 또는 스물이라고 읽습니다.

1-2 30은 삼십 또는 서른이라고 읽습니다.

1-3 40은 사십 또는 마흔이라고 읽습니다.

1-4 39는 삼십구 또는 서른아홉이라고 읽습니다.

1-5 46은 사십육 또는 마흔여섯이라고 읽습니다.

1-6 27은 이십칠 또는 스물일곱이라고 읽습니다.

3-1 10원짜리 동전이 3개이므로 30원입니다.

3-2 10원짜리 동전이 2개이므로 20원입니다.

3-3 10원짜리 동전 4개와 1원짜리 동전 9개이므로 49원입니다.

3-4 10원짜리 동전 3개와 1원짜리 동전 7개이므로 37원입니다.

# 정답 및 풀이

## 145쪽 똑똑한 계산 연습

① 29, 31　　② 25, 27
③ 21, 23　　④ 44, 46
⑤ 40, 42　　⑥ 48, 50
⑦ 31, 32　　⑧ 33, 34
⑨ 40, 42　　⑩ 40, 41

① 30보다 1만큼 더 작은 수는 29, 1만큼 더 큰 수는 31입니다.

② 26보다 1만큼 더 작은 수는 25, 1만큼 더 큰 수는 27입니다.

③ 22보다 1만큼 더 작은 수는 21, 1만큼 더 큰 수는 23입니다.

④ 45보다 1만큼 더 작은 수는 44, 1만큼 더 큰 수는 46입니다.

⑦ 30보다 1만큼 더 큰 수는 31, 31보다 1만큼 더 큰 수는 32입니다.

⑧ 32보다 1만큼 더 큰 수는 33, 33보다 1만큼 더 큰 수는 34입니다.

⑨ 39보다 1만큼 더 큰 수는 40, 41보다 1만큼 더 큰 수는 42입니다.

⑩ 42보다 1만큼 더 작은 수는 41, 41보다 1만큼 더 작은 수는 40입니다.

## 147쪽 똑똑한 계산 연습

① 4, 5, 6, 8, 10
② 23, 24, 25, 27, 29, 30
③ 34, 35, 36, 38, 39, 40
④ 42, 43, 46, 47, 49, 50
⑤ 8, 9, 13, 16, 22, 27, 28, 30, 31, 34, 36, 38, 43, 45, 49, 50
⑥ 3, 6, 10, 12, 15, 18, 19, 21, 23, 24, 28, 29, 32, 35, 37, 40, 41, 45, 46, 48

## 148~149쪽 기초 집중 연습

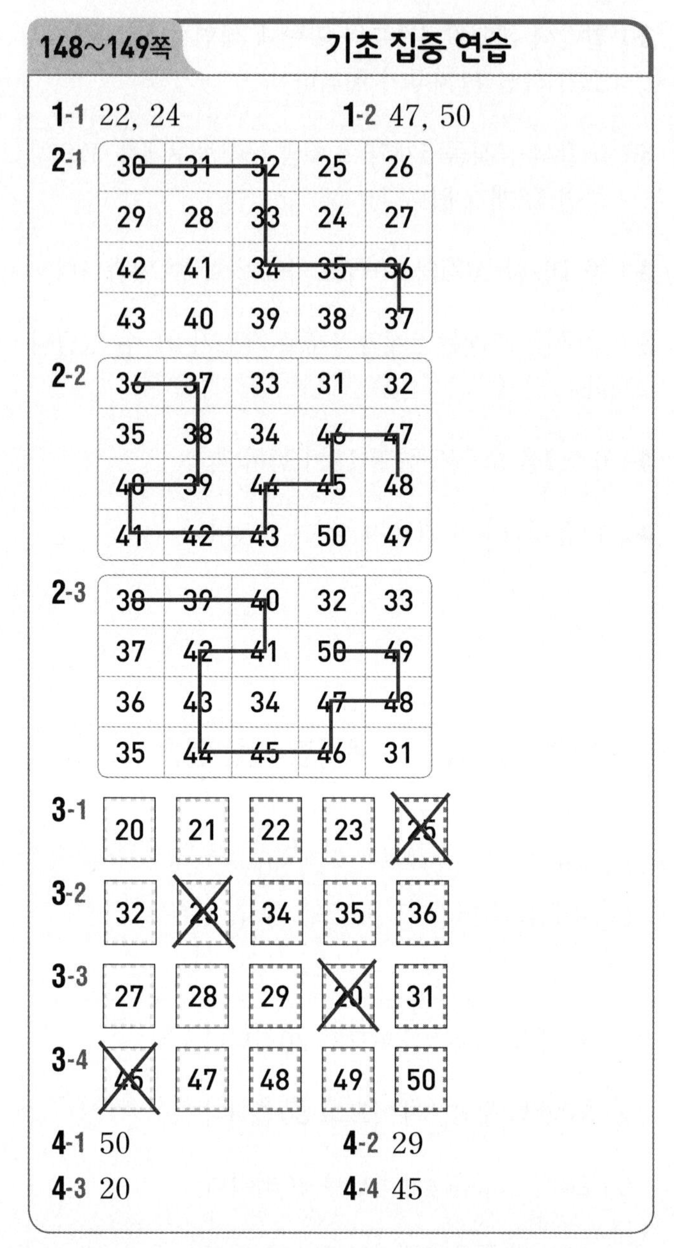


4-1 49보다 1만큼 더 큰 수는 50입니다.

4-2 30보다 1만큼 더 작은 수는 29입니다.

4-3 21보다 1만큼 더 작은 수는 20입니다.

4-4 44보다 1만큼 더 큰 수는 45입니다.

## 151쪽 똑똑한 계산 연습

① 21에 ○표　　② 30에 ○표
③ 19에 ○표　　④ 45에 ○표
⑤ 23에 ○표　　⑥ 26에 ○표
⑦ 14에 △표　　⑧ 20에 △표
⑨ 16에 △표　　⑩ 27에 △표
⑪ 37에 △표　　⑫ 25에 △표

① 10개씩 묶음의 수가 21은 2, 15는 1이므로 21이 더 큽니다.

② 10개씩 묶음의 수가 30은 3, 28은 2이므로 30이 더 큽니다.

⑦ 10개씩 묶음의 수가 같으므로 낱개의 수를 비교하면 14는 4, 18은 8로 14가 더 작습니다.

⑧ 10개씩 묶음의 수가 같으므로 낱개의 수를 비교하면 20은 0, 23은 3으로 20이 더 작습니다.

**153쪽 똑똑한 계산 연습**

| | |
|---|---|
| ① 31에 ○표 | ② 44에 ○표 |
| ③ 32에 ○표 | ④ 40에 ○표 |
| ⑤ 45에 ○표 | ⑥ 27에 ○표 |
| ⑦ 12에 △표 | ⑧ 27에 △표 |
| ⑨ 21에 △표 | ⑩ 18에 △표 |
| ⑪ 36에 △표 | ⑫ 14에 △표 |

① 10개씩 묶음의 수가 16은 1, 25는 2, 31은 3이므로 31이 가장 큽니다.

② 10개씩 묶음의 수가 28은 2, 44는 4, 35는 3이므로 44가 가장 큽니다.

⑦ 10개씩 묶음의 수가 모두 같으므로 낱개의 수가 12는 2, 19는 9, 17은 7로 12가 가장 작습니다.

⑧ 10개씩 묶음의 수가 34는 3, 48은 4, 27은 2이므로 27이 가장 작습니다.

**154~155쪽 기초 집중 연습**

| | |
|---|---|
| **1**-1 38, 43 | **1**-2 16, 19 |
| **1**-3 18, 37 | **1**-4 41, 46 |
| **2**-1 31, 26 | **2**-2 45, 50 |
| **2**-3 39, 36 | |
| **3**-1 33, 24 | **3**-2 38, 40 |
| **3**-3 35, 34 | **3**-4 49, 50 |
| **4**-1 23 | **4**-2 27 |

**1**-1 10개씩 묶음의 수가 43은 4, 38은 3이므로 38이 더 작고 43이 더 큽니다.

**1**-2 10개씩 묶음의 수가 같으므로 낱개의 수를 비교하면 16이 더 작고 19가 더 큽니다.

**1**-3 10개씩 묶음의 수가 37과 33은 3, 18은 1이므로 37과 33이 더 큽니다. 37과 33은 낱개의 수가 37은 7, 33은 3이므로 37이 더 큽니다.
따라서 18이 가장 작고 37이 가장 큽니다.

**1**-4 10개씩 묶음의 수가 모두 같으므로 낱개의 수를 비교하면 42는 2, 41은 1, 46은 6으로 41이 가장 작고 46이 가장 큽니다.

**2**-1 10개씩 묶음의 수를 비교하면 31은 26보다 큽니다.

**2**-2 10개씩 묶음의 수를 비교하면 45는 50보다 작습니다.

**2**-3 10개씩 묶음의 수가 같으므로 낱개의 수를 비교하면 39는 36보다 큽니다.

**3**-1 10개씩 묶음의 수가 33은 3, 24는 2로 33은 24보다 큽니다.

**3**-2 10개씩 묶음의 수가 40은 4, 38은 3으로 38은 40보다 작습니다.

**3**-3 10개씩 묶음의 수가 같으므로 낱개의 수를 비교하면 34는 4, 35는 5로 35는 34보다 큽니다.

**3**-4 10개씩 묶음의 수가 50은 5, 49는 4로 49가 50보다 작습니다.

**4-1** 10개씩 묶음의 수를 비교하면 가장 작은 수는 23입니다.

**4-2** 10개씩 묶음의 수가 같으므로 낱개의 수를 비교하면 가장 큰 수는 27입니다.

## 156~157쪽 누구나 100점 맞는 TEST

❶ (1)

| ○ | ○ | ○ | ○ | ○ |
|---|---|---|---|---|
| ○ | ○ | ○ | ○ | ○ |
| ○ | ○ | ○ | ○ | |
| | | | | |

(2)

| ○ | ○ | ○ | ○ | ○ |
|---|---|---|---|---|
| ○ | ○ | ○ | ○ | ○ |
| ○ | ○ | ○ | ○ | ○ |
| ○ | ○ | | | |

❷ (1) 오십, 쉰 (2) 삼십팔, 서른여덟

❸ 4, 3

❹ (1) 2 (2) 8

❺ (1) 10 (2) 19

❻ 28, 30

❼ 38, 39

❽ ~~29~~ 40 41 42 43

❾ (1) 17, 23 (2) 28, 26

❿ (1) 40에 ○표, 28에 △표
(2) 22에 ○표, 19에 △표

❷ (1) 50은 오십 또는 쉰이라고 읽습니다.
(2) 38은 삼십팔 또는 서른여덟이라고 읽습니다.

❹ (1) 10은 8과 2로 가르기 할 수 있습니다.
(2) 17은 8과 9로 가르기 할 수 있습니다.

❺ (1) 7과 3을 모으기 하면 10이 됩니다.
(2) 13과 6을 모으기 하면 19가 됩니다.

❻ 29보다 1만큼 더 작은 수는 28, 1만큼 더 큰 수는 30입니다.

❼ 36－37－38－39－40

❾ (1) 10개씩 묶음의 수를 비교하면 17은 23보다 작습니다.
(2) 10개씩 묶음의 수가 같으므로 낱개의 수를 비교하면 28은 26보다 큽니다.

❿ (1) 10개씩 묶음의 수가 40은 4, 34는 3, 28은 2이므로 40이 가장 크고 28이 가장 작습니다.
(2) 10개씩 묶음의 수를 비교하면 19가 가장 작습니다. 21과 22의 낱개의 수를 비교하면 22가 가장 큽니다.

코딩9 (2) 26과 27 중에서 27이 더 큰 수이므로 ㉡ 로봇이 도착한 칸의 수가 더 큽니다.

**기초 학습능력 강화 프로그램**

매일 조금씩 **공부력 UP**

# 똑똑한 하루
# 독해&어휘

**쉽다!**

10분이면 하루치 공부를 마칠 수 있는
커리큘럼으로, 아이들이 쉽고 재미있게
독해&어휘에 접근할 수 있도록 구성

**재미있다!**

교과서는 물론 생활 속에서 쉽게
접할 수 있는 다양한 소재를 활용해
흥미로운 학습 유도

**똑똑하다!**

초등학생에게 꼭 필요한 상식과 함께
창의적 사고력 확장을 돕는
게임 형식의 구성으로 독해력&어휘력 학습

공부의 핵심은 독해!
예비초~초6 / 총 6단계, 12권

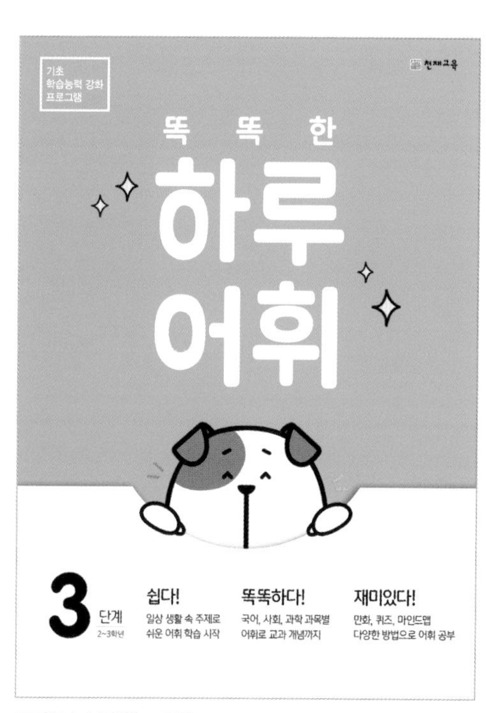


독해의 시작은 어휘!
예비초~초6 / 총 6단계, 6권

정답은
이안에
있어!

기초 학습능력 강화 프로그램

# 매일 조금씩 공부력 UP!

하루 독해　　하루 어휘

하루 VOCA

하루 수학　　하루 계산　　하루 도형　　하루 사고력

| 과목 | 교재 구성 | 과목 | 교재 구성 |
|---|---|---|---|
| 하루 수학 | 1~6학년 1·2학기 12권 | 하루 사고력 | 1~6학년 A·B단계 12권 |
| 하루 VOCA | 3~6학년 A·B단계 8권 | 하루 글쓰기 | 1~6학년 A·B단계 12권 |
| 하루 사회 | 3~6학년 1·2학기 8권 | 하루 한자 | 1~6학년 A·B단계 12권 |
| 하루 과학 | 3~6학년 1·2학기 8권 | 하루 어휘 | 예비초~6학년 1~6단계 6권 |
| 하루 도형 | 1~6단계 6권 | 하루 독해 | 예비초~6학년 A·B단계 12권 |
| 하루 계산 | 1~6학년 A·B단계 12권 | | |

※ 각 교재별 출간 시기는 조금씩 다릅니다.

**기초 학습능력 강화 프로그램**

2021 신간

사회·과학 기초 **탐구력** UP!

# 똑똑한 하루

## 사회·과학

**쉬운 용어 학습**

교과 용어를 쉽게 설명하여
기억하기도 쉽고,
교과 이해력도 향상!

**재밌는 비주얼씽킹**

쉽게 익히고 오~래 기억하자!
만화, 삽화, 생생한 사진으로
흥미로운 탐구 학습!

**편한 스케줄링**

하루 6쪽, 주 5일, 4주
쉽고 재미있게, 지루하지 않게
한 학기 공부습관 완성!

**매일매일 꾸준히! 생활 속 탐구 지식부터 교과 개념까지!** 초등 3~6학년(사회·과학 각 8권씩)